福建師範大學文學院百年學術論叢　第六輯

圖書考辨與文獻整理

林慶彰　著

本成果受「開明慈善基金會」資助

第六輯
總序

庚子之歲，正值「露從今夜白」的秋季，福建師範大學文學院又邁出兩岸學術交流的堅執步伐，與臺北萬卷樓圖書公司繼續聯手，刊印了本院「百年學術論叢」第六輯。

學科隊伍的內外組合、旁通互聯，是高校學術發展的良好趨勢。我發現，本輯十部專書的十位作者，有八位屬於文學院的外聘博士生導師及特聘教授。他們或聘自本校其他學院，或來自省內外各高教、出版、科研部門，或是海峽彼岸遠孚眾望的學術名家。儘管他們履踐各殊，而齊心協力，切磋商量，共為本學院「百年學術」增光添彩的目標則無不一致。這種大學科團隊建設的新形態，充滿生機，令人欣悅。

泛觀本輯十種著作，其讜論之謹嚴，新見之卓犖，蓋與前五輯無異。茲就此十書，依次稱列如下：其一，劉登翰《中華文化與閩臺社會》，採用文化地理學和文化史學交叉的研究方法，提出閩臺文化是從內陸走向海洋的多元交匯的「海口型」文化重要觀點；其二，林玉山《漢語語法教程》，系統性地引證綜論漢語之語法學，以拓展語法研究者的學術窺探視野；其三，林繼中《王維——生命在寂靜裡躍動》，勾畫出唐代文藝天才王維的深廣藝術影響，揭示其詩藝風格之奧秘；其四，顏純鈞《中斷與連續——電影美學的一對基本範疇》，研討電影美學的核心理論問題，提出「中斷與連續」這一對新的美學範疇，稽論此新範疇與其他傳統範疇之間的關係；其五，林慶彰《圖書考辨與文獻整理》，辨析臺灣「戒嚴時期」出版大陸「違禁」著述的情實，兼涉經史研究、日本漢學、圖書文獻學之多方評識，用力廣博周詳；其六，汪毅夫《閩臺區域社會研究》，從社會、文化和文學三個部分，分析閩臺文化的同一性和差異性，並及中華文化由中心向閩臺的漪動情狀；其七，謝必震《明清中琉交往中的中國傳統涉外制度研究》，結合中琉交往中相關的中國涉外制度作多方梳理，揭明中國封建王朝的對外思想、對外政策的本質特徵，以及對世界格局的影響作用；其八，管寧《文藝創新與文化視域》，把脈世紀之交文學與消費社會及大眾傳播之間的關係，分析獨具視角，識見精審；其九，謝海林《清人宋詩選與清代文化論稿》，全面梳理有清一代宋詩選本，對於深化宋詩研究乃至清代詩學研究有一定的參考價值；其十，周雲龍《別處另有世界在——邁向開放的比較文學形象學》，在不同類型的文本中擷取有關異域形象的素材，以跨文化、跨學科的視角，對其中的話語構型進行解析，探究中西、歐亞在現代性話語中的遭遇。從學科領域觀之，這十種著作已廣泛涉及文學、歷史、語言、區域文化、電影美學等不同學科，其抒論角度、方法、觀點之新穎特出，尤使人於心往神馳的學術享受中獲得諸多啟迪。

晚清黃遵憲詩云：「大千世界共此月，今夕只照人兩三」（《人境廬詩草》卷一），句中透露著無奈的孤獨感。藉此比照今日兩岸學術文化溝通交流的情景，我們無疑已經遠離了孤獨，迎來了眾所共享的光風霽月。我校文學院「百年學術論叢」在臺灣印行到第六輯，持續受到歡迎稱道，兩岸學者相與研磨，便是切實的印證。我感受到，在清朗的月色下，海峽兩岸的學術合作之路，將散發出更加迷人的炫彩。

福建師範大學汪文頂

西元二〇二〇年歲在庚子仲夏序於福州

自序

本書分為上、下兩編。上編圖書考辨，是我二十多年來考辨戒嚴時期偽書的成果。我特別喜歡考辨偽書，不論是古籍，或是當代文獻，一發現有疑問，就加以考訂，多年來也累積了一些成果，可以參看我所著的《圖書文獻學研究論集》和《偽書與禁書》。現在把考訂當代偽書的資料，按經學、史學、哲學、文學、語言文字學、文獻學六大類別來編排。其中，語言文字學和文獻學部分尚未完稿，不能收進來。已收進來的，經學類曾發表於四川省社會科學院出版的《國學》第三集（二〇一六年六月），其他三類的文獻，皆未曾發表。這一部分算是以新面目跟讀者見面。

自從考訂偽書以來，我一直希望有學者能將中文的偽書做徹底的整理，編輯一本當代偽書考，來徹底瞭解這種特殊的文化現象，其形成的文化背景如何？如何獲得大陸的出版品？如何竄改才能逃避臨檢？經竄改出版品數量有多少？偽書對學術研究的影響為何？等等問題。

下編文獻整理，看篇名好像是書評，其實是要讀者更深一層瞭解資料的內涵；〈我蒐集李源澄著作之經過〉是強調蒐集文獻的方法，必須要上窮碧落下黃泉，然後以謹慎的態度和鍥而不捨的精神來搜尋這些資料；〈談《東洋學文獻類目》〉在蒐集文獻時有不少偏失，它故意遺漏臺灣出版的重要刊物，很多大學學報都不收，而大陸方面，卻收了許多娛樂性的刊物，可見這是要貶低臺灣的學術水平。所以寫這篇書評，是要提醒《東洋學文獻類目》蒐集資料時，態度應更為客觀。因為學術是一種公器，不容許有人綁架它。

我現在工作的地點是福建師範大學文學院，該校已將文學院教師的著作編輯為《福建師範大學文學院百年學術論叢》，已出版一至五集，現在要出版第六集，院裡的領導階層希望我提供一本書稿來共襄盛舉。我寫的論文，以經學和文獻學的著作最多，經學的已出版《明代經學研究論集》、《清代經學研究論集》、《中國經學研究的新視野》、《民國時期經學與經學家研究》四本論文集。文獻學的論文，有幾十篇，僅出版《圖書學文獻學研究論集》和《偽書與禁書》兩種，由於大部分的論文都沒有整理，要查詢時非常的不方便，有這個機會出版，當然應把握。

二〇二〇年六月林慶彰誌於臺北市士林區礦溪街知魚軒

目次

上編　圖書考辨

下編　文獻整理

上編

圖書考辨

臺灣戒嚴時期經學類違礙圖書考

一　前言

在進入主題之前，我想對這篇文章的篇名稍作解釋。這裡所謂「戒嚴時期」，是指一九四九年五月二十日，由時任臺灣省主席兼警備司令陳誠宣布臺灣全省實施戒嚴，至一九八七年七月十五日解除戒嚴，這段時間在臺灣史上稱為戒嚴時期。

這戒嚴的三十八年間，大陸出版品如純就文史哲類來說，約有一千餘種，由於在臺灣出版這些書是犯法的，所以出版者想盡各種辦法來竄改這些書，這對學術研究所造成的不良影響，不用說大家也都知道。這三十年間我曾經撰寫十餘篇論文探討這個問題[1]，結論是說應該有人編輯一部「臺灣戒嚴時期違礙圖書考」，將戒嚴時期出版的違礙圖書作徹底的整理。如不及時加以整理，隨著時間的經過，某些違礙書會逐漸亡佚，要考訂將更加困難。由於要考訂這些書必須要具備

1　收入拙著《圖書文獻學研究論集》（臺北市：文津出版社，1990年1月）的有：(1)〈當代偽書問題〉；(2)〈偽書概觀——以華聯（五洲）出版社的文史書為例〉；(3)〈一本偽書——談朱自清的〈語文通論〉〉；(4)〈誰幽林語堂一默？——談林著〈世界文學名著史話〉〉；(5)〈胡適之先生編過〈白話詞選〉？〉；(6)〈如何整理戒嚴時期出版的偽書？〉。另一本拙著《偽書與禁書》（新北市：華藝學術出版社，2012年11月）收有：(1)〈臺灣商務印書館竄改〈東方雜誌〉重印本〉；(2)〈戒嚴時期〈國魂〉月刊所刊登的禁書〉；(3)〈呂思勉先生著作在臺灣的翻印及流傳〉；(4)〈高亨先生著作在臺灣的翻印及流傳〉；(5)〈張舜徽先生著作在臺灣的翻印及流傳〉；(6)〈誰剽竊朱自清的著作〉；(7)〈九本詩學入門書〉；(8)〈趙景深〈中國文學小史〉在臺灣的翻印本〉。

非常豐富的圖書文獻知識，對民國時期和新中國時期的出版品也要瞭如指掌，才有可能完成這工作。也因為考訂這些書有這麼多的困難，所以遲遲沒有人獻身來完成這工作。

一九七五年，筆者就讀東吳大學中國文學研究所碩士班時，即開始購買這些違礙圖書，近三十年間蒐集了將近五、六百種之多。如果將所蒐集來的書，配合其他學界朋友所藏和各圖書館的藏書，應該可以完成這一艱鉅的任務。這篇小論文是從「臺灣戒嚴時期違礙圖書考〔初稿〕」中裁篇出來的，所以先將經學類的違礙圖書裁篇出來，是因為要配合中國文哲研究所經學文獻組執行的「戰後臺灣經學研究計畫」。大家都知道要做學術研究，除蒐集文獻資料之外，必須對所根據的文獻資料作充分的考訂，才能不為違礙書所欺。為了不讓學者被這些違礙書所誤導，我們將按學科類別，陸續將考訂的結果公布出來。一個人的見聞有它的侷限，所收違礙書必有所遺漏，考訂也有不正確的地方，請學界先進朋友多多指正。

二　群經總論

《群經概論》　書背、書名頁作者題「本社編審」
臺北市　河洛圖書出版社　1977年3月　在臺影印出版
正文前有目錄9頁，正文420頁。
按：即根據范文瀾（1893-1969）《群經概論》翻印。范氏書1933年10月由北平樸社出版。列入范文瀾所論第一種。正文前有目錄9頁，正文420頁。

《群經概論》　封面、書背、書名頁、版權頁作者皆題作「周大同」
臺北市　臺灣商務印書館　1968年3月　臺一版　《人人文庫》601
正文前有目錄3頁，正文107頁。

按：作者即周予同（1898-1981）。周氏書1933年1月由上海商務印書館印行初版，列入王雲五（1888-1979）主編《百科小叢書》，同年再版。

《經子解題》　書名頁和版權頁作者皆題「本館編審部」。
臺北市　臺灣商務印書館　1957年10月　臺一版　《國學小叢書》
正文前有自序1頁，目錄2頁，合計3頁。正文197頁。
按：即呂思勉（1884-1957）《經子解題》。呂氏書1929年10月由上海商務印書館出版。

《經子研讀指引》　甘志清著
臺北市　華聯出版社　1968年7月
正文前有自序1頁，目錄2頁，合計3頁，正文197頁。
按：即將呂思勉的《經子解題》竄改書名和作者而成。「甘志清」是個假名，學術界並無此人。

《經子解題》　書名頁和版權頁作者皆作「李思勉撰」
高雄市　復文圖書公司　1983年10月
正文前自序1頁，目錄2頁，合計3頁，正文197頁。
按：即呂思勉所著，將「呂思勉」改成「李思勉」。

《經典淺說》　封面和書名頁作者皆題「朱銘段教授著」
臺北市　柳風出版社　1965年12月
此書有目錄2頁，序文4頁，正文173頁。
按：正文前的序文，就是朱自清（1898-1948）《經典常談》的序文，僅將序文末的「朱自清」三個字改作「朱銘段謹識」。正文內容與朱自清的《經典常談》完全相同。此書臺灣大學、東吳大學、中國醫藥大學圖書館有收藏。

《中國經典常識》　吳雲鵬編
臺南市　經緯書局　1967年11月
此書目錄2頁，正文138頁。
按：該書把朱自清《經典常談》的序文刪去。正文內容與朱自清《經典常談》完全相同。

1987年，我們在編輯《經學研究論著目錄（1912-1987）》時，已發現這兩本偽書，當時限於目錄體例，僅作如下處理：在朱自清《經典常談》的條目下，我們著錄了兩條：

臺北市　柳風出版社　173頁　1965年12月
（作者和書名改為朱銘段《經典淺說》）

臺南市　經緯書局　138頁　1967年11月
（作者和書名改為吳雲鵬《中國經典常識》）

另外，也為朱銘段和吳雲鵬各立了一個條目，以方便讀者從作者來檢索，條目如下：

朱銘段　經典淺說　臺北市　柳風出版社　173頁
1965年12月（即朱自清《經典常談》）

吳雲鵬　中國經典常識　臺南市　經緯書局　138頁
1967年11月（即朱自清《經典常談》）

這樣重複著錄，目的是要讀者從各個方面都可知道這兩種書是偽書，引用時要特別小心，如果不加鑑別就加以引用，恐怕會鬧笑話。

《十三經索引》　封面、書背、書名頁皆不題編者，版權頁著作者作「臺灣開明書店」。
臺北市　臺灣開明書店　1955年6月　臺一版；1978年3月　臺九版
正文前有述例1頁，檢字26頁，簡目簡稱13頁，合計40頁，正文1718頁。
按：即翻印葉紹鈞（1894-1988）所編《十三經索引》。葉氏書於1935年由上海開明書店出版。

三　周易類

《周易古經今注》　封面、書名頁和版權頁作者皆題「張世祿注」
臺北市　華聯出版社　1969年5月
正文前有目次2頁，正文228頁。
按：本書作者雖改題「張世祿注」，但正文第一頁大題下仍有「雙陽高亨」四字，如果是要讓讀者從這四個字得知本書的真正作者，其情可感。如果不是，作偽技巧未免太拙劣。

即高亨（1900-1986）著《周易古經今注》。高氏於1940年寫成《周易古經今注》，全書分上下兩冊，上冊是《通說》，下冊是《注釋》。由葉紹鈞介紹，交上海開明書店出版。不久，日軍佔領上海，開明書店被迫停業。1943年，又交貴陽文通書局出版。次年，日軍進犯廣西、貴州，文通書局於倉皇中只印了《通說》一冊。1947年，上海開明書店才把《注釋》出版。1957年，中華書局利用開明書店的舊紙型將《今注》出版。次年，高亨將《通說》略加修正，也由中華書局承印出版。此後，兩書分別流傳。1984年3月，北京中華書局出版《周易古經今注》（重訂本）時才將兩書合而為一。

華聯出版社此書根據上海開明書店本翻印。高氏此書雖遭竄改作者姓名，但卻是第一次在臺灣翻印。

《周易古經通說》　不題作者
臺北市　樂天出版社　1972年6月
正文前有目次1頁，自序6頁，合計7頁，正文130頁。
按：本書的〈自序〉是刪節竄改高亨〈重訂自序〉而成，茲先將〈重訂自序〉第二段原文迻錄如下：

我在一九四〇年寫成《周易古經今注》一書，書分上下兩冊，上冊是《通說》，下冊是《注釋》。最初由上海開明書店承印出版，因日本侵略軍強佔上海，開明書店被迫停業。以後又由貴陽文通書局承印出版，又因日本侵略軍進犯桂黔，文通書局匆忙趕印（石印），以致版式既不一致，寫錄又非一手，校對更為荒疎，錯字、脫字、衍字、竄字觸目都是，只印了《通說》一冊就作罷了。日本投降後，開明書店復業，才把《注釋》一冊鉛印問世。
這部曾經受過日本帝國主義的折磨的《周易古經今注》，也隨著有了新的前途。《注釋》一冊，仍用《周易古經今注》的名稱，已由中華書局重印出版了。但是「注釋」和「通說」本是一部書的兩個組成成分，有著密切而不可分割的聯繫。讀者僅看「注釋」，不看「通說」，對於周易古經的整體，不免難於理解；對於一些問題，不免覺得有委無源。因此我又把「通說」加以修正，定名為《周易古經通說》，也由中華書局承印出版，供讀者參考。

這本翻印本將〈重訂自序〉改稱〈自序〉，又將這兩段話刪節竄改，濃縮成一段，文字如下：

民國二十九年我寫成《周易古經今注》一書，書分上下兩冊，

> 上冊是「通說」，下冊是「注釋」。三十多年間因抗日軍興與「共匪」的叛亂，以致祇有《周易古經今注》問世。可是「注釋」和「通說」本是一部書的兩個組成部分，有著密切而不可分割的聯繫。祇看「注釋」，不看「通說」，對於周易古經的整體，不免難於理解；對於書間一些問題，不免覺得有委無源。因之，我把「通說」重加修訂，定名為《周易古經通說》，也交樂天出版社出版，供讀者參考。

這段文字竄改得也未免太過粗糙，大陸易幟時，高亨先生留在大陸，竟然敢稱中共為「共匪」，這完全是臺灣在當時的用語，而且說高亨的書交給樂天出版社出版，這不就是「通匪」嗎？這是我所見過竄改得最為拙劣的一段文字。

《周易古經今注》　封面、書背、書名頁作者題「馬偉正」，版權頁不題作者。

臺南市　綜合出版社　1982年3月

正文前有目次2頁，正文230頁。

按：即根據高亨《周易古經今注》翻印而成。正文第一頁，如華聯出版社翻印本大題下仍有「雙陽高亨」四個字，其用意如何，不得而知，如果是有意作偽，技巧未免太拙劣。

四　詩經類

《詩經選》　封面、書背、版權頁皆不題作者，書名頁作者題「本社編審」。

臺北市　河洛圖書出版社　1975年9月　臺影印初版。

正文前有〈前言〉37頁，文末未署名，目次8頁，正文160頁。

按：即余冠英（1906-1955）《詩經選》，1956年1月由人民文學出版社出版，〈前言〉末署「余冠英1950年6月26日於北京大學」，仔細比對兩本之〈前言〉，翻印本刪去文末「北京大學王了一教授和周祖謨教授在這一方面給予註者極多的幫助，應該在這裡特別致謝」和文末的署名和日期。

《詩經選注》　李度著
高雄市　大眾書局　1966年
正文100頁。
按：即余冠英《詩經譯注》。余氏書1959年10月由香港萬里書店出版，正文100頁。除竄改作者外，書名也改為《詩經選注》。

《詩經譯注》　不題作者
臺北市　江南出版社　1967年
正文100頁。
按：即余冠英《詩經譯注》。

《詩經譯注》　不題作者
臺北市　汗牛出版社　1969年
正文100頁。
按：即余冠英《詩經譯注》。

《詩經譯注》　不題作者，版權頁的編譯者題為「仁愛編輯部」
臺北市　仁愛書店　1974年10月
有前言2頁。
按：即余冠英《詩經譯注》。

《詩經譯注》　封面、書背、書名頁、版權頁作者皆題「陳慎初著」
臺北市　洪氏出版社　1977年9月
正文前有前言2頁，目錄2頁，正文100頁。
按：即余冠英《詩經譯注》。本翻印本襲用原書的前言，以致有「冠英先生的譯文，平易近人，極近民歌」，露出破綻。

《詩經今注》　封面、書背和書名頁的作者題「高注」，版權頁不題作者
臺北市　里仁書局　1981年10月15日　翻印本
按：此書為大陸《詩經》研究的名著，1980年北京中華書局出版。大部分人都知道是高亨所著，不然也可以從內文中的「亨按」，得知作者是高亨。前言部分刪去第一、二兩段，這兩段的內容如下：

> 我們社會主義的新中國，勤勞勇敢的人民，在黨的英明領導下，正在進行新的長征。際此人人揚鞭躍馬，爭攀高峰，向四個現代化進軍的時刻，我們怎能不加倍努力呢？！
> 我是一個書生，幾十年來，尤其是解放以後，總是爭取多作一些研究工作，多貢獻一點極為微小的力量，已經著有專書十幾種，刊行問世。最近所作《詩經今注》由上海古籍出版社出版，這又使我得到鼓勵，為之欣舞。

這第二段僅是高亨的自述，可以不刪。

《詩經選》　封面、書背、書名頁，皆不題作者，版權頁選注者題「仁愛書局編輯部」
臺北市　仁愛書局　1982年出版，1984年4月又翻印一次。收入《中國歷代詩人選集》中

正文前有《中國歷代詩人選集》編纂說明2頁，前言20頁，目錄5頁，正文307頁。

按：是劉逸生（1917-2001）主編《中國歷代詩人選集》第一種，周錫䪖選注《詩經選》，周氏書1980年香港三聯書店香港分店印行。

《詩經選》　封面、書背、書名頁、版權頁皆不題作注者，收入《中國歷代詩人選萃》第一種

臺南市　王家出版社　1988年1月印行。

正文前頁1-2是《中國歷代詩人選萃》編纂說明，頁3-21為前言，目錄用羅馬字重編頁碼，有5頁，正文307頁。

按：即翻印劉逸生主編《中國歷代詩人選集》第一種，周錫䪖選注《詩經選》。

《詩經研究》　封面、書背作者皆題「胡子成著」

臺南市　綜合出版社　1987年

目錄2頁，正文148頁。

按：即翻印謝无量（1884-1964）《詩經研究》而成。謝氏書1923年5月由上海商務印書館印行。

《詩廣傳》　書背、書名頁、版權頁作者題「王夫之撰」，不題點校者

臺北市　河洛圖書出版社　1974年9月　臺影印初版

目錄9頁，正文174頁。

按：本書點校者為王孝魚（1900-1981）。1964年2月北京中華書局出版。

五　左傳類

《左傳讀本》　封面、書背、書名頁，作者皆題「黃百祥選註」，版權頁作「註選者：黃百祥」

臺北市　旋風出版社　1964年4月

正文前有序3頁，正文750頁。序末題「1964年4月黃百祥謹識」。

按：即用王伯祥（1890-1975）之《春秋左傳讀本》竄改而成。王氏書1940年11月上海開明書店出版。

《左傳詳釋》　封面、書名頁作者皆題「袁少谷註釋　褚博雅　校訂」，版權頁題作「注釋者　袁少谷　校訂者褚柏雅」。袁少谷、褚博雅都是假名

臺北市　五洲出版社　1968年4月

目次6頁，正文750頁。

按：即用王伯祥《春秋左傳讀本》竄改而成。此翻印本刪去序3頁。

《白話左傳》　沈玉成

臺北市　明文書局　1982年2月

正文600頁。

按：即沈玉成（1932-1995）《左傳譯文》改名而成。1981年2月由北京中華書局出版。

《白話左傳》　封面、書背作者皆題「本社編譯」

高雄市　復文圖書出版社　1986年8月

正文600頁。

按：即沈玉成《左傳譯文》改名而成。

《左國選讀》　封面、書背、書名頁、版權頁，皆不題作者
臺北市　學海出版社　1978年5月
正文282頁。
按：本書將莊適選注《左傳》、葉玉麟（1876-1958）選注《國語》和臧勵龢選註《戰國策》合併為一冊，書名作《左國選讀》。

《左傳選讀》　封面、書背、書名頁皆不題作者，版權頁選注者題「臺灣開明書店」
臺北市　臺灣開明書店　1985年1月　臺一版
正文前有目次2頁，正文180頁。
按：全書選取《左傳》事件二十一則，篇目如下：

（1）鄭伯克段於鄢；（2）石碏諫寵州吁；（3）鄭莊公戒飭守臣；（4）臧哀伯諫納郜鼎；（5）季梁諫追楚師；（6）齊魯長勺之戰；（7）齊桓公伐楚屈完；（8）宮之奇諫假道；（9）秦晉韓之戰；（10）晉公子重耳之亡；（11）晉楚城濮之戰；（12）秦晉殽之戰；（13）王孫滿對楚子；（14）晉楚邲之戰；（15）齊晉鞌之戰；（16）呂相絕秦；（17）晉楚鄢陵之戰；（18）季札觀周樂；（19）子產壞晉館垣；（20）楚靈王乾谿之戰；（21）子產論政寬猛。

本書的二十一則事件，不論排版形式和註解內容，皆取自王伯祥《春秋左傳讀本》。王氏書是按《左傳》內容的順序編排，並沒有這些事件的標題，標題為本書編者所加。

《春秋左傳會注》　封面、書背、書名頁作者皆題「本社編」，版權頁作者題「本社編輯部」

高雄市　復文圖書出版社　1986年8月初版
分上下冊，1736頁。
按：即楊伯峻（1909-1992）《春秋左傳注》。1981年3月北京中華書局出版。

《左傳白話譯注》　瞿蛻園
臺北市　華聯出版社　1979年4月
正文166頁。
按：即瞿蛻園（1894-1911）《左傳選譯》。1955年由上海春明出版社出版。

《左傳選》　新宇出版社編輯部編
臺北市　新宇出版社　1985年11月
正文373頁。
按：即徐中舒（1898-1911）《左傳選》。1963年9月由北京中華書局出版。

六　四書類

《論語辨》　封面、書背不題作者，書名頁作者作「本店編集」，版權頁編輯者作「本店編譯部」。
臺北市　臺灣開明書店　1969年6月　臺一版。
書前有署名「臺灣開明書店編譯部」所寫的「印行開明辨偽叢刊緣起」2頁，目錄8頁。
正文分上中下三編，上編收：崔述（1740-1816）《論語餘說》、《論語篇章辨疑》、《論語源附考》3篇。中編分：甲總論，收崔述《洙泗考信錄》4篇；乙分論，收《商考信錄》、《洙泗考信錄》、《唐虞考信錄》

計十三篇。下編收：柳宗元（西元773-819年）、袁枚（1716-1797）、趙翼（1727-1814）、康有為（1858-1927）、崔適（1852-1924）、梁啟超（1873-1929）、錢穆（1895-1990）、錢玄同（1887-1939）等人之論文。

按：即趙貞信所編《論語辨》。1935年北平樸社排印本。趙氏書正文前有序3頁，目錄8頁，該〈序〉云：

> 《論語》是過去學術界中最有權威的一部書，因為它是記載孔子和他的門人的言行之惟一寶典，其性質頗同於耶穌教的《新約全書》。孔子在人們的信仰中，是一位道冠百王，德隆群聖的人；記載他的言行之書可以使後人就中看出聖人的真面目，因而師效之，其地位之高，價值之大，自屬當然。我們今日要研究儒家宗主的孔子，勢不得不依靠它；既要依靠它就須問一問它的真實性究竟如何，所以我們應該首先考察它的來源。
>
> 這本書的編輯，即是想盡些這方面的任務。共分三編：崔述的《論語餘說》和《論語源流考》為上編；從《唐虞考信錄》、《商考信錄》、《洙泗考信錄》及《餘錄》諸書中輯出者為中編；崔述以外的人所辨者為下編。在從前聖人權威的籠罩之下，疑經即是非聖，何人膽敢冒此大不韙。但是一個人的真理即是千萬人的真理，得到水到渠成，任是如何壓抑，終必暴發的。袁枚、趙翼、崔述三人生於並世，各不相謀，而其懷疑《論語》之見解已趨一致，可見到了此時已有不得不發之勢，這三個人都是聰明人，所以這幾個破綻就給他們捉住了。這三人中，袁、趙二氏不過偶然地燭照，不像崔述下了苦功去逐章逐句考辨。
>
> 此後又有康有為、崔適二人，因研究今文學而對於《古文論語》大施指摘。康、崔以外，別家間有懷疑的，大都承接崔述的說法。所以崔述是辨偽《論語》的中心人物。我不敢信他所

辨的完全對，他究竟是懷挾著聖人的成見來做考訂的標準的。我也不贊成康、崔二氏站在今文家的立場上來辨偽，他們有一些話簡直是門戶之見。但我編這一本書的宗旨，是想把前人辨《論語》的偽的文字收集在一起，至於他們的話對不對，那是須待我們將來的抉擇，不是現在立刻能分清的，故不加刪汰。關於《論語》之名稱，篇目，源流等等，搜集材料不下數十萬言，已不是一序所能容，只得別為長文以備商榷。

趙貞信　一九三五年一月一日

此一序文，開明書店重印本，將其刪除。

《半部論語與政治》　趙正中編。
臺北市　海服書局發行、經緯書局經售，1951年8月
按：即趙正平（1878-1945）的《半部論語與政治》。趙正平之書在民國時期的出版情況如下：

（1）上海市　新中國建設學會　1936年11月
（2）重慶市　藝新圖書社　1943年10月
（3）重慶市　陪都書店　1948年

《半部論語與天下》　作者題趙厚聖撰，趙鐸編校
臺南市　經緯書局　1959年
按：即趙正平的《半部論語與政治》。將書名和作者皆竄改。作者所以題趙厚聖，是因為趙正平字厚生[2]，「厚聖」的音與其相近。

---

2 見周川主編：《中國近現代高等教育人物辭典》（福州市：福建教育出版社，2012年版），頁455。

《半部論語治天下》　作者題趙厚聖撰，趙鐸編校
臺中市　趙鐸印行　1975年
按：即趙正平的《半部論語與政治》。將書名和作者皆竄改。

《論語譯注》　書背作者題「本社編審」
臺北市　河洛圖書出版社　1980年8月
正文324頁。
按：即楊伯峻所著，1958年6月北京古籍出版社出版。

《譯註論語自修讀本》　楊德崇注
臺北縣板橋市　藝文印書館　1967年
正文274頁，附《論語辭典》114頁。
按：即翻印楊伯峻所著《論語譯注》，和《論語辭典》合為一冊，並竄改作者和書名而成。

《論語詳釋》
臺北市　華聯出版社　1975年12月
正文443頁。
按：即趙聰《論語譯註》。1975年12月由香港九龍友聯出版社出版，443頁。

《論語辭典》　書名頁作者題楊德崇編
臺北縣板橋市　藝文印書館　1966年印行　收入嚴靈峰（1903-1999）編《無求備齋論語集成》第三十函
按：即楊伯峻所編《論語辭典》。楊氏書，正文前有例言1頁，正文有57頁，線裝本1冊。

《孟子譯注》　書背作者題「本社編審」，封面、版權頁不題作者

臺北市　河洛圖書出版社　1977年5月印行

正文前有導言12頁、例言2頁、目次1頁，正文345頁，頁346-483為《孟子辭典》，合計483頁。

按：即楊伯峻所著，1960年1月由北京中華書局出版，作者題「蘭州大學中文系孟子譯著小組」，後來才還其本名。

《孟子選析》　封面、書背、書名頁皆不題作者，版權頁編譯者題「仁愛編輯部」

臺北市　仁愛書店　1974年10月印行

正文前有前言3頁，目次3頁，正文121頁。

按：即瞿果行《孟子選讀》。瞿氏書，1962年12月由南京江蘇人民出版社出版。正文前有目次2頁，前言8頁，頁9-148為正文。

瞿果行《孟子選讀》目次如下：

> （1）揠苗助長；（2）得其所哉！得其所哉；（3）一日暴之，十日寒之；（4）一齊人傅之，眾楚人咻之；（5）月攘一雞；（6）燕人畔；（7）與人為善；（8）驕其妻妾；（9）是鶂鶂之肉也；（10）生於憂患，死於安樂；（11）焉有君子而可以貨取乎；（12）以割烹要湯；（13）此之謂大丈夫；（14）魚，熊掌；（15）五十步笑百步；（16）寡人願安承教；（17）寡人之罪；（18）王顧左右而言他；（19）小子鳴鼓而攻之；（20）事齊乎？事楚乎；（21）若大旱之望雲霓；（22）鄒與魯鬨；（23）君之視臣如手足；（24）天時——地利——人和；（25）自作孽，不可活；（26）聖人治天下；（27）七年之病，求三年之艾；（28）民以為大；（29）與民同樂；（30）然後可以為民父母；(31）聞誅一夫紂矣；（32）民為貴，社稷次之，君為輕；（33）齊桓晉文之事章。

瞿氏書選《孟子》書中的三十三章，選注者在〈前言〉中說：「為了使讀者更好地了解這位大思想家的基本思想，沒有按照原來次序編排，而是把思想內容比較接近的放在一起。」可見，這三十三章並非按照《孟子》原書《梁惠王》、《公孫丑》的排列順序，而是按思想內容來編排。

仁愛書店的翻印本正文順序與瞿氏書相同，惟刪去第三十一則〈聞誅一夫紂矣〉，其他各則內容頗多刪節，引用參考時，仍應以原書為主。〈前言〉原書有8頁，此翻印本僅存3頁，可見刪節甚多。

《孟子選析》　封面、書背、書名頁皆不題作者，版權頁主編者題「本社編輯部」

臺北市　文津出版社　1977年10月印行

前言3頁，目次3頁，正文121頁。

按：此一翻印本的目次如下：

（1）天時——地利——人和（〈公孫丑〉下）；（2）自作孽，不可活（〈離婁〉上）；（3）聖人治天下（〈盡心〉上）；（4）七年之病，求三年之艾（〈離婁〉上）；（5）民以為大（〈梁惠王〉下）；（6）與民同樂（〈梁惠王〉下）；（7）然後可以為民父母（〈梁惠王〉下）；（8）民為貴，社稷次之，君為輕（〈盡心〉下）；（9）揠苗助長（〈公孫丑〉上）；（10）得其所哉！得其所哉！（〈萬章〉上）；（11）一日暴之，十日寒之（〈告子〉上）；（12）一齊人傅之，眾楚人咻之（〈滕文公〉下）；（13）日攘一雞（〈滕文公〉下）；（14）燕人畔（〈公孫丑〉下）；（15）與人為善（〈公孫丑〉上）；（16）齊人有一妻一妾（〈離婁〉下）；（17）是鶃鶃之肉也（〈滕文公〉下）；（18）生於憂患，死於安樂（〈告子〉下）；(19) 焉有君子而可以貨取乎（〈公孫丑〉下）；(20) 以割烹要湯（〈萬章〉上）；(21) 此之謂大丈夫（〈滕文公〉下）；(22) 舍生取義（〈告子〉上）；(23) 五十步笑百步（〈梁惠王〉上）；(24) 寡人願安承教（〈梁惠王〉上）；(25) 寡人之罪（〈公孫丑〉下）；(26) 王顧左右而言他（〈梁惠王〉下）；(27) 小子鳴鼓而攻之（〈離婁〉上）；(28) 事齊乎？事楚乎？（〈梁惠王〉下）；(29) 若大旱之望雲霓（〈梁惠王〉下）；(30) 鄒與魯鬨（〈梁惠王〉下）；(31) 君之視臣之手足（〈離婁〉下）；(32) 齊桓晉文之事章（〈梁惠王〉上）

即翟果行《孟子選讀》，1962年12月南京江蘇人民出版社出版。文津翻印本前言僅存3頁，可見刪節甚多。正文一如仁愛本，頗多刪節、竄改。〈聞誅一夫紂矣〉一則仍然被刪去。

《孟子事蹟考略》　封面不題作者，書背和書名頁作者題「本社編輯部」
臺北市　泰盛書局　1977年7月出版
正文103頁。
按：即胡毓寰所著。胡氏書1936年7月由正中書局出版。

《原善、孟子字義疏證》　不題點校者
臺北市　世界書局　1974年7月　臺三版　收入楊家駱主編的《增訂中國學術名著》第一輯《增補中國思想名著》第40冊　與顏元（1635-1704）《四存編》合冊。
按：1961年7月，中華書局出版由何文光點校的《孟子字義疏證》。這書包含《孟子字義疏證》、《原善》、《孟子私淑錄》三書。這本翻印本中的《孟子字義疏證》、《原善》，即取自何氏書。

《中庸譯注》　封面、書背、書名頁、版權頁作者皆題「本社編審」
臺北市　河洛圖書出版社　1980年8月
正文前有目錄1頁，正文104頁，頁105-118附錄，收四篇文章：一、〈關於中庸〉；二、〈中庸章句卷頭引程顯語〉；三、〈朱熹中庸集解序〉；四、〈朱熹中庸章句序〉。
按：即勞思光（1927-2012）《中庸譯注》，1980年由香港友聯出版社出版。

七　石經

《漢石經集成》　馬無咎編
臺北縣板橋鎮　藝文印書館　1956年
二冊一函。
按：即馬衡（1881-1955）《漢石經輯存》。馬氏書1957年北京科學出版社出版，二冊一函。

八　經學史

《增註經學歷史》　書背、書名頁、版權頁題作者皮錫瑞著，不題作注者
臺北縣板橋鎮　藝文印書館　1966年9月　一版
正文前有目次1頁，正文331頁，頁332-334附錄〈皮鹿門先生傳略〉、頁335-338〈皮鹿門先生著述總目〉，合計338頁。
按：原書為皮錫瑞（1850-1908）著，周予同註釋，1929年3月上海商務印書館出版，1934年4月印行國難後第一版。列入《學生國學叢書》之一。原書頁1-24為〈序言〉，包括「一、經學之三大派」；「二、經學史的重要與其分類」；「三、皮錫瑞傳略」；「四、

皮著經學歷史批判」，共四小節。接著為凡例，佔2頁，正文重起頁碼，計有364頁。正文後有〈經學歷史訂正及補遺〉，有15頁。

1959年12月北京中華書局出版重印本，有目次2頁，頁1-16為序言，序言的標題略有修改。頁17-18為凡例，頁19-349為正文，頁350-356為附錄一〈皮鹿門先生傳略〉，頁357-362為附錄二〈本書引用清代人名出處表〉，頁363-364有周予同的〈重印後記〉。中華書局本刪去〈經學歷史訂正及補遺〉，頁390-394附錄二〈皮鹿門先生著述總目〉。

藝文印書館影印時刪去正文前的序言等18頁。原印本的頁碼是從序言算起，目錄、正文的頁碼也接著排，注釋中往往有「見頁××注×」，由於翻印本的頁碼已改，根據原印本所標的頁碼，已無法找到該注。這是隨意竄改書所造成的惡果。

《經學歷史》　封面不題作者及作注者，書背、書名頁、版權頁僅題著作者皮錫瑞。

臺北市　河洛圖書出版社　1974年9月　臺影印出版。

正文前有目次2頁，頁1-7為序言，僅收錄「經學的三大派」、「皮錫瑞傳略」兩小節，內文也略有刪改，並將「經學史的重要性和它的分類」、「皮著經學歷史類評」全部刪去。頁4-6為〈皮鹿門先生傳略〉，頁7-10為〈皮鹿門先生著述總目〉，頁11-16為〈本書引用清代人名出處表〉，頁17-18為〈凡例〉，頁19-349為正文。將附錄一〈皮鹿門先生傳略〉、附錄二〈本書引用清代人名出處表〉移至正文前，書末的周予同〈重印後記〉也刪去。

按：即皮錫瑞撰，周予同注《經學歷史》。

《經學歷史》　封面、書背、書名頁、版權頁皆不題作注者名

臺北市　莊嚴出版社　1984年8月　初版

頁1-7為序言，頁9-10為凡例，頁11-141為正文，頁342-348為附錄一〈皮鹿門先生傳略〉，頁349-354為附錄二〈本書引用清代人物出處表〉。

按：即周予同注《經學歷史》。序言部分刪去不少，僅存〈經學的三大派〉、〈皮錫瑞傳略〉兩小節。

《增註經學歷史》　書背、書名頁、版權頁作者題皮錫瑞撰，不題作注者

臺北市　藝文印書館　2004年3月　初版五刷

正文前有目次2頁，頁1-385為正文，頁386-389為附錄一〈皮鹿門先生傳略〉，頁390-394為附錄二〈皮鹿門先生著述總目〉。正文頁碼重新編過，正文前的序言全刪去。

《中國經學史》　封面、書背、書名頁、版權頁僅題原作者，皆不題譯者。

臺北市　祥生出版社，古亭書屋發行　1975年4月　臺一版

本書正文前有譯者序2頁、緒言3頁、目錄6頁，正文320頁，頁321-358為〈中國經學年表〉，本〈年表〉本田成之之書本來沒有，是譯者孫俍工（1894-1962）所加。

按：本書原名《「支那」經學史論》，昭和二年（1927）十一月由弘文堂書房印行。正文前有緒言8頁，目次4頁，正文411頁。本書在中國有兩種譯文，一為孫俍工譯本，書名《中國經學史》，1935年上海中華書局印行，358頁。二為江俠庵譯本，書名《經學史論》，1934年5月上海商務印書館印行，371頁。

書前的〈譯者序〉本翻印本有保留，廣文書局翻印本卻加以刪去，茲將譯者序迻錄如下，供讀者參考。

此書為日本本田成之著，原名《「支那」經學史論》，今譯改今名，每章並另加注釋，卷末附《中國經學年表》。

中國從來就是以所謂的尊經尊孔的文教立國，但對於孔子卻從來就不完全認識，對於經，尤其是只知尋章摘句，斷章取義，一字的解釋有多至二萬言者，其支離滅裂的弊病，實遺二千年來儒者之患。

至近代善化皮錫瑞始有《經學歷史》之作，欲系統地把中國經學底開闢流傳及其盛衰作一個整個的提示，然因其略而不詳，研究經學者雖得窺其藩籬，無從入其堂奧。

此書縱的把中國歷代經學作一總結，而且對於孔子底思想，經學底源流，今古文底異同等均有明瞭地敘述，使讀其書者不致為孔子所迷，不致為經學所迷。於中國經學者，別開研究新途徑，也許是本書值得介紹的特點之一哩。

中國人研究古學，每易陷於主觀，故入主出奴門戶之見，為二千年來中國學術不發達的大原因。此書論斷，大體取科學的態度，為我們底治學者應取法的處所實多，故此書底值得介紹，這也是其一點。

余譯此書至第七章，忽見商務有廣告，已有江俠庵君譯本正要出版，深悔不該重譯，迨至江譯本出版購而校讀之，乃知江君所譯，與我底譯本比較有不同處甚多，最顯著者如加注釋，附年表，眉頭提要，及關於所引中國經學家言論均參考原著予以校正等，皆為江譯所無，其重出也許不是毫無意義的吧！

一九三四年九月譯者序於南京

《中國經學史》　封面、書背不題作者和譯者，書名頁、版權頁僅題作者本田成之著

臺北市　廣文書局　1979年5月　初版

本翻印本正文前有緒言3頁、目錄6頁，正文320頁，頁321-358為《中國經學年表》。書前譯者序被刪去。

《中國經學史》　書背、書名頁題作者本田成之著，不題翻譯者。
臺北市　學海出版社　1985年　收入《經學叢書初編》第3冊。
正文前有本田成之及其《中國經學史》的簡單介紹約三百餘字，其次為本田成之的肖像，再次為〈譯者序〉。正文有320頁，頁321-358為〈中國經學年表〉，頁359-362為〈本田成之博士著作年表〉，頁363-380為〈本田成之博士追憶錄〉,〈本田成之博士追憶錄〉內收有〈年表譜〉、〈本田君の追憶〉（狩野直喜）、〈本田兄の想出〉（武內義雄）、〈談藝の友蔭軒外史〉（青木正兒）、〈蔭軒君を憶ふ〉（岡崎文夫）、〈蔭軒翁の事ごも〉（橋本循）。
按：學海出版社翻印本，書前所附《中國經學史》的簡介，和本田成之的肖像，書後所附〈本田成之博士著作年表〉、〈本田成之博士追憶錄〉，皆為本田氏原書和孫氏譯本所無。

《漢代學術史略》　封面、書名頁、版權頁不題作者
臺北市　啟業書局　1972年1月　臺北初版
書前有目錄3頁，正文224頁。
按：即顧頡剛（1893-1980）《漢代學術史略》。

《漢代經學史略》　封面，書名頁不題作者，書背題「顧著」，版權頁題「顧氏著」
臺北市　天山出版社　1985年6月
正文前有目錄2頁，正文157頁。
按：即顧頡剛《漢代學術史略》。

《經今古文學》　周大同著，封面、書名頁、版權頁作者題「周大同著」。
臺北市　臺灣商務印書館　1965年8月　臺一版　《萬有文庫薈要》
正文前有目次1頁，正文53頁。
按：即周予同所著。

《朱熹》　封面、書背、書名頁、版權頁作者皆題「周大同著」
臺北市　臺灣商務印書館　1968年2月　臺一版
正文前有目錄4頁，正文115頁，附錄《朱熹簡明年譜》15頁。
按：即周予同所著，1929年上海商務印書館初版，收入《萬有文庫》中。

《漢學師承記》　封面不題作者和選注者，書背、書名頁、版權頁僅題著作者「清江藩」，而不題選注者。
臺北市　河洛圖書出版社　1974年12月　臺影印初版
正文前有目次3頁、凡例3頁、《漢學師承記》原目錄4頁，正文493頁。
按：本書即江藩著，周予同選注，1934年7月由上海商務印書館出版。正文前周予同所作的序言54頁，本翻印本全部刪去，對想了解清代漢宋學之爭的學者非常不利。

九　結語

從上文的討論分析，筆者有數點感想：

其一，從歷代禁書的事件來看，禁書是越禁越多，歷代的統治者並非不明白這個道理，但由於當時為了政治、社會的需要，不得已仍得動用禁書法令。戒嚴時期文史哲類的違礙書多達數千種，每一種書出版前都經過整容，查禁的相關機構，以有限的經費、單薄的人力要檢覈這些違礙書，必力不從心，因此陸續出版的違礙書幾乎泛濫成災，也形成臺灣文化的畸形現象。現在解嚴已將近三十年，是好好整理這些違礙書的時候了。

其二，戒嚴時期書商翻印的書，作者大都是著名的學者，為了避免所印的書被查禁，將書的作者竄改，書商往往將作者「無名化」。所謂「無名化」有兩層含義：一是將作者名改為編輯部；二是換成不出名的名字，甚或造假名，也有張冠李戴。其中，尤以張冠李戴最容易混淆視聽，例如：將高亨的《周易古經今注》改作者為「張世祿」，張世祿（1902-1991）是聲韻學家，幾十年後，恐怕有人會以為張世祿也有《周易古經今注》的書。這是最惡劣的竄改方法，在哲學類和文學類的違礙書中很常見。

其三，當時的書商竄改大陸出版品，不僅僅更改作者或書名而已，對書的內容也肆意刪改。如果有多家書商翻印，就有多種不同的版本。例如：瞿果行的《孟子選讀》，原書的前言有八頁，但仁愛書店和文津出版社的翻印本都只有三頁，可見內容刪節甚多。至於正文中的題解、注釋、分析的內容也與原書互有出入。又如：皮錫瑞著、周予同增註的《經學歷史》有多種翻印本，原書的〈序言〉有二十四頁，各家翻印本隨意增刪，已面目全非。屈萬里先生（1907-1979）曾撰有〈讀古書為什麼要講究版本〉[3]一文，強調讀古書需要重視各種版本的異同。看來也應該寫一篇「讀現代書為什麼要講究版本」的文章，以提醒大家不要受當代違礙書所誤。

原載於《國學》第三集（成都市：四川人民出版社，2016年6月），頁471-491。

3　屈萬里先生：〈讀古書為什麼要講究版本〉，《大陸雜誌》第2卷第7期（1951年4月），頁14-17。收入《屈萬里先生文存》（臺北市：聯經出版事業公司，1985年2月）第3冊，頁987-994。

臺灣戒嚴時期史學類違礙圖書考

我曾在寫考辨偽書的文章提到要編一本「當代偽書考」，由於很多材料都在掌握中，經半年的努力，已有了「當代偽書考」的芻型，準備再花三、四個月的時間，來完成它。沒料到四川的國學刊物跟我邀稿，我想把這部書稿拆成幾個部分，陸續發表，以減少工作的壓力。於是我就把它分成經學類、史學類、哲學類、文學類、語言文字學類、圖書文獻學類等六類。經學類已刊登於《國學》第三集（2016年6月），二〇一九年福建師範大學文學院出版《福建師範大學百年學術論叢》第五輯後，向我邀稿，要出一本論文集，我想到這一本書稿的史學類、哲學類、文學類這三類分量很多，要在期刊刊登，可能佔很大的篇幅，也許就把它放在這本論文集裡面，這是這輯論叢所以刊登這三篇文章的緣故。

史學類的違礙書，數量較少，但是被翻印的都是史學重要的書，我把它分類成史學總論、中國斷代史、點校本二十四史、考古類、傳記類等分別考辨。

一　史學總論

《史料與史學》　本社編輯部
臺北市　宗青圖書出版公司　出版日期未詳
按：即翦伯贊所著。1946年4月，上海市：國際文化服務社出版。

《歷史研究方法》　呂思勉著
臺北市　五南圖書公司　1955年3月
本翻印本封面作者題呂思勉編著，書背作者卻題童書勉編著。
按：即呂思勉：《歷史研究法》上海市：永祥印書館，1945年印行。

《中國史學要籍介紹》　本社編輯部
臺北市　粹文堂（明倫出版社）　1978年
按：即張舜徽所著。原書由武漢市：湖北人民出版社，1955年11月出版。全書分為十章：

第一章　歷史書籍的範圍
第二章　研究中國古代史的基本書籍
第三章　百科全書式的通史
第四章　仿效《史記》寫作形式的編成的斷代史
第五章　專詳治亂興衰的政事史
第六章　專詳文物典章制度史
第七章　以地域為記載中心的方志
第八章　和研究歷史有密切關係的沿革地理與地圖
第九章　史評書籍的代表作品
第十章　研究中國歷史的重要書籍簡目

《中國史學要籍介紹》　本社編輯部
臺北市　南嶽出版社　1980年3月
按：翻印時，將書名改為《中國史學要籍介紹》，作者題「本社編輯部」，收入《中國古籍研究叢刊》中，與《中國古籍校讀指導》、《中國古書版本研究》合冊。

《中國史學要籍介紹》　本社編輯部
臺北市　民主出版社　1983年
按：即張舜徽所著。收入《中國古籍研究叢刊》中。

《中國史學要籍介紹》　本社編輯部編
臺北市　新文豐出版公司　1984年
正文前5頁，正文223頁。即張舜徽所著。

《中國古代史籍校讀法》　本社編審
臺北市　地平線出版社　1972年2月　初版
按：本書分四編：第一編〈通論——校讀古代史籍的基本條件〉，張舜徽指出，須掌握閱讀古籍的技能，及古籍的一般狀況。第二編〈分論（上）——關於校書〉，本篇對書籍為何要校勘，校書的依據，校書過程中值得注意的幾個問題，怎樣進行校書，都有詳細的討論。第三編〈分論（下）——關於讀書〉，對古人寫作中的一般現象，還有認識古人著述體要，怎樣閱讀全史，整理史料的一般方法，都有相當詳細的討論。第四編〈附論——辨偽和輯佚〉討論辨偽和輯佚等相關問題。

本書為張舜徽所著，原書由編譯所1962年7月初版。本翻印本基本上沒有刪節，惟〈序言〉第一頁最後一行「我在1955年寫成《中國歷史要籍介紹》一書」將「1955年」改為「民國44年」。〈序言〉末的署名「張舜徽1958年1月30日於武昌，則改為「著者：民國61年元月」。內容個別文字也稍有改動，惟並無大礙，所以不再舉例。

《中國古史研究法》　本社編
臺北市　漢苑出版社　1977年4月　初版

按：本書根據張舜徽教授《中國古代史籍校讀法》一書翻印而成，內容頗有刪節：一、刪去書前之〈序言〉。二、第三編〈分論（下）——關於讀書〉、第四章〈整理史料的一般方法〉第四節〈關於傳說時期史料的來源問題〉，頁265第二段「如果按照……」至頁266本節結束，全部刪去。三、第五節〈從聯系的觀點理解事物〉，整節刪去。四、第六節〈有些重要文字，可手鈔以助記憶〉，改為第五節。

《中國古籍校讀指導》
臺北市　粹文堂（明倫出版社）　1978年
按：即張舜徽所著《中國古代史籍校讀法》。

《中國古籍校讀指導》
臺北市　盤庚出版社　1979年　收入《文史叢刊》第16號。
按：即張舜徽所著《中國古代史籍校讀法》。

《中國古籍校讀指導》　本社編輯部
臺北市　南嶽出版社　1980年3月　收入《中國古籍研究叢刊》中，與《中國史學要籍介紹》、《中國古書版本研究》合冊。
書名改作《中國古籍校讀指導》。內文第三編、分論下——關於讀書，第四章、整理史料的一般方法，第四節〈關於傳說時期史料的來源問題〉，頁265第二段「如果按照……」全部刪去；頁266第一段刪去「由此可見」四字。
按：即張舜徽所著《中國古代史籍校讀法》。後來將此本《中國古籍研究叢刊》重印者有：

1. 臺北市　明倫出版社　1980年印本；
2. 臺北市　民主出版社　1983年印本。

兩出版社的印本與南嶽出版社本完全相同。

《中國古代史籍校讀法》　不題作者

臺北市　臺灣學生書局　1981年

本書該書局前後翻印四次，分別是1981年、1985年、1989年、1991年。1985年，本作者題「臺灣學生書局著」，其餘各本皆不題作者。

按：本書內容頗有刪節：（1）刪去書前之〈序言〉。（2）第三編第四章〈整理史料的一般方法〉第四節〈關於傳統時期史料的來源問題〉，頁265第二段「如果按照……」至頁266這一段結束，全部刪去。下一段開頭「由此可知」四字，也刪去。（3）頁267倒數三行「也就具體說明了封建政權一切措施，徹頭徹尾是為本階段——地主階段服務的。」改為「也就具體說明了當時政府的一般措施了。」（4）頁268第五行「這一制度，難道大大地照顧了地主們的利益嗎？」「大大地照顧」改為「非常地優待」。且刪去「這樣聯繫起來看問題，自可進一步說明了封建政權為誰服務的本質。」其他個別字句刪改者甚多，詳細核對即可了解。

《中國古籍校讀指導》　本公司編輯部編

臺北市　新文豐出版公司　1984年2月

按：本翻印本完全根據南嶽出版社的版本重印。所以竄改的情況，兩者幾乎一模一樣。

《中國古代史籍校讀法》　張舜徽著

臺北市　里仁書局　1988年

按：本書該書局前後翻印三次，分別是1988年、1997年、2000年9月。各次翻印本作者皆題「張舜徽著」。本書幾乎是臺灣所有翻印本中最完整的版本，大抵是根據中華書局上海編譯所的版本，重印出版。

此外，王秋桂、王國良主編的《中國圖書文獻學論集》（臺北市：明文書局，1986年增訂本），在第三輯「校勘考訂」中，選錄《中國古代史籍校讀法》「第四編、附論——辨偽和輯佚」中的〈關於辨識偽書的問題〉與〈關於蒐集佚書的問題〉兩篇。

以上九種翻印本，現在市面上有流傳的，僅僅新文豐出版公司和里仁書局的兩種而已。至於圖書館收藏的相當少，大抵只有里仁書局的版本而已。

《中國古史研究》
臺北市　坊印本　出版年月不詳
按：即顧頡剛等所編《古史辨》改名而成。

《中國古史研究》　顧頡剛編著
臺北市　明倫出版社　1970年
按：1970年3月，明倫出版社也翻印顧頡編著《古史辨》，第一冊書前有毛子水寫的〈重印古史辨引言〉，徐文珊寫的〈為古史辨發行臺灣版誌慶〉，何定生寫的〈寫在古史辨臺灣版的編首〉，陳槃寫的〈重印古史辨贅言〉。這是《古史辨》正式出版之前，出版社也翻印《古史辨》，但為了逃避警備總部的追查，必須要改書名和作者。明倫出版社在1970年，正式出版《古史辨》外，也將《古史辨》改名，另外再出版。

《中國古史研究》
臺南市　萬象出版社　7冊　1979年
按：即顧頡剛等所編《古史辨》改名而成。

《中國古史研究叢書》
坊印本　7冊

按：即顧頡剛等所編《古史辨》改名而成。

《中國古史研究論叢》
坊印本　7冊
按：即顧頡剛等所編《古史辨》改名而成。

《讀史劄記》　作者題吳氏
臺北市　文學史料研究會　缺版權頁。
按：即吳晗所著。1956年，北京市：三聯書店出版。

《中國文明創造史》
臺北市　木鐸出版社　1987年5月
無序跋。原書名作《中國古代勞動人民創物志》。全書分為十一部，分別為：

1. 我們祖先在農業生產方面的成就
2. 在生產過程中所取得的知識
3. 豐富了飲食的內容
4. 生活資料的多方面發展
5. 生活資料的進一步美化——藝術品的出現
6. 努力改變自然環境，使生活過得更好
7. 創造出保健的訪法，使壽命更久長
8. 有了疾病是怎樣去醫療的
9. 創造了文字
10. 文學的創造
11. 怎樣出現了書籍

《中國文明的創造》　作者題張舜徽編著
臺北市　莊嚴文化出版社　1988年
原書名作《中國古代勞動人民創物志》。1992年重印時，作者改題「莊嚴出版社編輯部編著」。武昌市　華中工學院出版司，1984年出版。全書為十一部：

（1）我們祖先在農業生產方面的成就
（2）在生產過程中所取得的知識
（3）豐富了飲食的內容
（4）生活資料的多方面發展
（5）生活資料的進一步美化—藝術品的出現
（6）努力改變自然環境，使生活過得更好
（7）創造出保健的訪法，使壽命更久長
（8）有了疾病是怎樣去醫療的
（9）創造了文字
（10）文學的創造
（11）怎樣出現了書籍

二　中國斷代史

《先秦史》　封面、書背、書名頁，皆不題作者，版權頁題作者為臺灣開明書店
臺北市　臺灣開明書店　1961年3月
正文前目次5頁，正文472頁。
按：即呂思勉所著。1941年，上海市：開明書店出版。

《先秦史》　不題作者
臺北市　臺灣商務印書館　1974年

按：即呂思勉所著。1941年，上海市：開明書店出版。

《秦漢史》　本店編譯部校訂者夏德儀
臺北市　臺灣開明書店　1973年
按：即呂思勉所著。1947年，上海市：開明書店出版。

《秦漢史》　不題作者
臺北市　臺灣商務印書館　1983年
按：即呂思勉所著。

《史記書錄》　題本社編審
臺北市　地平線出版社　1972年5月
封面作者題本社編審，書名頁題地平出版社編審，版權頁題地平線出版社編，書前有序4頁，目錄5頁，正文234頁。
按：原書為賀次君所著。上海商務印書館，1958年10月。

《史記考索》　不題作者
臺北市　臺灣開明書店　1957年3月　臺一版；1969年11月　臺二版
按：即朱東潤所著。

《兩晉南北朝史》　本店編譯部校訂者夏德儀
臺北市　臺灣開明書店　1969年
按：即呂思勉所著。1948年，上海市：開明書店出版。

《隋唐制度淵源略論稿》　題陳寅著
臺北市　臺灣商務印書館　1966年
按：即陳寅恪所著。1944年，重慶商務印書館出版。

《唐代政治史述論稿》　題陳寅著
臺北市　臺灣商務印書館　1966年出版
正文前4頁，正文116頁
按：即陳寅恪所著。1943年，重慶商務印書館出版

《元史研究》　陳援庵著
臺北市　九思出版社　1977年
按：即陳垣所著。

《元西域人華化考》　題陳新會著
臺北市　世界書局　1962年
按：即陳垣所著。

《九一八事變史》　本社編輯部
中和市　谷風出版社　1975年3月
正文前6頁，正文392頁
按：即易顯石所著。

三　點校本二十四史

《廿五史述要》　世界書局編輯部編
臺北市　世界書局　1966年3月
按：即徐浩所著。點校本二十四史是北京中華書局出版，由於這部書是讀者渴望好久的書，所以一出版以後即銷售好幾千部，臺灣也有好多出版社家加入翻印的行列。茲先把二十四史的書名、卷數和作者臚列如下：
（1）《史記》　一三〇卷　（西漢）司馬遷

(2)《漢書》　一〇〇卷　(東漢)班固
(3)《後漢書》　一二〇卷　(劉宋)范曄
(4)《三國志》　六十五卷　(西晉)陳壽
(5)《晉書》　一三〇卷　(唐)房玄齡等
(6)《宋書》　一〇〇卷　(梁)沈約
(7)《南齊書》　五十九卷　(梁)蕭子顯
(8)《梁書》　五十六卷　(唐)姚思廉
(9)《陳書》　三十六卷　(唐)姚思廉
(10)《魏書》　一一四卷　(北齊)魏收
(11)《北齊書》　五十卷　(唐)李百藥
(12)《周書》　五十卷　(唐)令狐德棻等
(13)《隋書》　八十五卷　(唐)魏徵等
(14)《南史》　八十卷　(唐)李延壽
(15)《北史》　一〇〇卷　(唐)李延壽
(16)《舊唐書》　二〇〇卷　(後晉)劉昫等
(17)《新唐書》　二二五卷　(宋)歐陽修、宋祁
(18)《舊五代史》　一五〇卷　(宋)薛居正等
(19)《新五代史》　七十四卷　(宋)歐陽修
(20)《宋史》　四九六卷　(元)脫脫等
(21)《遼史》　一一六卷　(元)脫脫等
(22)《金史》　一三五卷　(元)脫脫等
(23)《元史》　二一〇卷　(明)宋濂等
(24)《明史》　三三二卷　(清)張廷玉等

這個點校本臺灣有三家出版社加以翻印:(1)世界書局翻印本:僅翻印《史記》、《漢書》、《後漢書》、《三國志》四種,1976年開始翻印。(2)洪氏出版社翻印本:二十四史皆有翻印本。(3)鼎文書局翻印本:該書局在翻印點校本二十四史時,請楊家駱主持

編務，楊教授是國內外著名的文獻學家，他很容易地把要加進各史的資料，準備妥當。其目的是要節省了讀者搜尋資料的時間，也增加《點校本二十四史》的學術價值。

四　考古類

《考古學基礎》　弘文館出版社編輯部編
臺北市　弘文館出版社　1985年
正文前2頁，正文241頁。
按：即中國科學院考古研究所編，1958年，北京市：科學出版社出版。

《考古學基礎》　帛書出版社編輯部編
臺北市　帛書出版社　1985年
正文前2頁，正文241頁。
按：即中國科學院考古研究所編，1958年，北京市：科學出版社出版。

《商周彝器通考》　容希白著
臺北市　大通書局　1973年
按：即容庚所著。

《商周彝器通考》　容希白著
臺北市　文史哲出版社　2冊　1985年
按：即容庚所著。

《雲夢秦簡研究》　不題作者
臺北市　帛書出版社　1986年7月

按：即中華書局編輯部編，北京市：中華書局，1981年。

《兩周金文辭大系考釋》　不題作者
出版者、出版年不詳。
按：即郭沫若所著。

《卜辭綜述》　作者題陳、丁合著
臺北市　大通書局
按：即陳夢家、丁山合著。

《古本竹書紀年輯校訂補》　題方祥著
臺北市　世界書局　1967年
按：即范祥雍所著。1957年，上海市：上海人民出版社出版。

敦煌變文　楊家駱主編
臺北市　世界書局　上、下冊　1977年11月　五版

五　傳記類

《孟子事蹟考略》　本社編輯部
臺北市　泰盛書局　1977年7月
按：胡毓寰所著。

《司馬遷》　本社編審
臺北市　河洛圖書出版社　1980年8月　《河洛文庫》29
正文前7頁，正文296頁。
按：即季鎮淮所著

《司馬遷》　季淮著
出版者、出版日期未詳。
正文前2頁，正文140頁。
按：即季鎮淮所著。上海市：上海人民出版社，1955年出版。

《司馬遷之人格與風格》　本店編譯部
臺北市　臺灣開明書店　1968年1月　臺一版
正文前4頁，正文380頁。
按：即李長之所著。

《陶淵明傳》　李長植著
臺北市　牧童出版社　1978年10月
按：即李長之所著。

《詩人李白及其痛苦》　長植著
臺北市　大漢出版社　1979年4月　三版
按：即李長之所著。

《道教徒的詩人李白及其痛苦》　張芝著
臺北市　長安出版社　1975年12月　臺二版
按：即李長之所著。

《朱元璋傳》　不題作者
臺北市　勝利出版社　出版日期未詳
按：即吳晗所著。

《朱元璋傳》　吳辰伯著
臺北市　國史研究室　1972年
按：即吳晗所著。

《朱元璋傳》　吳辰伯著
臺北市　活泉書屋　出版年不詳
按：即吳晗所著。

《張居正大傳》　不題作者
臺北市　臺灣開明書店　1975年
按：即朱東潤所著。1947年，上海市：開明書店出版。

《陳寅恪先生編年事輯》　不題作者
臺北市　弘文館出版社　1985年10月
按：即蔣天樞所編。

《三松堂自序》
臺北縣　谷風出版社　1987年6月
按：即馮友蘭所著。

2020年6月完稿，未刊。

臺灣戒嚴時期哲學類違礙圖書考

本篇是「違礙圖書考」的第三篇，專門考辨哲學類的違礙書，我把它分為中國哲學總論、先秦諸子學、漢至清哲學史、邏輯學、美學、文化學、宗教類和西洋哲學等八類，其中翻印先秦諸子學的數量最多。諸子學自從清代中葉開始有快速的進展，不過他們都是校勘學、考據學，到清末民初才發展成諸子哲學，到民國時期，已經和西方的哲學結合，所以研究的成果很多，臺灣方面所印行的諸子哲學的書，大部分都是竄改大陸的研究成果，有的竄改書名和作者，讓你不知是出於何人所作，所以考訂起來甚費工夫，這篇文章可以幫忙解決一些問題。另外，大陸也非常重視哲學文獻的整理，他們所編的幾套哲學文選，甚受讀者歡迎，臺灣也有幾個翻印本，以下是我的考訂結果。

一　中國哲學總論

《中國哲學史》　不題作者

坊印本，缺版權頁

書前有自序一2頁，自序二2頁。正文1041頁。接著審查報告一佔4頁，審查報告二佔8頁。接著為馮友蘭的《中國哲學史補》，179頁。

按：即馮友蘭所著。此書根據1935年，上海商務印書館出版之《中國哲學史》翻印而成。

《哲學論衡》　不題作者
坊印本
按：即勞思光《中國哲學史》第一、二卷改名而成。

《中國哲學思想史》　武內義雄著，不題翻譯者
新竹市　仰哲出版社　1982年9月
按：即汪馥泉所譯，1939年，上海商務印書館出版。

《中國古代哲學論叢》　不題作者
臺北市　帛書出版社　1985年7月
按：本書為多人合著的論文集，收論文十篇，書前目錄和正文各篇，皆有註明作者，本翻印本將書前目錄的作者全部刪去，卻保留正文中各篇的作者，茲將作者名還原如下：

1. 楊向奎　中國奴隸制萌芽時期的天道觀
2. 楊向奎　五行說的起源及其演變
3. 楊　超　先秦陰陽五行說
4. 高　亨　墨經中一個邏輯規律——「同異交得」
5. 李德永　荀子的思想
6. 高　亨　荀子新箋
7. 任繼愈　韓非的社會政治思想的幾個問題
8. 楊向奎　論西漢新儒家的產生
9. 楊　超　A.A.彼得洛夫關於王充哲學思想的研究
10. 楊　超　王充命定論思想的剖析

即文史哲雜誌編委會編《中國古代哲學論叢》，北京市：中華書局，1957年9月出版。

《中國哲學概論》　余雄著
高雄市　源成文化圖書供應社　1977年12月
正文前有：目錄6頁、出版說明2頁、自序3頁、頁5-585為正文。
按：即張季同（張岱年）所著的《中國哲學問題史》改名而成。

《中國哲學概論》　余雄著
高雄市　復文圖書出版社　1991年7月
此翻印本與源成翻印本內容完全相同。
按：即張岱年所著《中國哲學問題史》改名而成。

《中國哲學小史》　不題作者
臺北市　木鐸出版社　1986年1月
按：即方克立的《從孔夫子到孫中山——中國哲學小史》，1984年

《中國哲學叢書》　不題作者
坊印本，缺版權頁
按：馮友蘭有《貞元六書》，翻印者取其中的《新理學》、《新原人》、《新原道》、《新知言》四種，合印成此書。

《中國思想群論》　馮二難著
臺北市　天華出版公司　1981年3月
封面、書背、書名頁、版權頁作者皆題馮二難。正文前有陳慧劍所作的前記3頁，馮二難所作自序2頁，目錄1頁。
按：本書即是馮友蘭的《新原道》。馮二難為翻印者所造的假名，取與馮友蘭諧音。

《哲學講座》　楊樂亭著
臺北市　五洲出版社　1974年8月
目錄10頁，正文278頁。
按：即馮友蘭《人生哲學》。1926年9月，上海商務印書館出版，1933年6月，國難後第四版，封面題「新學制高級中學教科書」。前有自序二頁，署「馮友蘭，十五年四月於北京」。

《人生哲學》　本社編輯
臺北市　成偉出版社　出版日期不詳
按：即馮友蘭之《人生哲學》。

《十批判書》　題楊寬著
臺北市　坊印本
按：即郭沫若所著，1945年9月，重慶群益出版社出版。

《中國學術名著今釋語譯》　不題編者
臺北市　西南書局　六冊　1972年1月
按：1957年，北京中華書局出版中國社會科學院哲學研究所中國哲學史組編輯的《中國哲學史資料選輯》。該書分為先秦之部、兩漢之部、魏晉隋唐之部、宋元明之部、清代之部、近代之部六部分，計有十二冊。1978年，臺北市：九思出版社據以翻印，書名未改，編者改題馮芝生輯。1972年，臺北市：西南書局翻印時，將書名改為《中國學術名著今釋語譯》，不題編者。

《中國歷代哲學文選》　龍田出版社編輯部編
臺北市　木鐸出版社　1980年　精裝四冊
按：原書為中國科學哲學研究所中國哲學史組、北京大學哲學系中國哲學史教研室合編，1963年，北京市：中華書局出版。全書分為：

1. 先秦編　平裝二冊
2. 兩漢-隋唐編　平裝二冊
3. 宋元明編　平裝一冊
4. 清代近代編　平裝一冊

翻印本並沒有竄改書名，編者則改為龍田出版社編輯部編。裝訂則由平裝六冊改為精裝四冊，每個時段一冊。內容篇目大抵依照原書，有敏感字句多經過刪改。

《中國思想史資料導引》　馬岡著

臺北市　牧童出版社　1977年3月

按：即馮友蘭《中國哲學史史料學》。本翻印本正文前有目次1頁，前言2頁，正文186頁，全書分為十三章：

第一章　論目錄
第二章　殷周時代的思想史料
第三章　春秋戰國時期的思想史料（一）
第四章　春秋戰國時期的思想史料（二）
第五章　春秋戰國時期的思想史料（三）
第六章　西漢思想史料
第七章　東漢思想史料
第八章　魏晉南北朝思想史料
第九章　唐代思想史料
第十章　兩宋思想史料
第十一章　明清思想史料
第十二章　近代思想史料
第十三章　近代革命思想史料。

此書經過刪削、竄改，剩餘的部分，內容與原書有很大的差別。原書分為：

前言

第一章　史料學的範圍與內容

第二章　論目錄

第三章　奴隸社會時期（商至西周）的哲學史料

第四章　奴隸社會向封建社會過渡時期（春秋戰國）哲學史史料（一）

第五章　奴隸社會向封建社會過渡時期（春秋戰國）哲學史史料（二）

第六章　奴隸社會向封建社會過渡時期（春秋戰國）哲學史史料（三）

第七章　封建社會的確立和前期封建制發展時期（漢至晉）哲學史史料（一）

第八章　封建社會的確立和前期封建制發展時期（漢至晉）哲學史史料（二）

第九章　封建社會的確立和前期封建制發展時期（漢至晉）哲學史史料（三）

第十章　後期封建制發展時期（唐至清）哲學史史料（一）

第十一章　後期封建制發展時期（唐至清）哲學史史料（二）

第十二章　後期封建制發展時期（唐至清）哲學史史料（三）

第十三章　近代時期哲學史史料（一）

第十四章　近代時期哲學史史料（二）。

兩相對比，可以發現章節的數目不同，章節的內容也天差地別，偽本幾乎可以成為另外一本書，這是違礙書中竄改得最嚴重的一種。

《中國哲學史料學》　本社編輯部
臺北市　崧高書社　1985年6月
按：即張岱年所著。1982年，生活．讀書．新知三聯書店出版。

《中國邏輯思想史料分析》　不題作者
臺北市　仰哲出版社　出版日期不詳
按：即汪奠基所著，北京市：中華書局，1961年出版。

《勵志文獻》　王志文
臺北市　樂天出版社　1961年
按：即朱光潛的《談修養》，翻印時，既改作者名，又改書名。

二　先秦諸子學

《先秦諸子的若干研究》（附先秦諸子思想概要）　杜著
出版者、出版日期未詳
按：即杜國庠所著。北京市：三聯書店，1955年10月出版，218頁。

儒家

《荀子注釋》　梁啟雄注釋
臺北市　華聯出版社　1968年
正文421頁。
按：即梁啟雄《荀子柬釋》1934年印行。1956年，古籍出版社修正本題作《荀子簡釋》，絕無作《荀子注釋》者。

《荀子白話句解》　葉玉麟譯著
臺北市　華聯出版社　1970年12月

按：即葉玉麟的《白話譯解荀子》，1940年上海廣益書局排印本，1947年有新排印本。

葉氏為安徽人，馬其昶門人，是首先將諸子書譯成白話的人。然各書並非全譯，而是依己意選譯，頗受人詬病。這本《白話譯解荀子》，選譯十八篇。

《荀子新注》　不題作者

臺北市　里仁書局　1983年

按：即北京大學荀子注釋組所注。

道家

《老子考》　王有三編著

臺北市　東昇出版事業公司　1981年1月

按：王重民，字有三，翻印者將作者改名為「有三」，主要在避開警備總部的查緝。

《老子今譯》　本局編輯部

臺北市　西南書局　1972年1月

按：即任繼愈所著。西南書局翻印《中國哲學史資料選輯》時，將書名改為《中國學術名著今釋語譯》，本書即是《中國學術名著今釋語譯》中的抽印本。

《老子校釋》　朱晴園著

臺北市　世界書局　1961年7月

正文前26頁，正文200頁。1969年翻印本，正文前僅有9頁。

按：朱謙之所著。原書出版於何時何地，待考。1961年世界書局翻印此書，全書正文前有26頁，包括目次4頁，圖片5頁，序文3頁，本書所據版本書目14頁，正文200頁。附錄《老子韻例（附後記）》一卷。從世界書局的兩種版本來看，1961年本，正文前有26頁，1968年僅剩9頁，可見是有刪削。

《老子白話句解》　何經倫譯解
臺北市　華聯出版司　1977年2月
無序文和目錄，正文148頁。
按：本書原名《老子章句新釋》，作者為張默生，該出版社翻印時竄改書名和作者名。

《老子正詁》　臺灣開明書店編譯部編著
臺北市　臺灣開明書店　1971年
正文前10頁，正文187頁。

《莊子哲學》　本書局編輯部
臺北市　鳴宇出版社　1980年5月
按：即蔣錫昌的《莊子哲學》。1937年上海商務印書館出版，289頁。

墨家

《墨子校詁》　何倫經校詁
臺北市　華聯出版社　1968年7月
正文192頁。
按：本書封面、書名頁和版權頁作者皆題「何倫經校詁」，其實「何倫經」或作「何經倫」，是該出版社常用的假名，學術界根本沒有這個人。本書為高亨所著，原名《墨經校詮》，1958年科學出版社出版。本翻印本正文僅有192頁，是因為刪去許多篇幅：

1. 刪去原書書前的自序和述例。
2. 刪去原書頁59～60，及卷一後之附註五十九條。
3. 刪去原書頁102～105，及卷二後附註六十九條。
4. 刪去原書頁160～164，即卷三後之附註九十五條。
5. 刪去原書頁204～207，即卷四後之附註八八條。
6. 刪去書後所附〈本書引用各家校釋書目〉。

《墨經哲學》　正中書局編審委員會著
臺北市　正中書局　1959年
按：即楊寬所著，1947年，上海市：正中書局出版，正文前12頁，正文199頁。收入《正中文庫》第三輯第七冊。

《墨經校註》　高晉生著
臺北市　世界書局　1958年
按：即高亨所著。1958年，北京市：科學出版社出版。正文前7頁，正文208頁。

《墨辯發微》　譚甫著
臺北市　宏業書局　1973年9月
正文前頁1-8翻印者將之刪去，頁9-10為《墨辯發微》〈凡例〉，另有《墨辯發微》〈目錄〉。正文頁1-493，頁494-510為「附錄」，收錄作者墨學相關著作之序跋。
按：即譚戒甫所著，1958年，北京市：科學出版社出版；1964年改由中華書局出版。此一翻印本即根據中華書局本影印。原書正文前有〈墨辯發微重印弁言〉1頁，〈墨辯發微序〉8頁，以上即宏業本所刪去的部分。

其他各家

《管子集斠》　許蓋臣
臺北市　泰順書局
按：即郭沫若所著。1956年3月，北京市：科學出版社出版。

《韓非子選》　韓非著
臺北市　洪氏出版社　1977年10月

《公孫龍子注釋》　龐著
臺北市　里仁書局　1981年　103頁
按：即龐樸所著。

《公孫龍子注釋》　龐著
臺北市　木鐸出版社
按：即龐樸所著。

《孫子白話句解》　張世祿著
臺北市　華聯出版社　1970年
按：本書原名《十三家孫子三卷》，為郭化若所著，該出版社隨意竄改書名和作者。

三　漢至清哲學史

《漢代學術史略》　顧氏著
臺北市　啟業書局　1972年1月
按：即顧頡剛所著，1941年10月，上海東方書社出版

《魏晉思想論》　本局編輯部編，封面、書名頁不題作者。書背和版權頁題本局編輯部
臺北市　臺灣中華書局　1957年7月
正文前有目錄3頁，正文220頁。
按：即劉大杰所著。1939年，上海中華書局出版。正文前6頁，正文220頁

《魏晉思想論》　劉修士著
臺北市　里仁書局　1984年
正文前4頁，正文220頁。
按：即劉大杰所著。

《朱熹》　周大同著
臺北市　臺灣商務印書館　1965年
按：即周予同所著。1933年，上海市：商務印書館出版。正文前4頁，正文115頁，正文後15頁。

《明代思想史》　臺灣開明書店
臺北市　臺灣開明書店　1969年
按：即容肇祖所著。1941年，上海市：開明書店出版。正文450頁，收入《齊魯大學國學研究所叢刊》第一種。

《傳習錄》　葉鈞注
臺北市　臺灣商務印書館　1965年
按：即葉紹鈞所注。1927年，上海市：商務印書館出版，正文前15頁，正文278頁，收入《學生國學叢書》。

《四存編》　顏元著，不題點校者
臺北市　世界書局　1974年7月　三版　收入《增訂中國學術思想名著》第一輯《增補中國思想名著》第四十冊。
按：即根據王星賢標點本翻印。王氏書1957年5月，古籍出版社出版。

《中國資本主義萌芽問題討論集》　本社編輯部
中和市　谷風出版社　1987年
按：即中國人民大學中國歷史教研室編，北京市：生活・讀書・新知三聯書店出版。

四　邏輯學

《邏輯學講座》　郭伯英著
臺北市　五洲出版社　1973年3月

《趣味的邏輯》　劉雙翼著
臺北市　天人出版社

《趣味的邏輯》　劉雙翼著
臺北市　國際文化事業公司　1975年3月　初版

《趣味的邏輯》　蔡力行著
臺北市　長弓出版社　1980年10月30日　再版
按：以上四種書所收的文章雖然前後有調動，但是內容幾乎都一樣，至於他根據哪一本書來翻印的，尚有待考證。

五　美學

《美學常識》　本社編輯部
千金出版社　不著出版日期

《美學史話》　本社編輯部
千金出版社　不著出版日期

《美學基本原理》　本社編輯部編
臺北市　谷風出版社　1986年
按：即劉叔成、夏之放、樓昔勇等所著。1984年，上海人民出版社出版。

《美的歷程》　李厚著
臺北市　蒲公英書屋　1986年
正文215頁，正文後56頁。
按：即李澤厚所著。

《美的歷程》　李厚著
臺北市　元山書局　1985年
正文前4頁，正文215頁。
按：即李澤厚所著。

《中國美學史資料選編》　王進祥執行編輯
臺北縣　漢京文化事業公司　1983年4月
按：即北京大學哲學系美學教研室編注，翻印者卻改為王進祥執行編輯，王進祥即漢京文化事業公司之負責人。

《西方美學名著引論》　不題作者
臺北市　木鐸出版社　1988年9月
按：即彭立勛所著。1987年，華中工學院出版社出版。

六　文化學

《中國社會之結構》　版權頁作者題郭沫若，書前弁言所署作者名周谷城
上海市　合作書局　1931年
正文前12頁，正文372頁。

《中國社會之結構》　周氏著
臺北市　文學史料研究會
按：作者題「周氏」，即周谷城所著。

《中國社會之結構》
香港　龍門書店　出版年不詳
正文前10頁，正文372頁。
按：原書1930年，上海市：新生命書局出版。

《變態心理學》　正中書局編審委員會
臺北市　正中書局　1956年
正文前2頁，正文302頁。
按：即朱光潛所著。

《變態心理學》　朱潛著
臺北市　臺灣商務印書館　1970年　《人人文庫》17號

正文前16頁，正文169頁。
按：翻印時，改作「朱濳」，即朱光潛所著。

《文化與人生》　賀自昭著
臺北市　地平線出版社　1973年　261頁
按：即賀麟所著。

《煥鼎文錄》　梁煥鼎著
臺北市　地平線出版社　1974年
按：即梁漱溟所著。

《三松堂自序》　馮蘭著，書背作者題馮蘭著，版權頁題本社編輯部，封面題馮友蘭
臺北縣　谷風出版社　1987年6月
正文前有圖版12幅，目錄2頁，自序2頁，正文382頁。
按：即馮友蘭所著。

《文化論》　馬凌諾斯基（MalinnowskiB）著；費通等譯
臺北市　臺灣商務印書館　1967年
正文前5頁，正文113頁。
按：即費孝通等譯。

《鄉土中國》　費通著
臺北市　臺灣商務印書館　1973年
正文前2頁，正文106頁。
按：即費孝通所著。

《鄉土重建》　費通著
臺北市　臺灣商務印書館　1973年
正文前2頁，正文169頁。
按：即費孝通所著。

《中國文化與中國的兵》　雷伯倫著
臺北市　萬年青書店　1971年4月
按：即雷海宗所著。原書1940年2月，長沙市文史叢書編輯部出版。1968年香港龍門書店有翻印本。正文前2頁，正文238頁。1984年，臺北市：里仁書局有重排本，正文前4頁，正文303頁。

《中國伶人血緣之研究》　潘光文　封面、書背和版權頁題作者皆作潘光文
臺北市　臺灣商務印書館　1966年9月　《人人文庫》92-93
正文前目錄5頁，正文243頁。頁245-276為附錄。頁277-289為參考書目輯要。
按：即潘光旦所著。原書1941年9月，長沙市：商務印書館出版。書前有弁言3頁，此一翻印本刪去。

《中國伶人血緣之研究》　潘仲昂著
臺北縣　文海出版社　1985年　《近代中國史料叢刊》第三編第一輯第十冊
正文前有弁言3頁，目錄5頁。正文243頁，頁245-276為附錄，頁277-289為「參考書目輯要」。頁291-292為「校後跋」。收入。
按：即潘光旦所著。根據長沙版翻印，序文和正文皆稍有竄改。

七　宗教類

《中國神話研究》　不題作者
臺北市　新陸書局　1974年10月
按：即玄珠（茅盾）的《中國神話研究 ABC》，上海市：世界書局出版。原書分上下兩冊，翻印本合為一冊。序文4頁也刪去，內文字句也有修改。

《山海經校注》　洪北江主編
臺北市　洪氏出版社　1981年11月　再版

《中國佛教史籍概論》　陳新會著
臺北市　三人行出版社　1974年
正文前5頁，正文160頁。
按：即陳垣所著。原書1955年，北京市：科學出版社出版。正文前5頁，正文148頁。

《中國佛教思想資料選編》　不題作者
臺北市　龍田出版社　1982年8月

《印度哲學概論》　梁氏著
臺北市　真善美出版社　1966年
按：即梁漱溟所著。原書1935年，上海市：商務印書館出版，《北京大學叢書》第五種。

八　西洋哲學

《創化論》　柏格森著，不題翻譯者
臺北縣　先知出版社　1976年5月
按：即張東森所譯，1919年，上海市：商務印書館出版。

《分析的時代——二十世紀的哲學家》　本社編輯部
臺北縣　谷風出版　1986年
按：即美國 M · 懷特編著，杜任之主譯。

2020年1月完稿，未刊。

臺灣戒嚴時期文學類違礙圖書考

這一類的圖書為違礙圖書的第四部分，專門收錄文學類的違礙圖書。從這些違礙書我們可以發現兩個現象：其一，翻印的「中國文學史」的書特別多，如：趙景深的《中國文學小史》，有十多種翻印本，他們有的照原版翻印，有的重新排版，所題的書名和作者都不太一樣，五花八門，要花費很大的力氣才能疏理清楚；其二，詩詞選集特別多，中國文學本來就以古典詩最為發達，要整理這些文獻必須有很大的勇氣和雄厚的財力，且要有人登高一呼。歷代詩人的研究非常興盛，幾乎每一個詩人都有人研究，其中最值得注意的是：劉逸生主編的《中國歷代詩人選集》，一出版即有四、五家翻印本，各冊的選注者有的被略去，有的被竄改，情況甚為複雜。其他影印本反映的現象也值得我們注意。

一　文學總論

《談文學》　題臺灣開明書店
臺北市　臺灣開明書店　1958年6月
按：即朱光潛所著。

《文學原論》　趙影深編著
臺北市　長歌出版社　1975年12月
按：即趙景深所著。正文前有簡介文學原論1頁，目錄2頁，正文頁5-186。

《文學手冊》　傅東華主編
臺北市　大漢出版社　1977年12月30日
按：即傅東華所著《文學百題》，北京生活書店印行，1935年7月。

《文學概論》　題劉萍著
臺北市　旋風出版社　1958年
按：即涂公遂所著。

《文學概論》　題劉萍著
臺北市　華聯出版社　1973年2月
按：即涂公遂所著。1956年7月，九龍自由出版社出版。目錄前扉頁有「民國丙申董作賓」的題字。書後贅言二頁，有「涂公遂民國四十五年六月二十日於九龍」字樣。書末有各章節的綱要。

《文學概論》　題劉萍著
臺北市　華正書局
按：即涂公遂所著。

《中國文學大辭典》　題袁少谷、江恆源編
五洲出版社　1967年10月
按：即莊適的《國文成語辭典》。1916年11月，中國圖書公司印行。書名頁有「國文成語辭典靜之署檢」字樣。前有孟森序2頁，孫毓修序2頁，凡例1頁，總目3頁，難字索引8頁。
偽本封面和書名頁都有「江恆源、袁少谷合編中國文學大辭典黃國書題」字樣。刪去孟森、孫毓修兩〈序〉，其餘與原書全同。
該出版社曾為這本偽書做廣告說：

江恆源、袁少谷兩位先生從事教育工作多年，國學根基深厚，不僅對詩、詞、歌賦有著獨特的造詣。而對我國史籍涉獵尤深。數年前告別杏壇，悠遊林泉之餘，懔於今日一般社會人士及莘莘學子，醉心今日科學實用價值與其廣寬之領域，都傾心於理工科學之鑽研，原本無可厚非，但一味鄙視文學（尤其中國文學），實屬不智，此錯誤觀念極（應作亟）待糾正！即或部分人士有之獻身中國文學之研究，開拓中國文化新領域，亦每感缺乏一完美之工具書。江、袁兩先生體念即此，乃以其多年教學心得，運用了三年時間與心血，編纂了這冊震憾文化界鉅構——《中國文學大辭典》，貢獻社會。」（一九六七年二月該社出版《說文解字研究法》封面裡廣告，該社其他書亦有。）

這是有意作偽的鐵證。僅將他人的書刪去兩篇序文，竟然「運用了三年時間與心血」，未免太小題大作。

《鳥與文學》　題本社編輯部
臺北市　臺灣開明書店　1968年3月
按：即夏丏尊所著。

《我與文學》　題進學編輯部編
臺北市　五洲出版社　1974年7月
按：書末附〈與青年談讀書〉，即翻印朱光潛的《給青年的十二封信》。

即朱光潛的《我與文學及其他》。1943年，上海市：開明書店出版，書前有葉紹鈞的〈序〉收論文十四篇。偽本書耳所題之書名，仍作《我與文學及其他》，將葉〈序〉末「三十二年五月葉紹鈞」等字刪去。

《我與文學》
臺北市　大漢出版社　1977年2月
按：書末附有什麼是古典主義和談李白詩兩篇文章。原書書前的序，為葉紹鈞所作，翻印者竄改為朱自清。

《我與文學》　作者題朱孟實著
臺北市　德華出版社　1977年4月
書名、作者，與大漢本相同，所多「兩篇」順序互倒。
按：即朱光潛所著。

《中國文學欣賞舉隅》　封面作者題「本社編印」，書名頁題「地平線出版社編審」，版權頁題編者「地平線出版社」
臺北市　地平線出版司　1974年6月　五版
按：即傅更生所著。原書1948年7月，上海開明書店出版。正文前有陸侃如的序，作者的書旨與序目。正文237頁。

《中國文學欣賞舉隅》　封面不題作者，版權頁作「本社編審部」
臺北市　正生書局　1973年3月
正文前有序5頁，將序末署名改作「正生書局編審　『中華民國』六十二年二月一日」，書旨與序目8頁，文末的「署名」改作「編者：『中華民國』六十一年」，正文229頁。
按：即傅更生所著。原書1948年7月，上海市：開明書店出版，237頁，書前有陸侃如的序。

《中國文學欣賞舉隅》　題傅更撰
臺南市　大夏出版社　1978年
正文前9頁，正文217頁。

按：即傅更生所著。

《語文通論》　作者題朱自清著

臺北市　華聯出版司　1976年10月

按：本書沒有序文，目錄1頁，正文229頁，收論文11篇，篇名如下：

（1）中國語詞之彈性作用

（2）文筆再變

（3）中國文字型與語言型的文學之演變

（4）論中國文學中的音節問題

（5）中國文學中的雙聲疊韻

（6）永明聲病說

（7）從永明體到律體

（8）中詩外形律詳說序

（9）中國文字可能構成音節的因素

（10）中國語詞的聲音美

（11）文氣的辨析

國父紀念館圖書館有典藏郭紹虞著的《語文通論》，上海市：開明書店，1941年9月，收論文九篇。又有《語文通論續編》，上海市：開明書店，1948年3月），收論文十篇。始知題朱自清撰的《語文通論》，前三篇論文是錄自郭紹虞的《語文通論》；後八篇論文錄自郭紹虞的《語文通論續編》。林慶彰曾撰〈一本偽書——談朱自清的語文通論〉，《書評書目》第84期，1980年4月，詳加辨偽。

《修辭類說》　本社編輯部

臺北市　文史哲出版社　1980年9月　再版

按：即陳望道所著《修辭學發凡》。

《修辭學》　本社編審
高雄市　復文圖書出版社　1989年1月　再版
按：即陳望道所著《修辭學發凡》。

《修辭學釋例》　不題作者
臺北市　臺灣學生書局　1966年6月　三版
按：即陳望道所著《修辭學發凡》。

《閱讀欣賞與寫作》　李雨
臺北市　大明王氏出版　1975年12月
按：即梁宜生所著。香港：人生出版司，1957年12月

《中國文學研究》　不題作者
臺北市　民主出版社　出版年不詳
正文前有目錄7頁，無序文，正文1388頁。
按：即鄭振鐸所著《中國文學研究》。1957年12月，北京市：作家出版社出版。1961年，香港：古文書局，有翻印本。

《中國文學史》　錢基博著
臺北市　西南書局　274頁　1975年6月
按：即柳村任（存仁）所著《中國文學史發凡》，蘇州市：文怡書局，467頁，1935年8月。

《中國文學發達史》　不題作者
臺北市　臺灣中華書局。
按：即劉大杰所著《中國文學發展史》，每次翻印，文字都有修改，版本很多。

《中國文學史〉　不題作者
臺北市　藍星出版社　1969年5月20日
按：即鄭振鐸（西諦）所著《中國文學史》。

《中國文學史簡編》　本店編譯部
臺北市　臺灣開明書店　1957年10月　臺一版
按：即陸侃如、馮沅君所著《中國文學史大綱》翻印時刪去第二十講〈文學與革命〉。

《中國文學史大綱》　不題作者
臺北市　臺灣開明書店　1957年12月　臺一版。
按：即容肇祖所著，北平：樸社，一九三五年九月。

《中國文學小史》　不題作者
臺北市　啟明書局　1951年　《青年百科入門（國學人門組）》
正文前有目次4頁。
按：即趙景深所著。

《中國文學小史》　封面、書背和版權頁，皆不題作者
臺北市　啟明書局　1951年　《青年百科入門（國學入門組）》
正文前有目次4頁。
按：即趙景深所著。這書大概翻印第十九版以前的版本，所以沒加入〈詩經〉、〈南北朝樂府〉兩章。

《中國文學史》　封面、書名頁和版權頁皆題「吳雲鵬著」
臺南市　經緯書局　1964年8月

按：本書1965年、1967年8月又各翻印一次。封面、書名頁的書名改為《中國文學史》。惟正文前大題作《中國文學小史》。刪去正文前〈十九版自序〉、〈十版自序〉。全書所以僅三十二章，是刪去〈最近的中國文學〉一章。

「吳雲鵬」大概是經緯書局慣用的假名，從「央圖」「圖書書目資訊網」還可以查到另外兩種經緯書局出版的書，作者是「吳雲鵬」，茲條列如下：

1.中國文學常識　吳雲鵬撰

臺南市　經緯書局　1967年11月　109頁。

何人的著作，待考。

2.中國經典常識　吳雲鵬撰

臺南市　經緯書局　1967年11月　正文前二頁　正文138頁。

即朱自清的《經典常談》

《中國文學小史》　邵影成著

臺北市　天人出版社　1974年

按：本書正文前有目次3頁，序7頁，即原書的十九版自序，刪去十版自序。正文刪去最近的中國文學一章，僅三十四章。本書用的作者名「邵影成」，是故意與「趙景深」諧音，也是個假名。

《中國文學小史》　趙景深著

臺北市　中新書局　1977年7月

按：本書正文前，有十九版自序5頁，十版自序2頁，目次4頁，合計11頁。正文35章。

《中國文學小史》　趙景深

臺北市　碧山岩出版司　1980年9月

按：正文前目次3頁，正文35章。附錄有〈新編中國文學史書目〉、〈中西文學史年表〉。此兩種「附錄」並非趙氏的著作，是出版者為提供讀者更多資料而加入的。所以，以前翻印的《小史》都沒有出現這些資料。

《中國文學小史》　趙景深著
臺北市　莊嚴出版社　1982年2月
正文前有目錄3頁，十版自序2頁，十九版自序5頁，合計10頁。正文35章。

《中國文學小史》　大夏出版社編
臺南市　大夏出版社　1983年4月
正文前目錄3頁，正文32章，刪去〈最近的中國文學〉一章。

從上文的討論分析，可以得知：

其一、自於趙景深先生對自己著作的重視，幾乎隨時都在修改他這本《小史》，吸收最新的研究成果，讓這本書隨時保持最新穎的狀態。

其二、臺灣自1951年起，啟明書局即多次翻印此書。以後陸續有出版社跟進，到1983年結束。這三十三年間，至少有七、八家出版社翻印過此書，可見這書受歡迎的程度。

其三、由於是臺灣的戒嚴時期，翻印大陸書時，作者問題一定要處理。有些出版者將作者刪去，有些則改為本社編輯部，最罔顧出版道德是用假名來當作者，如：經緯書局改為「吳雲鵬」，天人出版社改名為「邵影成」，用的都是假名。這對學術傷害有多大，不想也知。這種行為讓我們感到痛心。

《中國文學史》　不題作者
臺北市　藍星出版社　1980年4月　再版
按：即鄭振鐸（西諦）所著。

《中國文學史簡編》　本店編譯部
臺北市　臺灣開明書店　1957年10月　臺一版
按：即陸侃如、馮沅君的《中國文學史簡編》，1932年10月，大江書舖出版。此一翻印本刪去第二十講〈文學與革命〉。

《中國文學史大綱》　不題作者
臺北市　臺灣開明書店　1957年12月　臺一版
按：即容肇祖所著。1935年9月，樸社出版，景山書社發行。

《先秦文學史參考資料》　不題選注者
臺北市　坊印本
按：本書即北京大學中國文學史教研室選注，1957年，由北京市：高等教育出版社出版。1962年，改由北京市：中華書局出版。

《兩漢文學史參考資料》　不題選注者
臺北市　坊印本
按：本書即北京大學中國文學史教研室選注，1959年，北京市：高等教育出版社出版。1962年，改由北京市：中華書局出版。

《魏晉南北朝文學史參考資料》　不題選注者
臺北市　坊印本
按：本書即北京大學中國文學史教研室選注。1962年，北京市：中華書局出版。

《中國文學批評史》　題郭源新著
臺北市　文匯堂　1970年11月
正文前有目次5頁，正文604頁。
按：即郭紹虞所著。

《中國文學批評史》　題郭源新著
臺北市　明倫出版司　1970年
正文前有目次5頁，正文604頁。
按：即郭紹虞所著，1962年，北京中華書局出版。

《中國文學批評史》　郭紹虞著
臺南市　唯一書業中心　1975年
正文前19頁，正文1082頁。
按：即郭紹虞所著，1961年11月，中華書局出版。

《中國文學批評史》　本社編輯部編著
臺北市　文史哲出版社　1982年
正文前29頁，正文1082頁。
按：即郭紹虞所著。同上。

《文心雕龍注》　梁劉勰注
臺北市　臺灣開明書店　1959年
按：即范文瀾所著。本書在臺灣的翻印本很多，世界書局、宏業書局、學海出版社、明倫出版社、民主出版社、文光圖書公司都有翻印本，大體上都沒有什麼竄改，所以不再一一討論。

《詩詞曲賦名作賞析》　不題作者
臺北市　木鐸出版社　1987年7月
正文前目錄5頁，正文379頁。
按：即山西人民出版社名作欣賞編輯部所編，1985年第一版。

《詩詞曲的研究》　黃勗吾著
臺北市　華聯出版社　1975年7月
目次4頁，本文243頁，刪去序文、書耳。

《詩詞曲叢談》　黃勗吾著
臺北市　樂天出版社
按：序文之末有「黃勗吾於南洋大學之南園，公元一九六五年春」等字。

《詩詞曲研究》　黃勗吾著
臺北市　莊嚴出版社
刪去序文、書耳。

《談藝錄》
坊印本
正文前有錢鍾書序2頁，目次5頁，正文377頁。
按：即錢鍾書所著。上海市：開明書店，1948年6月出版

二　古文

《文言文的欣賞與寫作》　翟蛻園住
臺北市　莊嚴出版社　1979年9月
按：即翟蛻園、周紫宜合著《文言淺說》，香港　學林書店，140頁。

《文章作法》　題夏尊著

臺北市　綠洲出版社　出版年不詳

按：翻印者將夏丏尊改為夏尊，此書是夏丏尊與劉薰宇合著。上海市：開明書店，1926年，152頁。

《文章病院》　蔣黎光著

臺北市　大漢出版社　1980年3月1日

按：即蔣祖怡的《文學病院》，上海市：海天書店。1940年12月初版，229頁；上海市：激流書店，1947年1月，初版，229頁。

三　辭賦

《楚辭詳釋》　洪興祖註釋，何浩然校刊

臺北市　華聯出版社　1972年

正文203頁。附陳直撰《楚辭拾遺》1卷，12頁。1936年國學整理社輯《楚辭四種》，由上海市　世界書局排印發行。全書收：

1. 《楚辭》十七卷，漢王逸章句，宋洪興祖補注。
2. 《屈原賦注》七卷、附《通譯〉二卷、《音義》三卷，清戴震撰，附清汪梧鳳撰。
3. 《離騷圖經》一卷，清蕭雲從（木尺）繪。
4. 《楚辭拾遺》一卷，陳直撰。

按：華聯本即取其中第一、四種合刊印行。洪興祖的書，歷來如不是題《楚辭補注十七卷》；就是題《楚辭十七卷》〔漢〕王逸章句，〔宋〕洪興祖補注，絕無題作《楚辭詳釋》者。另有：（1）1956年12月，世界書局翻印本，書名題「楚辭章句補注」；（2）1972年，臺南市：北一出版社，翻印本，書名題「楚辭」。

《楚辭校補》　本局編輯部
臺北市　華正書局
按：即聞一多所著，1942年，重慶市：國民圖書出版社出版。

《屈原及其作品研究》　趙昇平著
臺北市　華聯出版社　1968年
趙昇平是該社慣用的假名。正文前有目錄2頁，正文229頁，收論文19篇。
按：翻印本實取林庚《詩人屈原及其作品研究》竄改而成。上海堂棣出版社，52年出版。翻印本將書名刪去「詩人」二字、書末的「後記」和「再記」也刪除。姜亮夫《楚辭書目五種》著錄，林氏書僅收論文十六篇。華聯翻印本多出〈史記屈原列傳論辨〉、〈詩人屈原的出現〉、〈招魂解〉三篇；且各篇順序亦與林氏原書不同。

《天問疏證》　木鐸出版社編
臺北市　木鐸出版社　1983年
按：即聞一多所著。

《楚辭研究》　胡子明著
臺北市　華聯出版社　1976年10月
按：胡子明是該社慣用的假名。此書為一論文集，收論文28篇，茲將篇目臚列如下：

（1）楊柳橋　離騷題解
（2）游國恩　說離騷「秋菊之落英」
（3）游國恩　離騷「后辛菹醢」

（4）游國恩　離騷「啟九辯與九歌兮，夏康娛以自縱；不顧難以圖后兮，五子用失乎家巷。」四句的解釋問題

（5）李嘉言　離騷錯簡說疑

（6）衛瑜璋　離騷韻譜

（7）林　庚　湘君湘夫人

（8）林　庚　說國殤

（9）游國恩　楚辭隨筆三則

（10）林　庚　禮魂解

（11）林　庚　沙江的斷句及錯簡（按：原為「從楚辭的斷句說到涉江」一文的第四節，呂先生也已指出）

（12）林　庚　說橘頌

（13）游國恩　天問題解

（14）游國恩　天問：昏為遵跡有狄不寧何繁鳥萃棘負子肆情解

（15）游國恩　天問：古史證二事

（16）林　庚　天問注解的困難及其整理的線索

（17）林　庚　招魂解

（18）林　庚　招魂地理解

（19）游國恩　屈原放逐時地考略

（20）游國恩　楚辭中沅湘洞庭諸水斷在江南證

（21）游國恩　楚辭辯疑八事（按：原為「餘論」，和前二文乃是「讀騷論微初集」中「論屈原之放死及楚辭地理」一章）

（22）林　庚　楚圖說

（23）林　庚　彭咸是誰

（24）林　庚　楚辭裏「兮」字的性質

（25）徐嘉瑞　楚辭「亂曰」解
（26）張縱逸　楚辭語法
（27）陸侃如　楚辭古音錄
（28）陸侃如　楚辭校勘記

前十九篇為偽書《屈原及其作品研究》一書所有，其餘為楊柳橋、游國恩、衛瑜璋、徐嘉瑞、張縱逸、陸侃如等所著。已有呂建忠〈一個剽竊成書的惡例〉,《書評書目》第71期，1979年3月。和蕭翔〈由一個剽竊成書的惡例〉,《書評書目》第73期，1979年5月，二文加以辨正。

《屈原離騷今繹》　屈原撰　呂天明譯
臺北市　五洲出版社　1960年
按：呂天明為該社慣用的假名。即文懷沙所著。北京市：古典文學出版司， 1956年；北京市：中華書局，1958年。

《屈原九歌今繹》　呂天明繹著
臺北市　五洲出版社
按：即文懷沙所著。

《屈原九章今繹》　呂天明譯著，版權頁題「本社編輯部」編
臺北市　五洲出版社　1960年8月
自序6頁，目次1頁，正文136頁。
按：即文懷沙的《屈原九章今繹》。1952年12月，上海棠棣出版社印行。偽本頁61注九有：「懷沙案：當指懷王左右之賢臣」等字。「懷沙案」即作者文懷沙的案語。該社另有《屈原離騷今譯》、《屈原九歌今繹》，均題呂天明繹著，或皆文懷沙所著。二書皆未見，不敢遽定。

《屈原賦今繹》　呂天明譯編
臺北市　海燕出版社　1966年8月
按：即郭沫若所著。香港：上海書局。1946年，211頁。

《離騷譯注》　仁愛編輯部編譯
臺北市　劍光出版社　仁愛書局發行　1974年10月
正文前3頁，正文70頁。

四　詩詞

《詩論》　正中書局編輯委員會
臺北市　正中書局　1962年9月　臺一版
正文前有〈抗戰版序〉2頁，〈增訂版序〉1頁，目次2頁，正文頁1-233，頁234-243為附錄〈給一位寫新詩的青年朋友〉。

《詩論》　本店編輯部
臺北市　臺灣開明書店
按：即朱光潛所著。

《詩論》　不題作者
臺北市　國文天地雜誌社
按：即朱光潛所著。

《詩歌原論》　劉聖旦著
臺北市　長歌出版司　1976年2月
正文前有簡介《詩歌原論》1頁，凡例1頁，目次3頁，正文397頁。

《中國詩律研究》　作者題王子武著

臺北市　文津出版司　1970年9月

按：即王力所著《漢語詩律學》，翻印者隨意竄改書名和內容，原書正文前有序2頁，再版自序1頁，目錄3頁，正文828頁。全書分為：〈導言〉、第一章〈近體詩〉、第二章〈古體詩〉、第三章〈詞〉、第四章〈曲〉，共分為55小節。小節的編排方法是從第一章到第四章統一編號，所以第一章是1-22小節，第二章是23-35小節，第三章是36-47小節，第四章是48-55小節，這是相當奇特的編輯方法。

此一翻印本正文前有文津出版社寫的〈卷頭語〉2頁，目次3頁，正文821頁。全書分為五章，第一章〈緒論〉，有3小節，第二章〈近體詩〉，有22小節，第三章〈古體詩〉，有13小節，第四章〈詞〉，有12小節，第五章〈曲〉，有8小節。它是把屬於各章的小節分別拆開來，這個看起來比較符合編輯方法。

《詩詞曲作法講話》　作者題本社編

臺北市　樂天出版社

按：即王力所著《漢語詩律學》，翻印者隨意竄改書名。

《詩詞曲作法研究》　不題作者

臺北市　宏業書局　1975年

按：即王力所著《漢語詩律學》，翻印者隨意竄改書名。此翻印本基本上保存王力《漢語詩律學》的型態，仍舊分為：〈導言〉、第一章〈近體詩〉、第二章〈古體詩〉、第三章〈詞〉、第四章〈曲〉，小節也一直連貫下來，共55小節。

《中國詩史》　不題作者

臺北市　明倫出版社　1969年

按：即陸侃如、馮沅君所著。

《中國詩詞發展史》　題藍田出版社編輯

臺北市　藍田出版社　出版年不詳

按：即陸侃如、馮沅君所著《中國詩史》，翻印者隨意竄改書名。

《學詩淺說》　不題作者

臺南市　大華出版社　1967年7月

按：即瞿蛻園、周紫宜所著《學詩淺說》。以下至第十七種，皆翻印自此書。

《學詩之門》　不題作者

臺北市　大明出版社　1967年

《學詩之門》　題江南出版社編

臺北市　江南出版社　1967年11月

目錄4頁，正文209頁。

《古詩習作與欣賞》　瞿蛻園著

臺北市　五洲出版社　1969年7月

目錄4頁、序2頁、正文209頁。

《詩學淺說》　題學海出版社編

臺北市　學海出版社　1973年2月

目錄4頁，正文209頁。

《學詩淺說》　作者題李杜選注
高雄市　大眾書局　1970年。

《詩的寫作與欣賞》　作者題東海野叟編
臺北市　泰華出版社（臺灣大同書局總經銷），1973年7月

《詩學義海——中國古典詩詞入門》　不題作者　版權頁題「編輯者本社編輯部」
臺北市　莊嚴出版司　1977年5月　《古典新刊》第二種
目錄4頁，正文216頁。

《學詩淺說》　瞿蛻園、周紫宜著
臺北市　河洛圖書出版社　出版年不詳

《中國抒情詩選析》　東海遯叟編著
臺南市　臺灣大同書局　1975年3月

《中國歷代情詩選析》　吳其敏編著
臺北市　木鐸出版社　1980年3月

《名詩析賞》　東海野叟編
臺北市　泰華堂出版社　1975年4月
目次16頁，正文210頁。
按：全書分為：五言律詩39首、七言律詩48首、五言絕句131首、七言絕句兩263首，每篇各有分析，其中五言律詩的部分採自俞陸雲《詩境淺說》甲編，七言律詩的部分採自俞陸雲《詩境淺說》丙編。

《詩文鑑賞方法二十講》　不題作者
臺北市　木鐸出版社　1987年7月
按：即文史知識編輯部所編，由於書中收有周振甫等名家的文章，所以有的版本作者題周振甫等著。

《先秦文學》　題游天恩著
臺北市　臺灣商務印書館　1968年6月　臺一版
按：即游國恩所著。

《樂府詩選》　余貫榮選註　封面、書背和書名頁都題作者為余貫榮
臺北市　華正書局　1975年3月
正文前有〈前言〉21頁，文末署「余貫榮　民國39年10月　清華園」。正文189頁，書末有「再版後記」。
按：即余冠英所著。

《謝靈運詩選》　本社編審
臺北市　河洛圖書出版社　1980年1月

《陶淵明卷》　不題編者
臺北市　坊印本
本書為北京大學中文系文學史教研室教師五六級四班同學編，1961年，北京中華書局出版。收入古典文學研究資料彙編，後來中華書局重印時才命名為《陶淵明資料彙編》。

唐詩

《唐詩研究》　胡雲著
臺北市　宏業書局　1972年2月
按：即胡雲翼所著。

《新編唐詩三百首》　蘅塘退士編
臺南市　世鋒出版社　2002年
臺南市　西北出版社　1994年
正文前12頁，正文382頁。

《新編唐詩三百首》　復文出版社編輯部編
高雄市　復文圖書出版社
正文前11頁，正文177頁。

《新編唐詩三百首》　題蘅塘退士編
新北市　新潮社　282頁　2015年

《新編唐詩三百首》　題蘅塘退士編
中和市　華威國際出版公司　433頁　2009年。

《唐詩百首淺釋》　李文勝注釋
臺南市　大行出版社　1972年10月
按：即中華書局上海編輯所的《唐詩一百首》，上海中華書局出版，1959年4月。

《杜甫卷》　不題編者
臺北市　明倫出版社　1970年
按：即華文軒編著。此書有上下兩卷，上卷是唐宋之部，北京市：中華書局，1964年出版，三冊，收入古典文學研究資料彙編。

《杜甫卷》　本社編輯部編
臺北市　明倫出版社　2001年

按：原本書名為《杜甫卷》（唐宋之部），1964年，北京中華書局出版，三冊。收入古典文學研究資料彙編。

《柳宗元卷》　不題編者
臺北市　坊印本
按：即吳文治所著，1964年，北京市：中華書局出版，改名為《柳宗元資料彙編》，收入《古典文學研究資料彙編》。

《白居易卷》　不題編者
臺北市　坊印本
按：即陳友琴所著。1965年，北京市：中華書局出版，418頁。

《白居易研究——白居易詩評述彙編》　本社編輯
臺北市　明倫出版社　418頁　1970年。

《白居易研究》　成偉出版社
臺北市　成偉出版社　出版年不詳
正文前11頁，正文418頁。

《白居易詩選譯》　許凱如譯注
臺北市　華聯出版社
正文286頁。
按：即霍松林譯註，1965年4月，香港：建文書局出版，286頁。

《李白杜甫白居易》　題歐陽彬、許慎知著
臺南市　大夏出版社　1978年8月
按：其中《白居易詩今釋》，除加注國音；刪去〈與元九書〉外，內容與霍松林譯註《白居易詩選譯》完全相同。

《杜牧詩選》　不題選注者
臺北市　新星出版社　1982年
按：即劉逸生主編《中國歷代詩人選集》中的《杜牧詩選》，周錫䪖選注。

《孟浩然韋應物詩選》　仁愛書局編輯部選注
臺北市　王記書坊　1983年11月
按：即劉逸生主編《中國歷代詩人選集》中的《孟浩然韋應物詩選》，李小松選注。

宋詩

《宋詩選注》　木鐸出版社選注
臺北市　木鐸出版社　1980年
正文前42頁，正文324頁。
按：即錢鍾書所著。1958年9月，北京市：人民文學出版社出版。

《宋詩選讀》　汗牛出版社輯
臺北市　汗牛出版社　1966年
正文前3頁，正文139頁。
按：即陳伯谷所著《宋詩選講》。

《宋詩選讀》　江南出版社編
臺北市　江南出版社　1969年
正文前3頁，正文139頁。
按：即陳伯谷所著《宋詩選講》。

《宋詩選講》　陳柏谷著
臺北市　木鐸出版社　1980年
正文139頁。

《宋詩選繹》　學海書局編輯部編
臺北市　學海出版社　1974年
正文前3頁，正文139頁。
按：即陳伯谷《宋詩選講》。

《宋詩研究》　作者題胡雲著
臺北市　宏業書局　1972年
按：即胡雲翼所著，1930年，上海商務印書館出版，收入《國學小叢書》中。

《王安石詩選》　仁愛書局編輯部選注
臺北市　王記書坊　1983年11月
按：即劉逸生主編《中國歷代詩人選集》中的《王安石詩選》，周錫馥選注。

《黃庭堅詩選》　不題選注者
臺北市　新星出版社　1982年。
按：即劉逸生主編《中國歷代詩人選集》中的《黃庭堅詩選》，陳永正選注。

《楊萬里、范成大卷》　不題作者
臺北市　坊印本
按：即湛之所編。1964年，北京市：中華書局出版。

《中國歷代詩人選集》　劉逸生主編

按：本書原由三聯書店香港分店在香港向海外發行，經廣東人民出版社與三聯書店香港分店商議，決定在廣州原版重印。臺灣的許多出版社也紛紛加以翻印，有五、六種版本之多。其書所收詩人四十三位，分裝成四十冊，其篇目如下：

（1）詩經選　周錫馥選注
（2）屈原賦選　王濤選注
（3）曹魏父子詩選　趙福壇選注
（4）陶淵明詩選　徐巍選注
（5）孟浩然、韋應物詩選　李小松選注
（6）王維詩選　王福耀選注
（7）李白詩選　馬里千選注
（8）高適、岑參詩選　王鴻蘆選注
（9）杜甫詩選　梁鑒江選注
（10）孟郊、賈島詩選　劉斯翰選注
（11）張籍、王建詩選　李樹政選注
（12）韓愈詩選　止水選注
（13）劉禹錫詩選　梁守中選注
（14）白居易詩選　梁鑒江選注
（15）李賀詩選　劉斯翰選注
（16）杜牧詩選　周錫馥選注
（17）李商隱詩選　陳永正選注
（18）溫庭筠詞選　劉斯翰選注
（19）李煜、李清照詞注　陳錦榮選注
（20）柳永詞選　梁雪芸選注
（21）晏殊、晏幾道詞選　陳永正選注
（22）歐陽修、秦觀詞選　陳沚齋、王鈞明選注

（23）王安石詩選　周錫䪖選注
（24）蘇軾詩選　徐續選注
（25）黃庭堅詩選　陳永正選注
（26）周邦彥詞選　劉斯奮選注
（27）陸游詩選　陸應南選注
（28）范成大詩選　周錫䪖選注
（29）辛棄疾詞選　劉斯奮選注
（30）姜夔、張炎詞選　劉斯奮選注
（31）吳文英詞選　吳戰壘選注
（32）元好問詩選　陳沚齋選注
（33）元人散曲選　陳濳菴選注
（34）高啟詩選　陳沚齋選注
（35）吳梅村詩選　王濤選注
（36）納蘭性德詞選　盛冬鈴選注
（37）黃仲則詩選　止水選注
（38）龔自珍詩選　劉逸生選注
（39）黃遵憲詩選　李小松選注
（40）王國維詞注　田志豆編注

《中國歷代詩人選集》　劉逸生主編
臺北市　遠流出版事業公司　1988年出版；1990年，一版三刷
按：本書為合法授權版，共四十冊，精選四十三位詩人之作品，並加上白話註解。

《中國歷代詩人選集》　不題主編和選注者
永和市　漢威出版社　1989年
按：即翻印劉逸生主編《中國歷代詩人選集》而成。

《中國歷代詩人選粹》　不題主編和選注者

臺北市　王家出版社　1988年1月

按：即翻印劉逸生主編《中國歷代詩人選集》而成，並將選集改為選粹。

《中國歷代詩人選集》　新星出版社編選

臺北市　新星出版社　1982年

按：本書即劉逸生主編《中國歷代詩人選集》翻印本。全書之主編者和各冊之選注者皆刪去，改題編者為新星出版社編選。

《中國歷代詩人選集》　仁愛書局編輯部選注

臺北市　仁愛書局　1983年

詞

《近三百年名家認選》　龍榆生著

臺北市　長歌出版社　1976年

正文前4頁，正文234頁。

按：即龍沐勳所著。

《近三百年名家詞選》　忍寒居士編

臺北市　世界書局　1957年

按：即龍沐勳所著。

《白話詞還》　胡適選輯，書名頁有「白話詞選　羅家倫題」等字。正文大題「白話詞選」下有「胡適選輯」四字。

臺北市　讀者書店　1958年6月

正文前目錄8頁，正文130頁

《歷代名家白話詞選》　胡適選輯
臺北市　泰華堂出版社（大同書局）　1972年10月
按：本書刪去書名頁羅家倫的題字。除了保留正文大題下「胡適選輯」四字外，在封面書背和書名頁也都加上「胡適選輯」，版權頁也印上「選輯者　胡適」等字。再查「央圖」所編的《出版圖書目錄彙編續輯》（簡稱）（頁578），也將此書的編者題為胡適。這本書沒有序跋，選唐詞13首，五代詞21首，宋詞251首，金詞10首，元詞62首，明詞36首，清詞145首，合計438首。各詞僅錄白文，並無註解分析等的整理加工。

《唐宋名家詞欣賞》　本社編輯部
臺北市　莊嚴出版社　1980年1月　三版
按：即胡雲翼選注的《唐宋詞一百首》，上海市：上海古籍出版社。此書為重排本，各詞之作者資料有增加。另增加21首。

《宋詞百首淺釋》　李文勝選注
臺南市　大行出版社　1972年10月

《姜夔張炎詞選》　不題選注者
臺北市　王記書坊　1983年
按：即劉逸生主編《中國歷代詩人選集》中的《姜夔張炎詞選》，劉斯奮選注。

五　曲學

《中國歷代戲曲選》　題郭雲龍校訂
臺北市　宏業書局　1990年7月　再版
按：本書原為傅傲編選，香港：上海書局，1970年3月，再版。

《中華戲曲選》　本局編輯部編
臺北市　臺灣中華書局　1976年12月　臺五版
正文前有例言2頁，目錄2頁，正文186頁
按：即孫俍工、孫怒潮合編。1934年，上海市：中華書局出版。

《元曲概論》　題賀應群著
臺北市　臺灣商務印書館　1967年
按：即賀昌群所著。1933年，上海市：商務印書館出版。

《全元散曲》　不題作者
臺北市　臺灣中華書局　1969年
按：即隋樹森編著。1964年，北京市：中華書局出版。1969年，臺灣中華書局重印時，改題作者為「本局編輯部」。

《全元散曲》　平平出版社編輯
臺南市　萃文堂出版　平平出版社發行　1973年。
按：即隋樹森編著。

《元人散曲選》　不題選注者
臺北市　新星出版社　1982年
按：即劉逸生主編《中國歷代詩人選集》中的《元人散曲選》，陳潛菴選注。

《元曲選外編》　本局編輯部
臺北市　臺灣中華書局　1961年　第二刷
按：即隋樹森編著。

《元人雜劇選注》　題本堂編輯
臺南市　平平出版社　1975年11月
按：本書原名《元人雜劇選》，顧學頡編注，北京市：人民文學出版司，1956年5月

《中國近世戲曲史》　青木正兒著，題王吉盧譯
臺北市　臺灣商務印書館　1965年
按：即王古魯譯。

《中國戲曲史漫話》　不題作者
臺北市　木鐸出版社　1983年8月
翻印本封面、書背和版權頁皆不題作者，書名頁題作吳國欽。
按：即吳國欽所著。

《中國劇場史》　題周白著
臺北市　長安出版社　1976年
正文前2頁，正文120頁。
按：即周貽白所著，1937年，商務印書館出版。正文前2頁，正文120頁。

《元雜劇考》　傅大興撰
臺北市　世界書局　1960年
按：即傅惜華所撰《元代雜劇全目》。原書1957年，北京作家出版社出版。正文前有中國戲曲研究院所寫的〈中國戲曲史資料叢刊緣起〉2頁，〈出版說明〉1頁，〈目錄〉1頁，傅惜華所寫的〈例言〉3頁。翻印本刪去〈緣起〉，將〈出版說明〉改作〈簡介〉，末句「以供古典戲曲研究工作者參考之用」，亦被刪去。

《明雜劇考》　傅大興撰
臺北市　世界書局　1982年4月
按：即傅惜華所撰《明代雜劇全目》。原書1958年，北京作家出版社出版。正文前有中國戲曲研究院所寫的〈中國戲曲史資料叢刊緣起〉2頁，〈出版說明〉1頁，〈目錄〉1頁，傅惜華所寫的〈例言〉3頁。翻印本刪去〈緣起〉，將〈出版說明〉改作〈簡介〉，末句「以供古典戲曲研究工作者參考之用」，亦被刪去。

六　小說

《小說結構美學》　不題作者
臺北市　木鐸出版社　1988年9月
正文294頁。
按：即金建人所著。1987年，杭州市：浙江文藝出版社出版。

《古小說搜殘》　作者題孟之微著
臺北市　長歌出版社　540頁　1975年10月
按：即魯迅所著。書名原作《古小說鉤沉》，作者用假名孟之微。

《小說舊聞鈔》　本書廊輯
臺北市　萬年青書廊　出版日期未詳
按：即魯迅所著。

《中國古典小說論》　本書廊輯
臺北市　萬年青書廊　出版日期未詳
按：即趙景深的《銀字集》。上海市：上海永祥印書館，208頁，1946年3月。翻印者改名為《中國古典小說論》，作者改題本書廊輯。

《中國小說史略》　不題作者
臺北市　坊印本
按：即魯迅編著。

《宋元白話小說集錦》　董逸之註選
臺北市　長歌出版社　1975年12月
按：即傅惜華《宋元話本集》。

《明清小說探幽》　封面、書背、版權頁，皆不題作者
臺北市　木鐸出版社　1987年7月
正文前有目錄，徐中玉的序2頁，正文1-337頁，338-341為作者蔡國梁的跋。

《馮夢龍與三言》　不題作者
臺北市　木鐸出版社　1983年9月
按：即繆詠朱所著《馮夢龍與三言》，上海市：上海古籍出版司，1979年。

《金瓶梅考證》　不題作者
臺北市　木鐸出版社　1983年9月
正文前3頁，正文212頁。
按：即朱星等著。1980年，天津市：百花文藝出版社出版。

《三國演義研究》　陶君起等所著
臺北市　木鐸出版社　1983年9月
正文前2頁，正文188頁。
按：陶君起等所著。

《吳承恩與西遊記》　不題作者
臺北市　木鐸出版社　1983年9月
按：胡光舟等所著。

《水滸研究》　不題作者
臺北市　木鐸出版社　1983年9月
正文前2頁，正文357頁。

《吳敬梓與儒林外史》　不題作者
臺北市　木鐸出版社　1983年7月
正文前2頁，正文181頁。
按：即陳汝衡著。

《聊齋誌異的藝術》　不題作者
臺北市　木鐸出版社　1983年7月
正文前2頁，正文136頁。
按：即聶紺弩所著。

《紅樓夢卷》　里仁書局輯
臺北市　里仁書局　1980年
正文前17頁，正文952頁。
按：即一粟編著。1963年，北京市：中華書局出版。收入《古典文學研究資料彙編》。

《紅樓夢研究》　本社編輯部編
臺北市　文馨出版社　1976年4月
正文前15頁，正文652頁。

《紅樓夢研究》　成偉出版社編輯
臺北市　成偉出版社　出版年不詳
正文前11頁，正文652頁。

《紅樓夢十講》　不題作者
臺北市　木鐸出版社　1983年7月
正文前4頁，正文248頁。
按：即邢治平所著。

《元明清三代禁毀小說戲曲史料》　題本社編審
臺北市　河洛圖書出版社　1980年1月　影印出版
本書為王曉傳輯錄，北京市：作家出版社，1958年7月

七　現代文學

《新文學概論》　本間久雄著不題譯者
臺北市　臺灣開明書店　1957年
正文前12頁，正文250頁。
按：譯者即章錫琛。

《新文學運動史料》　本店編輯部編
臺北市　帕米爾書店　1980年3月
正文前有出版者的話1頁，目次3頁。正文290頁。

《中國新文學研究參考資料》　不題作者
臺北市　坊印本　出版者、出版日期不詳
按：即李何霖《近二十年中國文藝思潮》。1947年5月，李何霖在重慶

市生活書店出版《近二十年中國文藝思潮》。後來將該書改名為《中國新文學研究參考資料》，於1972年在香港中文大學近代史料出版組出版。

《阿Q正傳的成因》　魯迅著
按：原書作者為魯迅等人，書名是《創作的經驗》，上海市：天馬書店，1933年6月

《文藝學史與文藝學科》　德．瑪爾霍茲著、文壽伯譯
臺北市　長歌出版社　1976年4月
按：即德．瑪爾霍茲著、李長之譯《文藝學史與文藝學科》，重慶：商務印書館，193？年7月初版；1947年7月上海初版。正文前18頁，正文211頁。

八　外國文學

《世界文學史》　題陳鍾吾編譯
臺北市　五洲出版社　1963年10月
前言1頁，目錄11頁，正文591頁

《世界文學名著評話》　作者題曹開元著
臺北市　五洲出版社　1967年11月
目錄1頁、正文222頁。
按：即茅盾所著，原書名作《世界文學名著講話》，1947年。

《世界文學名著史話》　作者題林語堂著
臺北市　華貿出版社（精益書局總經銷）　1976年10月

目錄1頁，正文284頁。無序文。

按：全書講述西洋文學名著八種：

1.《伊利亞特》
2.《奧德賽》
3.《伊勒克特拉》
4.《神曲》
5.《十日談》
6. 吉訶德先生
7. 雨果和《哀史》
8.《戰爭與和平》

全書以淺白的文句講述這八種名著的內容大要，是一本相當通俗化的著作。以林語堂中西兼通的學術造詣來寫這本書，當然很適切。同時，該出版社在《「中央」日報》登的廣告詞說：

> 林語堂譯《世界文學名著史話》，了解世界古今文壇，瞭若指掌，中西貫通，文筆生動，如飲醇酎，令人沉醉。(《「中央」日報》四版廣告，1976年9月26日。)

看來這本書應該是林語堂的著作，1980年間，有書店翻印大陸開明書店出版的《國文月刊》，拿到學校來推廣，看到第58期封底有該書店為《世界文學名著講話》所作的廣告，書名和華貿出版的《世界文學名著史話》很接近，作者不是林語堂，而是茅盾。廣告詞是這樣寫的：

> 本書以作品為本位，講到創作的時代背景，作者的藝術手腕，以及文學史上的作品。從《伊利亞特》、《奧特賽》、《伊勒克特拉》、《神曲》、《十日談》、吉軻德先生、《哀史》，講到《戰爭

與和平》。全書三十萬言。作者用創作的手筆的寫述本書，娓娓動人，絕無沉悶晦澀之弊。即使不是文學研究者，讀了也會發生興趣。附圖數十幅，讀時可以參考。

所列八種名著，與前述五洲本與華貿本完全相合，所說附圖數十幅，亦與題林氏著之華貿本相合。可見坊間二書是將茅盾的《世界文學名著講話》改頭換面而成。較詳細論述，請參考林慶彰〈誰幽林語堂一默——談林著《世界文學名著史話》〉，《書評書目》第88期，1980年8月。

《西洋近代文藝思潮》　徐偉著
臺中市　藍燈文化事業公司　1976年8月

《西洋學術史》　呂澂注
臺北市　臺灣商務印書館　1986年11月　臺六版

《英國小說發展史》　曹開元、王杰夫合譯
臺北市　華聯出版社　1960年5月
目錄41頁，正文541頁。
按：此書為克羅斯（Wilbur L. Cross）所撰，1936年有周其勳等人合譯本，由上海商務印書館印行。華聯本即據周譯本重印而成。

2020年5月完稿，未刊。

下編
文獻整理

專科目錄的編輯方法

一　前言

臺灣學生書局所主辦的《中國書目季刊》，將出版三十週年紀念專號。他們以為我以前編過數本專科目錄，透過陳仕華先生，要我寫一篇如何編輯專科目錄的文章。本來類似的論文，前輩學者胡楚生教授，在一九八一年二月所發表的〈專科目錄的利用與編纂〉（《書評書目》第九十四期），所論已相當完備，我似乎可以不必再獻醜。但想到我和《書目季刊》在二十多年前就結緣，它要過三十歲生日，似乎也應該提出一篇與「書目」有關的文章，表達內心的敬意。只好把這十多年來編輯專科目錄的經驗，略加歸納，湊成這篇文章。

所謂「專科目錄」，顧名思義，就是為某一專門學科、專門人物，或專門問題所編輯的目錄。這種目錄，範圍可大到很大的學科，如：中國文化史、哲學、文學；也可以小到為一人物編一目錄，如：歐陽修研究書目、湯顯祖研究文獻目錄；也可以為一小問題編一目錄，如婦女運動史論文目錄、五四運動書目等。就一個學術研究者來說，有人以為自己並不想編輯出版一本龐大的專科目錄，有關這一方面的知識不足也沒有關係。其實，要作一個專門論題的研究，蒐集研究資料的過程，就是在為那一論題編輯一份小型的專科目錄。可見編輯某一專科目錄，可視為進入該研究論題的前奏。既是如此，每一研究工作者，怎可對專科目錄的編輯方法掉以輕心。

編輯專科目錄，自從漢代以來即有，班固《漢書》〈藝文志〉中的〈六藝略〉、〈諸子略〉，就是經學和哲學的專科目錄。從六朝起，更有體例相當完備的佛經目錄。這些編目錄的傳統一直承繼下來，但為適應新時代的需要，目錄收錄資料的範圍和體例等，也應隨時加以改變，以方便更多的讀者使用。譬如，以前的目錄往往僅收一兩種資料類型的條目，如「報紙論文索引」、「期刊論文索引」。但資料類型不限於報紙、期刊，還有專著、論文集、研究報告、學位論文等，如果不將這些類型的資料一起編入，讀者使用時，將會非常不方便。所以，晚近很多目錄，已不限於一兩種資料類型，目錄的名稱也改作「資料目錄」、「文獻目錄」。再者，以前的目錄，往往是專著和論文分開著錄，查專著要一本目錄，查論文又要另一本目錄。晚近所編的目錄，專著和論文條目大都已合為一書編輯。由此可知，不同時代有不同的編輯方法和收錄資料的標準。專科目錄所以要時時編輯，除了資料更新的因素外，體例創新、收錄資料範圍擴大等，也是因素之一。因此，只要是某一專門學科的研究者，又願意花時間去編一本專科目錄的話，隨時都有工作等待他去做。

二　編輯前的準備工作

如有學者立志要編輯一部專科目錄，他在編輯之前必須有一段較長的時間來作準備工作。準備工作可分兩方面來討論：一是編者學識的培養，二是目錄編輯的前置作業。茲分項加以討論：

（一）編者學識的培養

編輯一部完善的專科目錄，不是隨意就可以進行，最重要的是編者必須具備相當豐富的目錄學知識。不但對古代目錄的源流應有大體的了解，對現行各種目錄的出版狀況，也應能確實的掌握。如有哪些綜合目錄、專科目錄？這些目錄收錄資料的範圍、涵蓋時限、編輯體例如何？唯有具備這一方面的知識，將來在擬定編輯體例時，才能截長補短，編輯出一部體例完善、檢索方便的目錄。

要培養這一方面的知識，除了參考坊間各種「中文參考用書指引」外，更應隨時到圖書館，將各種目錄加以檢閱比對，了解各種目錄的優缺點。此外，既是編專科目錄，必須具備該學科的基本知識外，有哪些相關的「參考資料」可資利用，也應有所了解。唯有時時刻刻，念茲在茲，才能充實相關的目錄學知識。目錄學知識越豐富的編者，他所編的目錄體例越完善，資料也較少闕漏。相反地，知識貧乏的編者，絕對編不出好目錄。

（二）編輯的前置作業

1 確定收錄時限和資料類型

要編輯一部專科目錄，最先要確定的是收錄資料的時限有多長。一般來說，綜合性的目錄涵蓋的學科相當多，收錄資料的時間都比較短。專科目錄因涵蓋的學科較少，收錄時限不妨長一點。至於從哪一時段開始收集比較好，這要看各個學科的性質來定。有時要顯示某一時段的研究成果，如「民國」以來的研究成果如何，就可將開始的時間定為1912年（民國元年）。至於資料截止的時間，應是越接近編輯工作的時間越好。如1997年（民國八十六年）三月開始編輯，資料應收到1996年（民國八十五年）才算完備。但有些海外的期刊，或出版延誤的學報，1996年（民國八十五年）的，有些可能尚未到達，如將時限設得這麼接近，反而收錄不齊全。所以，不妨收錄到1995年（民國八十六年）。

其次，是收錄資料的範圍，每一門學科大多有周邊相關的資料，在確定這些資料是否該收時，往往產生困擾。所以，考慮必須謹慎周詳，不然本來不收，做到一半又要收，前面已查過的資料就必須重新查一遍。如：編輯經學目錄時，讖諱和陰陽五行的資料要不要收？

《逸周書》等同於《尚書》;《國語》等同於《左傳》,這兩種書的資料要不要收為附錄?編古典戲曲目錄時,現代各地的地方戲資料要不要收?這些都是要面對的問題。

再者,資料呈現的類型有很多,有以專著形態出現的;有刊於期刊、報紙的,有學位論文、會議論文、論文集論文、研究報告等,是否統統要收錄?或者僅取其中的幾個類型?

2 確定資料條目之體例

資料條目因刊載的資料類型不同,著錄的方式也不一樣。譬如期刊論文的著錄方式,可能是:作者、篇名、期刊名、卷期、頁數、出版年月;報紙論文,可能是:作者、篇名、報紙名、版次、出版年月日。其他,論文集論文、會議論文、學位論文等的著錄方式都略有不同。在編輯前都必須訂好著錄的體例。例如,條目中是否要著錄論文的起訖頁碼,在編輯前就應確定,不能做了一半,再回過頭來補。又出版時間,因各地方的紀年方式非常不統一,如大陸用西元,日本用日本紀年,著錄時應加以統一。最好是統一用西元紀年。

3 編輯參考用書目錄

在進行蒐集資料之前,應有一份參考書的目錄,這份目錄至少要包含三方面的資料:

一是應利用的工具書目錄。既要編輯某一專科目錄,在現有的工具書中有哪些可以利用,應根據坊間的工具書指引,及編者到各圖書館實際訪察所得,編成目錄。

二是應抄錄的期刊目錄。這要看專科目錄的性質來判斷哪些是較常登載論文的期刊;哪些雖數量不多,但也要檢索;哪些不會有相關的論文。然後將可能刊載論文的期刊編成一份目錄,以便作為檢查的依據。

三是應抄錄的論文集目錄。在現代的學術出版品中，論文集佔很大的分量，一位專科目錄的編輯者，應利用圖書館的檢索系統，或到書庫中，實際查出哪些論文集刊有論文，再慢慢抄錄下來。如果事先沒有做這種調查工作，很容易將重要的論文集遺漏。

三　如何蒐集資料

編輯一部專科目錄，如果前面所述的前置作業做得比較完善，蒐集資料時，就按前置作業所訂的體例、該利用的資料目錄來收集資料即可。這裡要提醒的是：如果有其他的編輯人員一起工作，在開始抄錄資料時，這一目錄的主編（負責人），應確實檢查編輯人員所抄錄的資料，體例是否合乎標準，有沒有錯字，以免將來重新覆按，增加麻煩。以下分項談談蒐集資料的方法：

（一）利用前人既有之目錄

編輯一種目錄，不可能將一切資料從頭開始收集，一定要先利用前人的成果。前人的成果有一大部分都已收入各種目錄中。所以，就應利用前置作業時所編輯好的參考工具書目錄，一本一本的將資料錄下。要從現有的工具書抄錄資料時，應注意幾點：（1）資料收錄的年限如何？（2）資料涵蓋的地域如何？（3）資料涵蓋的類型如何？以便分析現行工具書資料不足的地方在哪裡，再謀求補救。

工具書由於編輯的機構、編輯人的素養、編輯的目的不同，所以資料完備、準確的程度也相差很多，絕對不可以為利用了這些工具書，資料即已完備。應該要分析工具書之間的盲點，以便彌補不足，茲舉幾個例子加以說明：

1. 如要收集近數十年出版的專著，可利用「央圖」所編《出版圖書目錄彙編》（簡稱）。現已出版六輯。但這一目錄，也僅僅是出版社按法規送繳的圖書和該館採購所得之圖書，所編輯而成的目錄，並非台灣出版圖書的總目錄。如果以為利用這一目錄，專書的資料即很完備，那就錯了。必須利用其他圖書館之館藏，或其他目錄來補充不足。又如，要得知大陸出版的專著，一般都會檢查月刊本的《全國新書目》和年刊本的《全國總書目》，但這兩種書目，大概失收了五分之一左右的資料。這些失收的資料，必須靠其他的資訊來補足。

2. 如要收集一九一一年至一九四九年間的期刊論文資料。可利用國立北平圖書館索引組編的《國學論文索引》初編至四編，但這《索引》資料僅收到一九三五年十二月。又可利用上海人文編輯所編的《人文月刊雜誌要目索引》，但僅收到一九三七年十二月。又可利用陳碧如等編《文學論文索引》一至三編，但僅收到一九三五年十二月。也可利用中國科學院編《中國史學論文索引》一、二編，但也僅是史學資料而已。可見，抗戰以後至一九四九年間的資料，並沒有一部完善的索引可檢索。要補足這一部分資料的闕漏，只好找出當時的雜誌，一本本檢查。

3. 如要檢索日據時代的各種專著和論文資料，現有的目錄可利用的，僅中島利郎先生所編的《日據時期臺灣文學雜誌總目・人名索引》，收文學雜誌十種；還有也是中島先生所編的《臺灣時報總目錄》，收雜誌兩種。其他的雜誌、報紙，都還沒有完善的索引。要利用這一時段的資料，只好找出雜誌、報紙逐一檢閱。

從上舉的例子，可以了解編好一部目錄，對前人已有的成果得失如何，也應確實掌握，以便彌補其不足。

（三）補抄前人目錄所不足之資料

這一方面的資料，可分成下列幾點來談：

1 前代資料沒有適當目錄可利用者

如抗戰期間至一九四九年間的資料，並沒有較理想的目錄可資利用，就必須將每一種雜誌，逐本加以檢索，錄下所需的資料。另外，日據時代的資料，也沒有理想的目錄，也應一種一種加以檢查。

2 前代資料為現行目錄所失收者

編輯比較完善的目錄，書後大都附有收錄期刊、論文集的一覽表（目錄），可以從這一覽表看出收了哪些期刊、哪些論文集。檢查時，有失收的期刊或論文集，就可去補抄。論文集的專門目錄有楊國雄、黎樹添所編《現代論文集文史哲論文索引》，周迅、李凡、李小文所編《一五二二種學術論文集史學論文分類索引》可檢索，未收入這兩種目錄的論文集，還有不少。這是一位編輯者所應了解的。

3 現行資料尚未編入各種目錄者

目錄的編輯一定是在資料之後，所以現行的資料與目錄的時間差往往從數個月到數年之久。如今年是一九九七年，但京都大學人文科學研究所所編的《東洋學文獻類目》，一九九四年度的才剛剛出版。即使最快的《中華民國期刊論文索引》，也有數個月的時間差。因此，尚未編入各種目錄的資料就應補抄。

要補抄的期刊種類，可能多至數十百種，所以必須準備一種抄錄記錄單，上面列有刊名、出版者，創刊日期、刊期、卷期等，已抄錄過的，在卷期的空格上打勾，這圖書館未收藏的可以到別的圖書館補抄。這種記錄單不但可以確實掌握資料，將來也可作為編輯「收錄期刊目錄」的基本資料。

四　如何整理資料

蒐集來的各種資料，可以納入目錄盒，以便整理之用，會利用電腦的人，也可以逐筆輸入，電腦會按既定的程式來編排。這裡要談的整理方法，是指傳統手工的整理方法。

一般人以為蒐集來的資料，按所訂的分類表加以分類即可。但是，因為資料來自各種不同的目錄，不但有所重複，體例也不統一，所以在分類之前，必要統一各筆資料的體例，並將重複的資料剔除。如果缺乏這一步驟，不但資料條目會重複出現，體例也雜亂無章。坊間很多專科目錄，除了資料收錄不足外，最嚴重的毛病是體例凌亂不堪。要減少資料之重複，要體例一致，就應依照下列的步驟來整理資料。

（一）專著資料的整理

蒐集來的資料條目，有專書也有論文，應分開加以整理。專著資料，最好按作者的姓氏筆畫來排列，同一筆畫的排在一起，同一作者的著作都納入該作者之下，同一作者的不同著作，應按書名筆畫之多寡來排列。同一著作有各種不同的版本，也應依出版時間先後排列。經過這像嚴密的排列，如果資料條目有誤，也都一一顯現出來，然後再將這些有問題的條目，用網路查證，或用其他工具書來作覆按。已整理過的資料，就準備分類時分入各類中。

（二）論文資料的整理

論文的種類有很多，如期刊論文、報紙論文、論文集論文、學位論文、會議論文等，整理方法略有不同，茲分項說明：

1 期刊論文的整理

首先，將期刊論文條目，按期刊名筆畫多寡加以排列，同一期刊的條目，按卷期先後加以排列。這樣編排有數點作用：(1) 可以剔除重複的條目。(2) 可以統一期刊的刊名，有些目錄將期刊名用簡稱，都必須回復為全稱。又有些期刊有分版，如「哲學社會科學版」、「文學院之部」、各條目也應統一。(3) 可以統一卷期的標示方法，大陸的期刊，卷期的標示法，大都是「一九××年×期」，有些目錄改為「×期，一九××年」，這是不對的，應加以改正。有些刊物有卷期，也有總號，有的目錄用卷期，有的用總號，也必須統一。(4) 可將出版日期的標示法統一，如要以西元年月日來標示，就必須將所有條目的標示法統一。在剔除重複，將資料統一的過程中，可以將各著錄項的資料互補，最後保留一張最完整的資料卡。按期刊名整理完畢後，應將所收錄之期刊名抄出，以便編輯附錄「收錄期刊目錄」之用。

其次，再按作者姓名筆畫多寡整理一次。這樣的編排也有數點作用：(1) 可剔除前面按期刊名排列時，未剔除之條目。(2) 可檢查作者姓名有否筆誤。(3) 可將以本名或筆名的條目歸納在一起。並將本名和筆名逐筆加以記錄，以便編作者索引時歸納之用。

2 報紙論文的整理

一如期刊論文，先按報紙名的筆畫多寡排列，以便：(1) 統一報紙之刊名。(2) 統一版次的標示方法，有些目錄將版次著錄為「「人間副刊」、「自由副刊」、「長河版」，有些則著錄「××版」，都必須加以統一，有資料不足者，必須補查。(3) 統一出版日期的標示方法。然後，一如期刊論文，再按作者姓名之筆畫多寡編排一次，作用和期刊論文相同。

3 論文集論文的整理

按論文集名稱的筆畫多寡排列，其作用是：(1) 統一論文集名稱。有些目錄用簡稱的，都要回復到全稱。(2) 檢查著錄項有否缺漏，著錄項應有論文集的出版地、出版者、出版日期，如有缺漏，應加以補足。（3）統一出版日期的標示方法。此外，應將論文集的書名、作者、出版項另抄一份，以便編輯「引用論文集目錄」之用。將來，整理資料時，論文集的論文除分散入各類外，如要列出專門論文集的各個篇目，也應重新製作一套完整的篇目，以便整理資料時，納入相近的類目中。

4 學位論文的整理

應按博士論文、碩士論文分為兩大類。各類條目再按學校筆畫之多寡排列。同一學校的條目再按研究所別排列。同一研究所的，按年度先後排列。排列時應檢查：（1）學校名、研究所名有否統一。有的條目有加「國立」、「私立」，也應統一。有些條目研究所名不統一，如：有的用「中研所」，有的用「中文研究所」，有的用全稱「中國文學研究所」，相當不一致，也要加以統一。（2）畢業年分，有的用學年度，有的用西元紀年，也應統一。（3）有的有寫指導教授，有的沒有，應統一著錄。

5 會議論文的整理

應按會議名稱之筆畫多寡多排，以便檢查各條目中的資料：（1）會議名稱是否統一。（2）主辦單位名稱是否統一。（3）有否注明舉辦日期等。

五　資料的分類與編排

整理好的資料，進一步必須加以分類，在分類之前應先確定專著和論文，是要混合編排，還是分開編排。所謂分開編排，有兩種形式，一種是先將專著和論文分成兩大類，再各自分類編排，京都大學的《東洋學文獻類目》，即採用這種方式。另一種是在各類之下，將專著和論文分開編排。筆者認為為了讓同一類的資料作最緊密的排列，應該混合編排。

另外，還有一個問題，如果收集的資料包括各種不同的語文，如英文、法文、德文、日文、韓文等，也會涉及如何編排的問題。這些都必須先有一定的標準，以免妨礙分類工作的進行。以下談分類的方法。

(一) 按簡目將資料作粗分

在分類之前，應先擬一分類的簡目，如編輯一本經學目錄，可將簡目訂為群經總論、周易、尚書、詩經、三禮、三傳、四書、孝經、爾雅、石經、讖諱等類。編輯一位學者的研究目錄，可將簡目訂為生平、著述、思想、影響等，再依簡目，將資料作初步的分類。

(二) 依各類條目之內容作細分

作細分時，也可以先擬定分類細目，再將資料條目納入，但這種方式並不科學，因為在擬定分類細目時，並不知道有哪些資料條目，如何能憑空訂出類目來。所以，較合理的方法是將資料條目逐條加以以歸類。歸類時，內容不同的，不可同在一類。分類要分到不能再分為止。這樣，不同內容的條目，當然在不同的類。

分類時應注意的是：(1) 同一類目的條目多至數十百條時，應再設法加以細分。(2) 類目也不可太細，如細到每一小類僅有一兩個條目，則流於瑣碎，反而影響檢索。(3) 有些論文條目僅有一、兩條，很難自成一類，應合併入相近的類目中。

(三) 涵蓋兩類以上之條目應作互見

有些資料條目的內容涵蓋兩類，或兩類以上，為了讓讀者能更容易找到資料，應作互見。即再抄一張卡片，排入另一類之中。互見卡應在作最後編排時，統一來做，以免重複或漏做。

（四）同類中之條目，應作合理之編排

同一小類中之條目，應有合理之編排標準。如按發表時間之先後編排；或按內容性質編排，標準一定，前後各類的編排方法就應一致，不可有同有異。

（五）調整類目，越合理越好

細分好了以後，應檢查各個類目間的編排順序是否合理，如果不合理應加以調整。此外，各大類之下，有相同之類目，類目名也應盡量一致，不可「概論」、「概述」、「通論」、「概說」等，交互使用。

（六）將條目編上流水號

分類完成，各類條目也作最適當之調整後，就可以從第一張卡片起，打上流水號。流水號的號碼要用多少數字，視目錄條目多寡而定，九九九條以下的用三個數字，九九九九條以上的用四個數字。超過一萬條的，用五個數字。每一流水號最好僅單純的代表該條目就好，不必附加太多的意義。有些目錄，流水號之前加上各種符號，如「A」代表專著，「B」代表論文。「1」代表先秦，「2」代表兩漢，……，繁複得不得了，不但校對有困難，也徒增讀者之困擾。

六　附錄的編輯

一部好的目錄，書後大都附有各種不同附錄，筆者以前主編的專科目錄，大抵附有下列三種附錄：

(一) 引用工具書目錄

在前面提到，編輯目錄的前置過程中，可以編輯一份擬檢索參考的工具書目錄。這一目錄在編輯的過程中，隨時可以補充、修訂，最後的定稿，就可以作為附錄。何以需要此一目錄？一方面告訴讀者引用資料之來源，另方面也表示不掠前人之美的意思。

(二) 引用期刊、報紙目錄

在將資料按期刊名、報紙名編排的過程中，可抄出期刊名和報紙名，然後再利用各種期刊、報紙名錄，記下完整的創刊日期、刊期、出版地、出版者等，再按刊名之筆畫多寡加以編排而成。

(三) 引用論文集目錄

為了讓讀者很快就可找到他所需的論文集，並告訴讀者收入哪些論文集，可以編輯此一目錄。編排時應按論文集名稱筆畫之多寡排列。每一論文集，應著錄書名、作者、出版地、出版者、出版年月。

當然，並非所有的目錄的附錄都應如此。每一編者都可以有他理想中的附錄。但附錄應以與本文密切相關的資料為主，不可附入不相關的資料。

七　索引的編輯

一部好的目錄，書後也應有各種輔助索引。大陸所編的專科目錄，數量相當多，但大多缺乏輔助索引，使用非常不便，常受詬病。目錄之後，應附有哪些索引，學者的看法也有所不同，有的目錄既有標題索引，也有作者索引。筆者以為如果目錄本身的分類很完善，沒有標題索引也沒有關係，但作者索引則不可或缺。作者索引不但方便檢索某一作者論文的所在，也可以看出某一作者在此一領域中的成就如何。

編輯作者索引，傳統的方法是將卡片打散，按作者姓名筆畫之多寡加以排列。同一筆畫之作者，可用點、橫、直、撇之順序加以排列。此外，用筆名發表之資料條目是否歸入本名之下也應有規定。佚名的條目、僧侶作者的條目，也應有合理之安排。又有西文作者時，作者條目也應按西文之編排方法編排。

每一作者之後的流水號，也應按順序，由小而大，不可大小參差相混。因為是數目字，校對時應特別小心，有疑問時，應核對原稿，或核對原來之條目，以便確定條目和作者是否相合。

八　結語

以上僅是將個人的編輯經驗略作陳述。學者如要編輯專科目錄，不論是用傳統方法編輯，或用電腦，上述的方法應有一些可參考的地方，但並不表示以上的方法就是盡善盡美。筆者以為編輯目錄是件吃力不討好的工作，不但很少能申請到補助經費，目錄成品也很難當作學術研究的成果。在這種環境和條件之下，也有不少學者從事專科目錄的編纂，如黃文吉教授主編的《詞學研究書目》兩大冊，林玫儀教授主編的《詞學論著總目》四大冊，都可說是專科目錄中的傑出成就。既然仍有學者願意投注心力編輯專科目錄，為能保證專科目錄之品質，指導編纂專科目錄之論著，也就有其需要，本文可說在這種需要之下的拋磚引玉之作，其中疏漏必多，懇請海內外先進朋友多賜予指教。

原載於《書目季刊》第30卷第4期（1997年3月），頁62-71。

現有專科目錄體例的檢討

一　前言

專科目錄，又稱專門目錄。是將某一學科、某一人物、某一研究主題的文獻條目蒐集在一起，按一定的編排方法排列而成的目錄。以前有許多學者因分不清楚目錄與索引的差別。很多目錄稱為「×××分類索引」、「×××索引」，都應改稱為「×××分類目錄」、「×××目錄」。這裡討論的專科目錄，是包括以前弄錯名稱的「專科索引」在內的。

兩岸編輯專科目錄正方興未艾，這是可喜的現象。尤其臺灣地區，自從筆者所編的《經學研究論著目錄》（1912-1987）成為專科目錄較理想的格式以來，許多專科目錄或多或少都受影響，如：黃文吉教授主編的《詞學研究書目》、林玫儀教授主編的《詞學論著總目》、陳麗桂教授主編的《兩漢諸子學論著目錄》、林麗真教授主編《魏晉玄學研究論著目錄》、吳展良主編《朱子學研究書目新編》等都是。這些目錄當然不完全按照筆者所編《經學研究論著目錄》的體例，亦步亦趨，也有後出轉精的地方，這是專科目錄編輯進步的現象，否則只停留在筆者編輯的水平，躊躇不前，畢竟不是好現象。

大陸編輯專科目錄的歷史，可追溯到漢代的劉歆，已有兩千年的歷史，像朱彝尊的《經義考》、謝啟昆的《小學考》，都是赫赫有名的專科目錄。民國以來，編輯嚴謹的專科目錄，如《國學論文索引》、《文學論文索引》等都是。近二十年來，大陸編輯專科目錄的風氣逐漸興盛起來，但卻很少符合規範的專科目錄出現。原因如何，有待深究。又因大陸幅員太大，大家各行其是，符合規範的也未能取得帶頭的作用。所以，討論專科目錄的論著雖多，所討論的內容也很符合需要，但卻沒能起規範的作用，這是相當令人遺憾的事。

本文擬從兩岸新編專科目錄中各選五種，從凡例、內容編排、輔助索引三方面作比較，這些專科目錄的優劣得失，也自然呈現出來，其目的不在對某人作批評，而是作為今後編輯專科目錄之參考。

二　用來作檢討的專科目錄

要作檢討必須先採樣，採樣必須有個標準，才有公信力。本文採樣的標準是：(1) 在某學科中具有代表性者；(2) 體例比較合乎規範者；(3) 體例比較不合乎規範者；(4) 近二十年間編輯完成者。根據這四個標準，在兩岸諸多專科目錄中各挑選五種，作為檢討的對象：

(一) 臺灣新編專科目錄

1. 《經學研究論著目錄》　林慶彰主編
   臺北市　漢學研究中心　1989年（以下簡稱《經學目錄》）。
2. 《詞學論著總目》　林玫儀主編
   臺北市　中研院中國文哲研究所籌備處　1995年6月。
3. 《朱子學研究書目新編》　吳展良編
   臺北市　臺灣大學出版中心　2005年1月（以下簡稱《朱子書目新編》）。
4. 《中韓訓詁學研究論著目錄初編》　劉文清、李隆獻合編
   臺北市　臺灣大學出版中心　2005年3月（以下簡稱《訓詁學目錄》）。

5.《魏晉玄學研究論著目錄》(1884-2004)　林麗真主編
臺北市　漢學研究中心　2005年11月(以下簡稱《玄學目錄》)。

(二)大陸新編專科目錄

大陸新編專科目錄,種類很多,筆者所挑選的五種是:

1.《二十世紀詩經研究文獻目錄》　寇淑慧編
北京市　學苑出版社　2001年7月(以下簡稱《詩經目錄》)。
2.《香港中國古典文學研究論著目錄》　鄺健行編
上海市　上海古籍出版社　2005年10月(以下簡稱《香港古典文學目錄》)。
3.《1945-2005年臺灣地區清史論著目錄》　周惠民主編
北京市　人民出版社　2007年1月(以下簡稱《臺灣清史目錄》)。
4.《1971-2006年美國清史論著目錄》　馬釗主編
北京市　人民出版社　2007年1月(以下簡稱《美國清史目錄》)。
5.《二十世紀宋史研究論著目錄》　方建新編
北京市　北京圖書館出版社　2006年6月(以下簡稱《宋史目錄》)。

以上十種目錄,各從凡例、內容編排、輔助索引等三方面來比較其得失,經過下面的比較程序,一部專科目錄編輯的好壞,已可了然於胸。

三　專科目錄「凡例」的檢討

編輯和整理文獻,成書時往往在書前設有「凡例」。什麼是「凡例」?簡單地說,是對該書編輯體例的說明,其目的是要藉凡例來進一步了解該書的內容。可能因「凡例」用語太過深奧,有的書改作「編輯說明」;「編輯說明」當然比「凡例」容易懂,但兩者的內涵是否相同,還有待深究。

本小節檢討兩岸專科目錄「凡例」撰寫之相關問題，特別著重：（1）凡例之有無；（2）凡例能否涵蓋目錄中所訂的體例？（3）凡例中舉例說明時，是否恰當？（4）凡例中是否夾雜非凡例所需的文件？編輯專科目錄，「凡例」最詳盡、最有涵蓋性的是張錦郎先生主編的《中國文化研究論文目錄》，共有十九條，篇幅佔十頁。這十九條如果加以歸納，約可分為七大項，茲條列如下：

（1）第一條，說明編輯目的。

（2）第二至六條，說明收錄文獻之範圍。

（3）第七至十二條，說明內容編排之方法。

（4）第十三、十四條，說明條目著錄方式。

（5）第十五、十六條，說明著者索引之編排。

（6）第十七、十八條，說明附有一覽表。

（7）第十九條，請求指正。

大體來說，一篇好的「凡例」至少必須對一至四項有所說明，說明的好壞是另一個問題。最重要的，既是工具書，就該有工具書的編輯體例，把這些體例歸納成幾個條例，就是「凡例」。要判斷凡例撰寫的優劣，就得將該書的凡例逐條與張先生的凡例核對，好壞就一目了然了。

近年臺灣學術界所編的專科目錄，大體都有編輯「凡例」，只是沒有張先生《中國文化研究論文目錄》的「凡例」那麼詳細，而比較趨向於簡單扼要。筆者所編的《經學目錄》（1912-1987），「凡例」有七條。

（1）第一條，說明編輯目的。

（2）第二至五條，說明收錄文獻之範圍。

（3）第六條，說明內容編排方式。

（4）第七條，說明編輯輔助索引之目的。

以上四點，大抵符合張錦郎先生對「凡例」的要求，惟第六條內容編排之說明稍嫌簡單，原文如下：

> 本目錄所收之專書與論文，皆採混合排列。純經學之論文集，除在書下將全部篇目列出外，並將其中各篇目分析散入各類。至於收有經學論文之一般性論文集，則逕將所收篇目歸入各類。

這條「凡例」僅說明專書和論文條目的編排方式，以及論文集條目的處理方式而已，並沒有說明目錄是如何分類的。此後《經學目錄・續編》（1988-1992）、《三編》（1993-1997），「凡例」雖增加到十條，第六條的內容基本上沒什麼改變。將來《四編》出版時，對分類的體系，應該有較詳細的說明。

林玫儀教授的《詞學論著總目》，「凡例」分：收錄範圍、收錄方式、分類標準、附錄內容等五大項作說明，各大項下又分數小項，條理頗為清晰，可見撰寫之用心。此一作法不囿於《經學目錄》的說明方式，頗有創新的意味。吳展良教授《朱子書目新編》把「凡例」稱為「序例」，共有十條，每條下又分數項說明，撰寫也相當用心。可惜，吳教授把序的文字和凡例合在一起，體例有點不純。劉文清、李隆獻教授的《訓詁學目錄》，凡例有九條，大抵符合要求。

林麗真教授《玄學目錄》的「凡例」，分為收錄範圍、分類結構、著錄體例、附錄四大項說明。分類結構又分三大項說明，第一項說明分類標準和分類方法，第二項說明大、小類目項下條目的編排，第三項說明條目在四大部分的分類中如何取捨。就分類編排來說，它的說明已相當詳細清楚。

大陸寇淑慧的《詩經目錄》，沒有「凡例」，有「編輯說明」。編輯說明有五條：第一條，說明編輯目的；第二條，說明編輯方式；第三條，說明基本著錄格式；第四條，引用報刊說明；第五條，感謝及請求指正。這「編輯說明」的前四條符合「凡例」的體例，第五條有點像「序」的最後一段。因《詩經目錄》沒有編者的序，所以把序中要說的話在「編輯說明」第五條中說明。第三條著錄的說明，相當詳細，頗為可取。

鄺健行教授的《香港古典文學目錄》有「體例說明」，僅一條三百餘字，說明該目錄的編排方式而已。在大陸各種目錄中最為簡單。周惠民主編的《臺灣清史目錄》，有「編輯說明」，分數項：(1) 研究概況，下分研究機構、高等院校、研究主題三小項；(2) 編輯說明，說明資料條目的蒐集方法；(3) 分類說明，說明目錄分類方式；(4) 收錄標準，說明所收錄大都是與歷史有關的條目；(5) 體例說明，各條目著錄項之說明。其中第一項研究概況，不屬於「凡例」的範圍，應獨立成一篇論文。馬釗教授所編的《美國清史目錄》，有「編輯說明」，但標題作「編輯說明，代前言」，這有點不通。如果「編輯說明」是全書體例的說明，怎麼可以用來「代前言」，如果是把「編輯說明」寫成「前言」性質的文章，那也不可以稱為「編輯說明」。馬教授的「編輯說明」分為收錄時限、論著收錄與體例、分類和翻譯、編校過程四項。除「編校過程」外，其他三項雖屬於「凡例」的範圍，但馬授教有點將「凡例」作「前言」來寫，如「論著收錄和體例」一節，一直強調編目錄的困難，這點就不是「凡例」所應有的。

方建新所編的《宋史目錄》，它的「凡例」稱為「編輯體例」，共有八條。第一、二條說明收錄範圍，第三、四條說明分類編排方式；第五、六、七條說明著錄方式；第八條說明書後附有作者索引。大體來說，方先生的目錄是大陸專科目錄中「凡例」較符合標準的著作。可見，大陸編專科目錄也日日在進步中。

四　專科目錄內容編排之檢討

專科目錄內容之編排，由於各學科性質不同，很難有統一的標準，惟編輯者仍應遵守幾項原則：（1）按學術常理，編排時應先大類後小類，先通論後各類，先概論後分論；（2）分類不可太過寬泛，否則失去分類之意義；三、各條目著錄項越完備，對讀者越有幫助。

根據上述幾點原則來檢視臺灣新編的幾種專科目錄，大抵都符合這些規範。有要提出討論的是，劉文清、李隆獻教授的《訓詁學目錄》，時間的斷限為何設定在一九九四年？有何學術上的意義？編者並沒有說明。內容編排比較值得檢討的是林麗真教授的《玄學目錄》。該目錄分玄學家研究、玄理與玄風研究、玄學與六朝經、史、子、集之學、玄學與六朝道教、佛教等四部分。由於第二至第四部分都是玄學家活動的結果，所以第一部分的某些條目，也可以放入第二、三、四部分，這時最好採「互見」來解決分類上的問題，但林氏之書卻說：

> 本目錄為避免「互見」的情況發生，故優先擇入第一部分者，即不再出現於第二部分以下；已出現於第一、第二部分者，即不再出現於第三、四部分。大抵而言，第一部分係目前學界投注於魏晉「玄學家研究」之成績表現；第二部分針對「玄理與玄風研究」之重要主題分就十五門類以述，顯見其日出轉精的研究概勢。第三、四部分，所蒐條目涉及與玄學較具關聯性或延伸性的六朝學術課題及宗教課題，一方面展現出玄學園地的多元化研究績效，另方面也指示出種種開放性的研究面向。

「互見」主要是方便讀者找到資料，為何要避免這種情況發生？如按林氏的原則，要查找第二、三、四部分之論題者，顯然非回過頭來查找第一部分的條目不可。這樣的編排方式，雖有編者的理念在內，但對讀者並沒有什麼好處。

至於大陸所編目錄的編排，問題比較多。先檢討鄺健行的《香港古典文學目錄》。該目錄的內容分為兩部分：一是「總類、出版時序、論文目錄」，下分通論、詩經、楚辭、詩詞曲、小說、戲曲、賦駢文散文、書譯序跋、校記等九大類。先看目次，看不出編輯結構，原來是按出版年月日的先後排列，即將香港研究古典文學的成果分為九大類，每類按出版先後排列，各條目的著錄項分別是出版時序、篇名、作者（編者）、刊物。而刊物卻不著錄卷期，讀者根本無法引用。二是「刊物、論文、出版時序目錄」，其下不再分類。這標題也不容易了解，原來是按刊物筆畫多寡編排的目錄。這部分除非要研究該刊物與古典文學之關係，否則用處不大。一如第一部分，仍舊未著錄刊物之卷期，由於本目錄僅分九大類，像詩經一類有一百三十條，佔篇幅十五頁，其下並未再作細分，要查找某一主題，只好從第一頁起開始查閱，頗浪費時間。

周惠民主編的《臺灣清史目錄》，該目錄將所有條目分屬出版書籍、學位論文、電子微縮數據、期刊論文四大類，各類下再分數小類，如期刊論文下分政治軍事、社會經濟、文化思想、傳記與人物、文獻五小類。要查找某一主題的資料，至少要檢索四次，已很不便利讀者；且由於類目太寬泛，每類至少一、兩百頁，又沒再細分，查找起來既費時又費力，幾乎失去目錄的意義。馬釗的《美國清史目錄》，由於分類太簡略，所犯的毛病比起周氏之書更嚴重。至於兩書所收條目遺漏太多，但比起編排結構的缺失，已是微不足道。周氏能編《臺灣清史目錄》，可見臺灣出版的工具書也見過不少；馬釗在美國大學任教，臺灣的專科目錄，圖書館裡都有，編輯自己的目錄前，至少也應參考他人的目錄是怎麼編的，才能取長補短。

方建新所編《宋史目錄》，情況稍好一點。該書分甲、乙兩編。

兩編各分論文、著作，甲編收民國時期和新中國成立後之研究成果，乙編收臺、港地區之研究成果。甲編論文下又分廿一類，著作下分二十類；乙編論文下分廿一類，著作下分十六類。由於分類繁複，同一個人的資料條目，可能分散在全書的各小類中，查找相當不容易，如以歐陽脩來說，有可能著條的類目是：

甲編　論文類

（1）第四類經濟的「歐陽脩經濟思想」
（2）第十二類學術思想的「經學」
（3）第十三類史學的「歐陽脩」
（4）第十五類文學的「歐陽脩」
（5）第十六類文化藝術的「歐陽脩及其書法作品」
（6）第十七類文獻的「歐陽脩與《崇文總目》」
（7）第廿一類人物的「歐陽脩」

甲編　著作類

（8）第十一類學術思想的「經學與諸子學」
（9）第十四類文學的「歐陽脩」
（10）第二十類人物的「歐陽脩」

乙編　論文類

（11）第十二類學術思想的「經學」
（12）第十三類史學的「歐陽脩」
（13）第十五類文學的「歐陽脩」
（14）第廿一類人物的「歐陽脩」

乙編　著作類

（15）第十二類文學的「歐陽脩」

（16）第十六類人物的「歐陽脩」

所有歐陽脩的研究條目分屬在全書的這十六類中，也有可能在這十六類之外者，時間不足，未能從第一頁起細細查閱。全書的分類體系如果分總論、分論兩大類，分論以人為綱，之下再依各人物的學問方向，分成數小類，繫入相關條目，檢索起來可能更方便。至於條目分類訛誤，未作「互見」，減低該目錄的利用功能，都已是微不足道，不再贅述。

五　專科目錄的輔助索引

既知專科目錄不可稱為專科索引，那麼這裡的輔助索引，自有它指涉的對象，也不可把它稱為「輔助目錄」。因為功能不同的緣故。

「輔助索引」顧名思義，是在輔助讀者檢索正文中的條目。因此，輔助索引大抵有關鍵詞索引和作者索引。關鍵詞索引，是從每一詞條中設定數個關鍵詞，再按一定的排序方法編排而成。讀者如能善用關鍵詞索引，也就可以從不同的方向和角度找到自己所需的資料條目。至於「作者索引」，應該是一本目錄中最基本、最應配備的索引。加編作者索引最重要的是讓讀者在很短的時間內，得知某人研究此一主題的總成果。

在臺灣，由於編者的編輯水平逐漸提高，編專科目錄而不編作者索引的已少之又少。要檢討的可能是作者索引按什麼順序編排，才最方便讀者？作者索引的編排，一般按筆畫的寡多編排，筆畫又可分為正體字和簡體字兩種。臺灣用正體字，筆畫由少而多編排。由於同筆畫的字很多，為了方便檢索，往往用點、橫、直、撇、捺來排列。

《經學目錄・正編》作者索引的筆畫順序是以「中文目錄檢字表」為準。同筆畫的再以點、橫、直、撇、捺的順序來編排。《二編》的編輯情況和《正編》大抵相同，《三編》在凡例之後有「作者索引目錄表」，方便讀者檢閱後面的作者索引，此為前二編所無。

林玫儀教授的《詞學論著總目》把「作者索引」放在第四冊，作為「附錄八」。一般來說，「作者索引」是屬於正文的一部分，當作附錄有點不十分妥當。作者索引並無編輯凡例，有關作者索引的種種問題是如何處理的，讀者也不得而知；且排單欄，太佔篇幅。又作者名與流水號（順序號）間隔太大，檢索起來頗感吃力。

吳展良教授的《朱子書目新編》（1900-2002）和劉文清、李隆獻教授的《訓詁學目錄》，都沒有編作者索引，無法作檢討。吳教授之書繼承本人《朱子學研究書目》而來，本人之書有「作者索引」，吳教授之書雖增加兩千餘條，要重編作者索引並不難，不知為何省略不編？

林麗真教授的《玄學目錄》，書後有五個附錄，「作者索引」是附錄五。此點與《詞學論著總目》觀念相同，不再贅述。「作者索引」標題下有兩項文字，可以說是簡單的編輯「凡例」，由於太過簡單，我們無從得知「佚名」和僧尼作者之條目是如何處理？本名與筆者並用，又如何處理？這是本目錄美中不足的地方。

六　結語

本文挑選兩岸近年所編專科目錄各五種，依專科目錄通行的體例，如凡例、內容編排，附錄等項加以比較，可以發現下列幾點事實：

其一，臺灣所編專科目錄都有較嚴謹的「凡例」（編輯說明），僅是吳展良教授《朱子書目新編》將序和凡例合為一文，稱〈序例〉，大概是吳教授之書沒有序文的緣故。至於大陸所編目錄，大都稱為「編輯說明」，內容和序相混者也不少。

其二，內容編排，臺灣和大陸所編大抵皆能按照目錄之特色來編排條目。劉文清、李隆獻教授的《訓詁學目錄》每頁設表格，由於各著錄項之字數多寡不一，造成某些格子文字太擠，某些格子又太鬆，浪費篇幅。大陸的目錄編排的最大缺點是類目太少。周惠民的《臺灣清史目錄》僅有二級分類，馬釗教授之《美國清史目錄》更只有一級分類。以這麼少的類目，要容納數千條目，難怪有的類目下，條目多達數百條，且因為類目太空泛，原可分成數十小類的，全部混雜在一起，要檢索某一主題的條目，就得逐條審閱，頗浪費時間。至於鄺健行敘授的《香港古典文學目錄》，全書著錄項皆無卷期，已是一奇，內容編排更不方便檢索。方建新的《宋史目錄》將論文和專著分為兩大部分，因收錄地區有大陸、臺灣和香港，所收條目已分為四部分，也就是每檢索一主題，至少必須查閱四次，有點浪費時間。

其三，臺灣所編專科目錄，大都附有輔助索引，僅吳展良教授和劉文清、李隆獻教授的書，沒有附索引，這是優良傳統的倒退。大陸所編的專科目錄大都沒有編作者索引；方建新的《宋史目錄》有「作者索引」，這是大陸相當罕見的作法，也是大陸編專科目錄有進步的象徵。

如果設一份評比表，分凡例、內容編排、輔助索引等項，其下又分數小項，臺灣的專科目錄大抵在七十九至九十五分的水平，大陸大概在五十至八十分的水平，大陸的分數上下差距所以較大，就是因為有部分目錄的編者，不知目錄的作用是什麼所造成的。

原載於《佛教圖書館館刊》第46期（2007年12月），頁36-42。

參考工具書「凡例」的編製與價值

「凡例」是什麼？有不少人會說：就是放在工具書前面的一篇文章，再問內容是什麼？可能就答不下去了。根據《辭海》「凡例」條：杜預〈春秋左傳序〉:「其發凡以言例」，又《左傳》隱七年:「謂之禮經」注:「此言凡例，乃周公所制禮經也。」今著書者於書首敘述一書之大旨及編輯體例者，謂之凡例或例言，亦稱發凡。（臺北市：臺灣中華書局，1969年，頁369）《中文大辭典》的「凡例」條，也是這樣說的（臺北市：中國文化大學出版部，1980年9月，第1冊，頁1593）。可見這條目的定義有其權威性。不過，倒不一定每一本書都稱為「凡例」，像《辭海》本身就稱為「編輯大綱」，有的稱「編輯說明」，有些工具書甚至沒有「凡例」之類的文字。到底工具書前需不需要一篇「凡例」，是可以討論的，如果需要，那這篇「凡例」的內容應該是什麼？它有何價值？以下將略作說明。

一　凡例的體製

「凡例」到底要包括什麼？歷來並沒有統一的規範，不過《辭海》所說:「敘述一書之大旨及編輯體例」，大抵說得不錯。胡楚生先生在〈專科目錄的利用與編纂〉（《書評書目》第94期，1981年2月）一文中說:「凡例的確立，只是給目錄編纂的工作，定下一些遵循的標準，這些標準，包括題目的大小程度、題目內容的時間年限、資料取材的來源根據，以及分類編目的原則規律等等」。

這已把凡例的內容做了簡潔扼要的說明。以下根據前賢的說法和個人的體會，將凡例所需具備的內容說明如下：

（一）編纂此書的宗旨與目的

為一個學科或一個重要問題編一本工具書，一定有它實際的需要，編纂的宗旨和目的為何？應有所說明。如張錦郎先生主編的《中國文化研究論文目錄》「凡例」的第一條：「中華文化復興運動推行委員會與「國立中央圖書館」為總結、整理近三十年來國人闡揚與研究中國文化的單篇論著，藉以綜覽三十年來國人文史哲學科研究的成果；並便利中外學術研究工作者檢索參考，爰編《中國文化研究論文目錄》。」

（二）收錄文獻的範圍

文獻的範圍，可分為地域、時間、文獻本身等幾個項目，以下各作說明：

1. 地域：是只收本地的，或包括大陸、臺灣、香港及澳門的，或是包括日本、韓國、歐洲、美國、新加坡、馬來西亞的，都要有所說明。
2. 時間：資料涵蓋時間的起點，最好是有歷史意義的，如一九〇〇年是二十世紀開始，一九一二年是民國元年，一九四五年是臺灣光復，一九四九年是新中國成立。
3. 文獻本身：如編輯經學研究文獻目錄，經學的範圍如何，十三經之外還收錄哪些相關文獻，收不收經學家的生平、傳記和相關學術思想的條目，都應有所說明。

（三）收錄文獻的類型

文獻的類型包括專書、期刊論文、報紙論文、論文集論文、會議論文、學位論文、博士後論文等。有些工具書只收單一類型的文獻，如：「期刊論文目錄」、「報紙論文目錄」、「學位論文目錄」，有些工具書則包含許多類型的文獻，都應該跟讀者說清楚。

（四）編排的方式

編排是編輯工具書最吃重的工作，一部理想的工具書，資料收錄是否齊備當然很重要，編排是否符合讀者的需求，往往才是工具書成敗的關鍵。一般來說，要呈現一個學科研究的面貌，當然要以學科分類為主，分類時，有哪些特別的地方，也要一併告訴讀者。如要呈現作者的研究成果當然要以作者為主。

作者用筆名、字號或法號者，資料要怎麼編排，也應講清楚。另外，幾種類型的資料條目是要分別排列或混合排列，也要說明。

（五）各條目的著錄項

各條目的著錄項，依各種文獻的類型而有所不同。為方便說明，茲將各類文獻條目的著錄項條列如下：

1. 專書：作者、書名、出版地、出版者、頁數、出版年月。
2. 期刊論文：作者、篇名、期刊名、卷期、頁數、出版年月。
3. 報紙論文：作者、篇名、報紙名、版次、出版年月日。
4. 論文集論文：作者、篇名、論文集名、頁數、出版地、出版者、出版年月。
5. 博碩士論文：作者、篇名、畢業所別（專業別）、頁數、年度、指導教授。
6. 學術會議論文：作者、篇名、會議名稱、主辦者所在地、主辦機構、舉辦時間。

這裡應提出說明的是，在學位論文方面，臺灣是以研究所為單位，大陸則以專業為單位，著錄時應有所區別。學術會議論文，主辦者所在地、主辦機構，由於許多學校租用飯店來開會，有的會議在圓山大飯店召開，學者引用資料時，會把主辦地點寫作「圓山大飯店」。所以，凡例應寫得更準確，以免誤會。

（六）字體處理

自從大陸的漢字簡化方案開始實施以來，編工具書的人增加許多麻煩，抄錄資料條目時，作者的姓名一般都改為正體字，但對大陸實施簡體字以後出生的人來說，他們只認得簡體字，用正體字寫他們的名字，他們實在看不懂。所以，簡、正體字該如何處理，也應有所說明。

從凡例的體製可以看出它的作用甚大，但在編寫凡例時，也不能篇幅太長，一千至三千字以內能完成最好。因為，凡例有點像機器的使用說明書，如要開冷氣，先要讀使用說明三十分鐘，已熱得滿身大汗，誰有這個耐心？但也不能太短，如短到僅僅一兩百字，實在無法反映工具書的體例和內容，這種凡例刪掉也不覺可惜。

二　凡例的價值

已故之「央圖」圖書館館長包遵彭先生曾向張錦郎先生說過：「看一本工具書編得好壞，看看凡例寫得好不好，有沒有先編工作手冊就知道了。」（釋自衍採訪〈論工具書編輯——專訪張錦郎先生〉，《佛教圖書館館訊》，第34期，2003年6月）這話說得很有道理，因為「凡例」有一大部分是概括其所編輯文獻條目所得的原則、規範，把一些原則、規範以文字來表示，就是一條凡例。凡是一本體例很嚴謹的工具書，每一條目的著錄方法，都必須符合這一規範，這一凡例才有意義，否則全書的體例都與凡例不合，那何必要訂這些凡例。知道這點，凡例所起的作用也就很清楚了。個人認為工具書的「凡例」至少有以下數點作用：

（一）檢驗工具書嚴謹度的利器

編工具書，不論收錄文獻的範圍、時間的斷限，編輯的方式，文獻條目的著錄項，都必須有相當一致的規範。在訂這個規範之前，必須把各種情況都設想周到，然後把許多特例都解決了，才能訂出凡例。一部工具書如果沒經過這些編輯程序，根本寫不出凡例來，如果是抄來的凡例，也將破綻百出。所以包遵彭館長所說的話一點都沒錯，讀者知道這一點就可以手凡例來作為評定工具書好壞的一種標準。

（二）學習編輯工具書的最佳教材

凡例既是編輯工具書過程中所歸納而來的原則和規範，只要這些原則和規範具有普遍性，也就是大多數人都認為合理，甚至願意遵守，這些凡例就是教導編輯工具書的最佳教材。把一份周詳完備的「凡例」從頭看一遍，就宛如讀了一本精簡版的工具書編輯方法的著作一樣。有志於編輯工具書的學界同仁，應多參考較周詳的凡例，哪些可以用作教材呢？我個人願意推薦工具書編輯名家張錦郎先生的《中國文化研究論文目錄》（臺北市：臺灣商務印書館，1982年12月）的「凡例」。該凡例長達六千字，是稍長了一點，但凡例所應具備的內容都有了，凡有志於編輯工具書的人，都應參考。

附論　「凡例」的有無問題

有些工具書並沒有「凡例」，故沒有「凡例」的工具書是不是就編得不好？先說沒有「凡例」，是指不用「凡例」的名稱，而用其他名稱來取代凡例，例如，很早以前，《辭海》就用「編輯大綱」來取代「凡例」，近年出版的許多工具書因嫌「凡例」不好理解，改稱「編輯說明」也不少。這種不用「凡例」之名卻有「凡例」之實的，仍然應把它當作有「凡例」來看待。

工具書沒有「凡例」或「編輯說明」，如果編者在序文中說明編輯宗旨、體例，是否也可以？當然沒有誰規定說不可以，但總是名不正言不順，何況，凡例中所要說明的編輯體例，是相當瑣細的問題，如全部放在序文中來說明，序文將失去它的可讀性。總之，序文還是不要越俎代庖比較好，編輯體例的說明，還是應由凡例或編輯說明來承擔，這就是孔子所說的「正名」。

所以，工具書的凡例或編輯說明，應視為工具書必備的內容之一，它是審視工具書好壞的重要標準。有志編輯工具書者應審慎為之。

原載於《全國新書資訊月刊》，2010年6月，頁6-9。

《日據時期臺灣儒學參考文獻》之編譯經過及其價值

一　前言

一九九四年底與幾位在大學任教的朋友相聚，我們數人或研究中國歷史，或研究中國文學，或研究經學，都是中國學術的研究者，大家提議可以騰出一點時間作臺灣本土關懷的事，研究歷史的朋友，打算開始研究臺灣歷史；研究文學的朋友，有研究臺灣古典詩文的念頭。我個人的專業是經學和儒學的研究，希望能了解日據時期臺灣儒學的研究成果。

這五年來，雖不是全心全力都在蒐尋臺灣儒學文獻，但至少可用時時都在關心來形容。這一時段的儒學文獻本來就不多，加上儒學家的著作不是僅有稿本，就是亡佚，或者在海外出版，蒐集相當困難。這五年所蒐集到的成果也僅能編成一冊而已，這是相當汗顏的事，主辦單位要我來這裡報告，實在有點獻醜，希望各位諒解。

二　資料蒐集編譯之經過

根據一般蒐集資料的方法，我從書目入手，在官修的書目中，以《重修臺灣通志》卷十的〈藝文志著述篇〉（南投縣：臺灣省文獻委員會，1993年1月）資料最新。我從第四章〈日據時期之著述〉中找所需要的資料，在第二節〈哲學、宗教類〉只有曾天從的《真理原理論》(東京：理想社，1937年)、張漢（張純甫）的《非墨十說》、《是左十說》(未刊)、林履信的《希莊學術論叢》(廈門市：宏文社，1922年)、李春生的《民教冤獄解》(1905年)、《耶穌教聖識闡釋備考》(福州市：美華書局，1906年)、許地山《扶箕迷信底研究》(長沙市：商務印書館，1941年）等九種書。這九種書，與儒學有關的，僅有張漢的《非墨十說》、《是左十說》二書而已。而這兩書，根據〈藝文志〉〈著述篇〉的提要說：「張氏鑽研《墨子》、《左傳》數十年，深得二書奧衍，今稿散失不傳。惟聞《是左十說》中一說，係考證《左傳》為孔子著《春秋》前之作品，持論實屬空前，餘不詳。」（頁238）根據這段提要，張漢的著作幾已亡佚，《是左十說》僅存的一說，也不知哪裡可以找到。如果根據《重修臺灣省通志》卷十〈藝文志〉〈著述篇〉，所謂「日據時期的臺灣儒學」，根本沒有留下任何重要的資料。

此後，我對此事一直持懷疑的態度，難道日據時期的儒學資料，僅僅那麼一點而已？再一次到中國文哲研究所圖書館查資料，忽然領悟到，可以從當時文人的文集來找資料，看看文集中有否儒學的資料。也可從日據時代的期刊找資料，更可以從近數十年的期刊論文索引中查查是否有研究當時儒學的論文。於是，我就按下列方向來搜集資料：

（一）從文集找資料：我最先注意到臺灣中華書局編輯部編《臺灣先賢集》(臺北市：臺灣中華書局，1971年）和高志彬編《臺灣先賢詩文集彙刊》(臺北市：龍文出版社，1992年）和臺灣省文獻委員會出版的一系列文學家的全集，如《吳德功全集》(1992年5月)、《洪棄生先生全集》(1993年5月)、《連雅堂先生全集》(1992年3月)，確知吳德功、洪棄生、連橫的文集中，有不少討論儒學的單篇文章。去年，黃美娥主編的《張純甫全集》(新竹市：新竹市立文化中心，

1998年6月）出版，第四冊《文集》中，赫然有被認為久佚的《非墨十說》和《是左十說》，和其他相關儒學的文章，這是一件喜出望外的事。

（二）從當時期刊找資料：我找到東方文化書局影印出版的《新文學雜誌叢刊》，想從《南音》、《人人》、《フォルモサ》、《先發部隊》、《第一線》、《臺灣文藝》（臺灣文藝聯盟）、《臺灣新文學》、《臺灣文學》、《文藝臺灣》、《華麗島》、《臺灣文藝》（臺灣文學奉公會）中尋找是否有儒學方面的文章。恰好日本中島利郎先生編有《日據時期臺灣文學雜誌總目・人名索引》（臺北市：前衛出版社，1995年3月），我一期一期翻閱，在《南音》第一卷四至六號（1932年2-4月）找到周定山所撰〈「儒」是什麼？〉一文，又在《南音》第一卷第十一號（1932年9月），找到周定山的〈刺激文學的研究〉一文；在《臺灣文藝》（臺灣文藝聯盟）創刊號（1934年11月）找到黃得時的〈孔子的文學觀及其影響〉一文。

除了一般性的期刊外，我也試著從比較學術性的刊物中去發掘儒學的資料，如《臺灣青年》、《臺灣》、《臺北帝國大學文政學部哲學科年報》。也找到了不少研究儒學的論文：

1. 發表在《臺灣青年》者

譚鳴謙：〈孔子教育學的研究〉，《臺灣青年》第2卷第4號，1921年5月。

吳　康：〈荀子教育學的研究〉，《臺灣青年》第2卷第5號，1921年6月。

2. 發表在《臺灣》者

金　博：〈孟荀賈誼董仲舒諸子性說〉，《臺灣》第3年第8號，1922年11月。

高瀨武次郎：〈苦悶之孔子〉，《臺灣》第3年第9號，1922年12月。

3. 發表在《臺北帝國大學文政學部哲學科研究年報》者

後藤俊瑞：〈二程子の實踐哲學〉，該《年報》第2輯，1935年6月。

後藤俊瑞：〈朱子の本體論〉，該《年報》第3輯，1936年9月。

今村完道：〈義について〉，該《年報》第5輯，1938年9月。

後藤俊瑞：〈朱子の德論〉，該《年報》第6輯，1939年12月。

今村完道：〈周易の政治思想〉，該《年報》第7輯，1941年3月。

後藤俊瑞〈朱子の禮論〉，該《年報》第7輯，1941年3月。

合計有十篇論文。但譚鳴謙、吳康、金博為大陸學者投稿，應不能算是臺灣學者研究儒學的成果。高瀨武次郎、後藤俊瑞、今村完道，都是日本人，如把臺灣儒學範圍擴大，才能納入。

（三）從相關研究論文找資料：雖然從上述兩種方法來查詢資料，已有不少收穫，但我仍希望所得資料越完整越好。所以我從「央圖」主編的《中國文化研究論文目錄》（臺北市：臺灣商務印書館，1982年12月）和《臺灣文獻分類索引》中，去查詢是否有相關的研究論文，希望能從這些論文找到些許資料的線索，經多方檢索，尋得相關的論文有：

陶希聖：〈郭明昆及其遺著〉，《新時代》第1卷第12期，1961年12月。

廖毓文：〈張純甫及其作品〉，《臺北文物》第8卷第1期，1959年4月。

李騰嶽：〈張純甫之詩及其「是左十說」之作〉，《臺灣風物》第15卷第3期，1965年8月。

廖仁義：〈臺灣哲學的歷史構造——日據時期臺灣哲學思潮的發生與演變〉，《當代》第28期，1988年8月。

從陶希聖的論文，我得知郭明昆這位學者的大略事蹟，和著作《中國の家族制及び言語の研究》，其中有〈儀禮喪服考〉、〈喪服經傳考〉兩篇討論《儀禮》的論文，馬上請日本東京的琳瑯閣書店幫忙購買，不久即買到。後來，這書臺灣的南天書局也有翻印本。

從廖仁義先生的論文，知道廖文奎這位學者，著有《人生哲學之研究》，在上海出版，言明「迄今不易尋獲」。我忽然想到，既是民國時期在上海出版的書，在北京圖書館編《民國時期總書目（哲學．心理學）》中，應該會有收錄，該書目果然著錄了廖文奎的《人生哲學教程》（1936年10月），上海圖書館有收藏，又有《人生哲學之研究》（南京市：大承出版社，1936年12月），北京圖書館和上海圖書館都有收藏。我馬上請在復旦大學任教的王水照先生代為影印，王先生來信說，復旦大學也有《人生哲學之研究》，就代印了復旦大學藏本。

另外，秦賢次先生贈送的《海鳴集續集》（臺北縣：臺北縣立文化中心，1996年7月）中也有江文也的〈孔子的音樂底斷面與其時代的展望〉，知道江文也研究孔子的音樂論。一九九七年九月赴九州大學作為期一年的研究，在九大圖書館中找到了江文也的《上代「支那」正樂考——孔子の音樂論》。

為了將這些資料編為一書，在九州大學期間，除了編輯《日本儒學研究書目》外，也利用部分時間翻譯郭明昆的〈喪服經傳考〉和〈儀禮喪服考〉，以及江文也的《上代「支那」正樂考》。在回國時，江文也的書初稿已譯就，郭明昆的論文只譯了〈喪服經傳考〉。後來，在查閱江文也資料時，才知道一九九二年十月，由臺北縣立文化中心出版的《江文也文字作品集》，已收入陳光輝所譯《孔子音樂論》，即《上代「支那」正樂考》。陳先生的譯筆比我好得多，但我也珍惜自己的勞動成果，希望能把自己的譯本收入，有不妥的地方可參考陳先生的譯本修改。

三　資料的取捨編排

根據前一節資料蒐集之經過，所收集到的資料已相當多，如何將這些資料作妥當的編排是最先要面對的問題。

首先，是如何處理今村完道、後藤俊瑞等人的論文，今村完道於一九二九年三月，被任命為臺北帝國大學教授，在《臺北帝國大學文政學部哲學科研究年報》第五輯（1938年9月），發表〈義について〉；在第七輯（1941年3月）發表〈周易の政治思想〉。後藤俊瑞於一九二九年四月，被任命為臺北帝國大學助教授，在《臺北帝國大學文政學部哲學科研究年報》第二輯（1935年6月）發表〈二程子の實踐哲學〉；第三輯（1936年9月）發表〈朱子の本體論〉；第六輯（1939年12月）發表〈朱子の德論〉；第七輯（1941年3月）發表〈朱子の禮論〉；第八輯（1942年5月）發表〈朱子の認識論〉。今村和後藤兩人，是長期居住臺北，在臺北帝國大學執教的學者，他們研究儒學的成果，當然可視為臺灣儒學的一部分。這本《日據時期臺灣儒學參考文獻》所以沒有把他們的論文收進去，不是因為他們是日籍學者，而是他們的論文分量太多，且需經過翻譯才能出版。這需要有相當多的人力和經費。所以，暫時把這部分資料擱下來，將來再作處理。

再就當時臺籍的儒學家來觀察，已輯得資料的學者如果按生年先後排列，計有吳德功（1850-1924）、洪棄生（1867-1929）、連橫（1878-1936）、張純甫（1888-1941）、周定山（1898-1976）、郭明昆（1904-1943）、張深切（1904-1965）、廖文奎（1905-1952）、黃得時（1909-1999）、江文也（1910-1983）等十位。這十位學者，有的是橫跨清代和日據時期，有的橫跨日據時期和國民政府來臺時期。橫跨清代和日據時期的學者，如吳德功、洪棄生等人，今傳文集的論文，大多沒有註明著作年代，很難作判斷。因此，只要是符合儒學標準的，大抵全部收錄。至於橫跨日據時期和國民政府來臺時期的學者，如周定山、張深切、廖文奎、黃得時、江文也等人，只取日據時期完成或發表之作品。所以，像張深切的《孔子哲學評論》（臺中市：「中央」書局，1954年12月），也只能割愛。且該書篇幅甚大，又已有《張深切全集》（臺北市：文經社，1998年）本，也不適合收入本書中。

資料取捨的標準決定後，即將收錄的資料，應如何編排，也有必要加以說明。大抵來說，編輯資料性的書，可按主題來編排，也可按作者來編排。如就所蒐集來的儒學資料加以考察，這些儒學家所關懷的主題實在相當廣泛，加以歸納的話，至少有下列數類：

1. 儒家經典研究：如吳德功的〈騶虞解〉；洪棄生的〈讀變雅詩說〉、〈讀變雅書感〉、〈禹貢水道解〉；連横的〈說八卦〉、〈說河圖〉；周定山的〈刺激文學研究〉、〈是左十說〉；郭明昆的〈儀禮喪服考〉、〈喪服經傳考〉等都是。
2. 儒及孔子之研究：如：吳德功的〈孔教論〉；張純甫的〈孔子之說孝〉；周定山的〈「儒」是什麼？〉；黃得時的〈孔子的文學觀及其影響〉；江文也的〈孔子的音樂底斷面與其時代的展望〉、〈上代「支那」正樂考——孔子的音樂論〉等都是。
3. 歷史人物評論：如：吳德功的〈晁錯論〉、〈漢文帝論〉、〈孫子吳起論〉、〈齊桓公論〉、〈鄭成功論〉；洪棄生的〈鄭歸生弒君論〉、〈趙盾弒君論斷〉、〈鄭成功論〉、〈王安石論〉、〈王安石論後〉、〈嚴子陵論〉、〈子產不毀鄉校說〉等都是。
4. 儒墨兩家評判：如：連横的〈墨子棄姓說〉、〈墨為學派說〉、〈墨道教世說〉；張純甫的《非墨十說》有〈非利說〉、〈非非命說〉、〈非非樂說〉、〈非非禮說〉、〈非非儒說〉、〈非非說〉、〈墨子非兼愛說〉、〈墨子非非攻說〉、〈墨子非務本說〉、〈非墨所以愛墨說〉等都是。
5. 新理論的建構：如：連横的〈思想與性之分別〉、〈思想解放論〉、〈思想自由論〉、〈思想創造論〉、〈思想統一論〉；張深切的

〈民族精神與民族性〉、〈理性與批判〉；廖文奎的〈人生哲學之研究〉等都是。

儘管從其內容來觀察，這一時期的儒學者所關懷的問題已相當的廣泛，但不能歸入以上五大類的資料仍舊相當多。這是要用內容來編排時，不得不考慮的問題。另外，日據時期短短的五十年，前後期的儒學也有不同，如果單就內容來編排，也不容易看出發展的軌跡。再者，純用內容來編排，也看不出一位儒者研究儒學的輪廓，該儒者思想有何開展和侷限性，也比較難作完整的評估。

為了要避免上述所提到的種種缺點，這本《日據時期臺灣儒學參考文獻》，按作者時代先後，將吳德功、洪棄生、連横、張純甫、周定山、張深切、郭明昆、廖文奎、黃得時、江文也等十位儒學者的儒學資料，依次編排。讀者很容易可以從這些資料，看出每位儒者的思想淵源和關懷的問題，及其與時代的關係。每位儒學家的重要性如何，也可以從所選錄的資料得到證明。

四　本參考文獻的價值

就如所收集來的資料內容細加分析，可以發現這些儒學家和資料，依其時代大抵可分為傳承與創新兩類。這兩類資料也有其不同的價值。

就傳承來說，可以吳德功、洪棄生、連横、張純甫等人為代表，從他們的著作可以看出他們對儒家經典的傳承，留下了不少的資料。如吳德功的〈騶虞解〉，洪棄生的〈鄭歸生弒君論〉、〈趙盾弒君論斷〉、〈書弒書叛說〉、〈子產不毀鄉校說〉、〈讀變雅詩說〉、〈讀變雅書感〉、〈禹貢水道解〉；連横的〈說八卦〉、〈說河圖〉；張純甫的〈禮為經國之紀〉、〈孔子之說孝〉、〈非墨十說〉、〈是左十說〉等都可以看出這幾位傳統儒者對傳統經典方面的素養。他們對傳統經典所作的考證和詮釋，比起大陸儒學者之著作，當然要遜色不少，但如洪棄生的〈孔子之說孝〉，輯錄孔子論孝之文字；張純甫的〈是左十說〉，以《左傳》早於《春秋》觀點雖不正確，但輯錄《左傳》引《詩經》、《尚書》、《周易》的文字甚為詳備，對研究《左傳》仍有輔助之功。且當時為日據時代，治學的客觀條件，根本不能與大陸的學者相比，有心從事典籍研究已屬難得，能作出成績自應嘉許。

其次，這些傳統儒者也有許多歷史人物的評論和制義文。制義文即八股文，以洪棄生為最多，有《洪棄生制義文集》，從這些制義文可以看出當時出題的方式和學者撰作八股文的技巧。至於歷史人物的評論，吳德功有〈晁錯論〉、〈漢文帝論〉、〈孫子吳起論〉、〈齊桓公論〉、〈鄭成功論〉；洪棄生有〈鄭歸生弒君論〉、〈趙盾弒君論斷〉、〈鄭成功論〉、〈王安石論〉等，都可以反映他們評斷人物的方法和價值觀。

就創新方面來說，代表人物是周定山、郭明昆、張深切、廖文奎、黃得時、江文也等人。這些學者除周定山外，不是受過正規新式的教育，就是到過國外留學。他們受大陸或國外研究方法的影響，對傳統學術有所反省或批評，甚至重新詮釋，如：周定山的〈「儒」是什麼？〉，是受狩野直喜〈儒の意義〉和張壽林〈儒的意義〉的影響，旨在探討「儒」的真正本義；黃得時的〈孔子的文學觀及其影響〉，則批評孔子的文學觀限制了中國文學的發展。江文也的〈孔子的音樂底斷面與其時代的展望〉，〈上代「支那」正樂考〉，除探討中國上古音樂的起源外，也析論孔子對古代音樂的貢獻。儘管周定山、黃得時、江文也對孔子的觀點大不相同，然他們各有其持論的根據，並非僅僅主觀的見解。

郭明昆的〈儀禮喪服考〉、〈喪服經傳考〉，是希望透過《儀禮》的〈喪服篇〉重建古代的制度和習俗。他受不少國外社會學著作的影響，可說是日據時期最能應用新方法來研究經學的學者。廖文奎的

《人生哲學之研究》，以《大學》的格物、致知、誠意、正心、修身、齊家、治國、平天下為架構，融入他所學到的西方哲學知識，也就是以舊瓶裝新酒的方式來重新建構他認為理想的人生。這也反映新一代臺灣知識分子在傳統和現代間的調適。

日據時期的五十年間，儒學資料可能不僅止於本書所收錄的片斷。它的價值也不止上文所述而已。我誠懇地呼籲關心臺灣儒學發展的先進朋友，大家有志一同來做好這一時段的儒學研究。

附記

本文在「第二屆臺灣儒學國際學術研討會」提出報告時，有楊儒賓、施懿琳、翁聖峰等先生，提出修正意見和可增補的資料。能增補的資料，將直接補入《日據時期臺灣儒學參考文獻》中，謝謝上述數位先生之指教。

原載於《第二屆臺灣儒學國際學術研討會論文集》（臺南市：成功大學中國文學系，1999年12月），頁729-739。

黃永武先生編纂叢書的貢獻

一　前言

黃永武（1936-）教授是筆者讀東吳大學中國文學系二年級時的聲韻學老師，當時是一九七〇年下半年，黃老師在臺灣師範大學國文研究所博士班就讀，當時老師告訴我們，中文系老師有搶課的習慣，其他的課都被搶光了，只剩聲韻學沒有人教，他只好教聲韻學。上課時，用的是林尹的《中國聲韻學通論》，這是臺灣師大一系的老師所慣用的課本。當時有市面上翻印劉賾的《聲韻學表解》，我買了一本。有次老師提到這本書，我說我有買，以後上課，老師常借我這本書來補充林尹《中國聲韻學通論》的不足，當時，《「中央」日報》副刊的下端有文化廣告，許多出版社都有出書廣告。有一天楊家駱教授在這裡登廣告，賣他所編的《叢書大辭典》、《叢書子目類編》[1]，我拿著廣告，在下課時間請教老師這些書的作用，老師作了詳細的說明。我到溫州街楊教授的寓所，購買了這兩本書。以後陸續拿文化廣告去請教老師，不久我已擁有《十三經注疏》、《漢魏叢書》等中型的叢書。

一九七一年六月間，黃老師獲博士學位，記者都來採訪。第二天，許多報紙都有報導。心想，能讀到中文博士也不錯，當時，黃老師得博士學位的事，對我們有很大的激勵作用。同年九月，新學年開始，老師轉到高雄師範學院擔任國文研究所所長兼教務主任。有一年

1　楊家駱教授將《中國叢書綜錄》拆為三冊，第一冊改名為《叢書總目類編》，附於所編《叢書大辭典》之後，第二、三冊合印改名為《叢書子目類編》。

我到高雄大姊家作客，順便拜訪了黃老師，我有點抱怨老師丟下我們這些學弟妹不管，自己跑到高雄來。他說那是不得已的，勸我好好用功。多年後，老師定居在和平東路，有一年我和王國良兄去看他。聊到中文學界的現況時，老師竟然說：「王國良和林慶彰，現在都已成了國學大師。」老師這樣說，我覺得很慚愧。前數年臺灣大學文學院院長葉國良兄說到臺灣中文學界有兩頭牛，南牛張高評，北牛林慶彰，是國學研究的蠻牛。我聽了覺得很新鮮，但不好問出典在哪裡。後來，才知道出自黃老師在《「中央」日報》副刊的專欄。[2]

二〇一〇年八月，張高評兄來電，說十一月要為黃老師辦個學術研討會，我因為編過許多大型叢書，希望能寫一篇黃老師編輯叢書的貢獻的論文。我想到四十年前向老師請教購買《叢書大辭典》、《叢書子目類編》的事，就一口答應了。

黃老師五十年的學術工作，有三大貢獻，一是研究經學和小學，著有《許慎的經學》（臺北市：臺灣師範大學國文研究所，博士論文，1970年）、《形聲多兼會意考》（臺北市：臺灣中華書局，1969年）。二是中國古典詩學，著有《字句鍛鍊法》（臺北市：臺灣商務印書館，1969年）、《中國詩學》（臺北市：巨流圖書公司，1976-1979年）、《唐詩三百首鑑賞》。三是編輯《杜詩叢刊》一至四輯和《敦煌寶藏》，兩大型叢書，和重編王重民《敦煌古籍敘錄》，改名為《敦煌古籍敘錄新編》，主編《敦煌遺書最新目錄》。

二　編輯《杜詩叢刊》

中國古典詩的作家，杜甫有「詩聖」之稱，李白則被稱為「詩仙」，也因此，研究兩位詩人的著作數量相當多，其中研究杜甫的就

2　見黃永武：〈法鼓因緣〉，《「中央」日報》，第17版，2006年5月15日。

有數十種之多。這些著作分藏於「央圖」及海內各大學圖書館。挑選海內孤本，作者稿本、珍本，彙為《杜詩叢刊》。全書共收有關杜甫詩集之箋注評解三十五種，坊間常見者，如《杜詩譯注》、《草堂詩箋》、《杜詩鏡詮》，為免重複，則不收錄，全書書目如下：

第一輯　八種

1. 九家集註杜詩　〔宋〕郭知達集註　清文瀾閣四庫全書本
2. 集千家注批點補遺杜工部詩集　〔宋〕劉辰翁批點　〔元〕高楚芳編　明嘉靖己丑靖江王府刊本
3. 集千家註分類杜工部詩　〔宋〕徐居仁編　黃鶴補註　元皇慶元年勤有堂刊本
4. 分門集註杜工部詩　〔宋〕闕名註　宋建陽刻本
5. 杜工部詩范德機批選　〔元〕范㮶批選　鄭鼐編　元刊本
6. 杜律演義、杜律虞註　〔元〕張性撰　虞伯生集註　明嘉靖十六年汝南王齊刊本、明吳登籍校刊本
7. 杜律七言頗解四卷坿李律七言頗解一卷　〔明〕王維楨撰　嘉靖三十七年江陽朱氏刊本
8. 杜工部七言律詩二卷　〔元〕虞集註　黃德時刊本

第二輯　八種

1. 杜律趙註　〔元〕趙汸註　明萬曆十六年新安吳氏七松居刊本
2. 刻杜少陵先生詩分類集註　〔明〕邵寶註　明萬曆廿年三吳周子文校刊本
3. 讀杜詩愚得　〔明〕單復撰　明宣德九年江陰朱氏刊本
4. 杜詩分類　〔明〕傅振商編　〔清〕王鳴盛評校　明東海杜湙重刊本

5. 杜工部詩通附本義四卷　〔明〕張綖撰　明隆慶壬申張守中浙江刊本
6. 杜詩選　〔明〕閔映壁集評　明烏程閔氏刊本
7. 杜律五言補註　〔明〕汪瑗撰　明萬曆四十二年新安汪氏刊本
8. 杜律頗解　〔明〕王維禎撰　明嘉靖三十七年江陽朱茹刊本

第三輯　十種

1. 唐李杜詩集　〔明〕邵勳編　明嘉靖二十一年無錫知縣萬氏刊本
2. 杜子美七言律一卷　〔明〕郭正域批點　崇禎中烏程閔氏刊本
3. 批點杜工部七言律、杜律意箋　〔明〕郭正域批點　顏廷渠撰　明崇禎間烏程閔氏刻套色本、明末顏堯揆刊本
4. 杜律集解　〔明〕邵博撰　陳學樂校　「央圖」藏日本元祿九年刊本
5. 杜詩攟　〔明〕唐元竑撰　舊鈔本
6. 錢牧齋先生箋註杜詩　〔清〕錢謙益註　季滄葦校　清康熙六年泰興季振宜靜思堂刊本
7. 纂註杜詩澤風堂批解　〔朝鮮〕李植批解　清康熙十八年朝鮮李氏家刊本
8. 杜詩箋　〔清〕湯啟祚撰　舊鈔本
9. 杜詩闡　〔清〕盧元昌註　清康熙二十五年書林刊本
10. 杜詩五古選錄一卷　〔清〕王澍撰　王氏手稿本

第四輯　九種

1. 杜詩論文　〔清〕吳見思撰　潘眉評註　清康熙十一年吳邵寶翰樓刊本
2. 讀書堂杜詩集註解　〔清〕張溍評註　清康熙三十七年滏陽張氏刊本

3. 杜詩集評　〔清〕劉濬編撰　清嘉慶九年海寧劉氏黎照堂刻本
4. 杜詩提要　〔清〕吳瞻泰評選　清乾隆間羅挺刊本
5. 讀杜心解　〔清〕浦起龍撰　新點校排印本
6. 朱雪鴻批杜詩、杜律分韻　〔清〕朱顥英編　〔朝鮮〕摛文院編　稿本、清嘉慶三年朝鮮內閣活字本
7. 杜律詳解　津阪孝編　東陽天保六年刊本
8. 歲寒堂讀杜　〔清〕范輦雲編註　清道光二十四年蘇州後樂堂原刊本
9. 唱經堂杜詩解　〔清〕金胃撰　清宣統二年順德鄧氏排印本

黃老師又將這三十五種，加上常見的杜詩著作：

1. 杜工部集　宋紹興間刻本；
2.《草堂詩箋》　〔宋〕蔡夢弼箋；
3.《杜臆》　〔明〕王嗣爽撰；
4.《杜詩鏡詮》　〔清〕楊倫撰；
5.《杜詩詳註》　〔清〕仇兆鰲撰。

合計四十種編成《杜甫詩集四十種索引》。

所以要編輯這本《杜甫詩集四十種索引》，黃老師在〈敘例〉第五條說：

> 本索引之功用，在於便利參閱杜集四十種之注釋箋評，故以詩題為查閱之樞紐，若但知杜詩一詞一句，而不知詩題，欲查閱全首，則哈佛燕京學社已有《杜詩引得》可供查檢，坊間已有此書，本索引不欲重複。若將本索引與《杜詩引得》配合使

用，則但知杜詩中任何一詞一句，即可在各杜集中檢出諸家之注釋箋評。[3]

哈佛燕京學社已編有《杜詩引得》，為何還要再編這本索引？黃老師強調哈燕社的《杜詩引得》僅能從一詞一句查閱全首，而這本索引可以從杜詩中的一詞一句，很方便的查到各家的注釋箋評的所在。兩種工具書的作用並不相同，學者可以互相配合使用。

編輯詩集中的詩篇索引。當以詩題作為檢索的關鍵。但是詩題第一字往往有減字、增字、異體、假借、俗字、誤字、諱字等情形，而詩題本身又有分併、又出等差異，每每造成檢索之困惑。因此，黃老師在《索引》的〈敘例〉提出各種例子，讀者可以舉一反三，減少檢索時的困惑。

（一）減字

如減省詩題首字，黃老師認為可用下列方法解決：（1）各家杜集之總目多有減省，而集內詩作之前的篇名，甚少減省，可以集內篇名檢索的根據。（2）了解篇名省略的常規，如「奉和……」省作「和……」、「奉贈……」省作「贈……」、「奉送……」省作「送……」、「喜聞……」省作「聞……」。（3）了解題首地名、官名、人名省略之情形，如〈惠義寺園送辛員外〉，省作〈送辛員外〉。（4）詩題摘取緊要字作為簡稱，如〈見王監兵馬使說近山有白黑二鷹者久取竟未能得……請余賦詩二首〉，《杜臆》僅取〈白黑二鷹〉四字為詩題。

3 參考黃永武：〈杜甫詩集四十種索引序例〉，《杜甫詩集四十種索引》（臺北市：大通書局，1976年），頁7-8。

（二）增字

詩題首增字者，如〈湖城東遇孟雲卿……為醉歌〉，《杜詩箋》和《歲寒堂讀杜》，此題上尚有「冬末以事之東都」字樣。

（三）異體字

詩題首字有異體，影響筆畫與查檢，如「村夜」與「邨夜」。

（四）假借字

詩題首字用假借，影響筆畫與查檢，如「早行」作「蚤行」，「早發」作「蚤發」。「嶽麓」作「岳麓」。

（五）俗字

詩題首字用俗字，影響筆畫與查檢，如「羌」俗寫作「羗」。

（六）誤字

詩題首字有誤字，影響筆畫與查檢，如「發白馬潭」誤為「登白馬潭」。

（七）避諱

詩題首字用避諱字，影響筆畫與查檢，如：「玄都壇歌寄老逸人」、「玄」因避清聖祖玄曄之諱，改作「元」。

（八）分併

如《讀杜心解》并解悶詩十二首為一題。

（九）又出

同一詩題，後一首往往題為「又」、「又一首」、「再」等，必須查前一首之詩題。[4]

有了這些原則，不但查詩集索引有規則可循，要查其他詩集，或編輯其他詩集索引，都可以這些原則作為編輯時的參考。

三　編輯《敦煌寶藏》

敦煌石窟，是指甘肅敦煌縣莫高窟五百佛像洞窟的一座密室，在張編151號洞。（伯編163號洞）甬道複壁中。其中藏有兩萬餘軸釋道經典，以及各種文史資料和百件供養用之彩繪幢幡等。

首先發現敦煌石窟的是王圓籙道士，時間是光緒二十六年（1900）陰曆四月二十八日。發現石室寶藏的事情傳開以後，國外漢學家陸續帶走不少經卷，首先是英國人斯坦因，接著是法國人伯希和。伯氏告訴羅振玉敦煌卷子的事，羅氏大驚，派陝甘總督毛實英去購取，實得八千卷。後藏國立北平圖書館（即今之中國國家圖書館），負責運送的官吏也盜取不少。

敦煌石窟所藏的文獻，到底有多少？因藏在英、法、俄等國的文獻，尚未做成微卷，我國學者所知也相當有限。當時將所得到的資料編輯成書的有：（1）羅振玉編印的《鳴沙石室佚書》、《貞松堂西陲秘籍叢殘》是伯氏所贈一小部分攝影膾寫本。（2）陳垣《敦煌劫餘錄》。到了一九五八年歷史語言研究所以美金一萬元購得英國倫敦所藏敦煌微卷之沖印本。一九八一年「央圖」以美金六千元向法國購得敦煌文獻之微卷。由於這些微卷，我們才能真正看到英、法所藏敦煌卷子的真正內容。

但這些卷子不論攝影膾寫本、微卷等品質都不佳。讀者要閱讀仍有相當之困難。要將分散典藏於世界各地的敦煌文獻彙為一編，除要

4　參考黃永武：〈杜甫詩集四十種索引序例〉，頁8-9。

有相當財力的出版者來承擔外，也需要有敦煌研究背景的學者來負責編輯。此事新文豐出版公司頗有意願。乃敦請黃永武老師擔任主編，於一九七九年開始編輯，於一九八一年完成。黃老師為編輯這套《敦煌寶藏》，他將世界各地所收藏的敦煌資料作了詳細的調查，所得結果是：

1. 英國不列顛博物館藏斯坦因所得之敦煌資料為：漢文文獻抄本為7599號，總數計87493張照片，除卷號及重複外，約77000張照片，另木刻本20卷及小碎片約攝成800張照片。此外，非漢文文獻約21281張照片，其他絹本紙本麻木之幢幡刺繡等約三百餘件。
2. 法國巴黎國家圖書館藏伯希和所得之敦煌資料為：漢文卷子為5579號，總數計24907張照片，另敦煌吐蕃文卷子或貝葉式紙寫本有21770張照片，西域古語文獻如梵文2685張，粟特文224張，于闐文860張，回鶻文760張，希伯萊文1張，其中于闐文獲得自新疆者。此外巴黎盧佛爾宮及紀梅博物館有不少刺繡及繪畫等美術品。
3. 大陸所藏部分於北平圖書館現藏敦煌卷子約9871號，計陳垣所編8679號，後胡鳴勝將殘葉增編1192號。總數計98000張照片，此外於上海文管會約藏一百號，及敦煌文物研究所保存新發現之卷子及敦煌壁畫塑像等不少。
4. 蘇俄列寧格勒亞洲民族研究所，藏有據傳是鄂登堡二次探險時攜回之敦煌卷子，據孟西和夫所編目錄共2953號，約一萬張照片，另在 Ermitazh 美術館，存有敦煌壁畫與塑像。
5. 日本大谷大學圖書館藏34號，龍谷大學藏7號，私人如中村不折、濱田德海等所藏約613號，其他藏家約千號。
6. 臺北「央圖」現藏144號，主要為李勝鐸舊藏。一九四四年在一佛龕中所發現者，藏於敦煌藝術研究所。西北圖書館與臺北歷史博物館一存若干卷，散落於其他機構或國人私藏及歐美私人手中之零星敦煌資料，尚無從確屬，估計約在二千號左右。

此外，印度新德里圖書館，亦存少量，以幢幡等美術品為主，美國紐約 Metropolitan 博物館存有伯希和所得之部分殘葉，東德 Le Coq, Albert 與 Grunewedel, Albert 之吐魯番探險隊，亦有所獲，據云卷子可照成數千幀照片，現存東德。[5]

黃老師彙整上述大部分文獻，編成《敦煌寶藏》，計包羅世界各地所藏敦煌卷子之微卷攝影圖片約二十萬張，畫本、刺繡、壁畫，塑像等圖片千餘幀。所收以漢文寫、劇本為主，至於吐蕃文、梵文、粟特文、于闐文、回鶻文、希伯來文等未收入。編排依蒐集敦煌微卷之先後順序排列，英、法、中在前，各卷子之順序：

1. 斯坦因（簡稱「斯」）、伯希和（簡稱「伯」）之編號，已為國際所通用，所以一仍其舊。
2. 大陸所藏沿用《敦煌劫餘錄》的體例，按經歸類。
3. 其餘的，依出版目錄為順序。

至於各卷子標題問題，王重民的《敦煌遺書總目》有草創之功，但頗有疏漏，黃老師提出了六點疏失：

1. 編目不全：如《總目》所收〈斯坦因劫經錄〉，全部編目僅至6980號，而微卷至7599號，漏編600餘號，又碎片木刻等尚有數百號，均應補足。
2. 編目奪漏：編目奪漏或細排印校對之不精，如斯55號為〈摩訶般若波羅蜜經〉，斯64號為〈大班涅槃經獅子吼菩薩品〉之二，斯111號為〈妙法蓮華經〉卷一，諸如此類，《總目》常多奪漏，均一一補實。
3. 標題錯訛：《總目》之標題錯訛處甚多，如斯294號，《總目》誤

---

5 見黃永武：〈敦煌寶藏序〉，《敦煌寶藏》，第1冊，卷首，頁4-6。

以卷行殘字「佛十力十八不共法」為該卷之標題，其實為《摩訶般若波羅蜜經》卷十一；斯2489號標為「佛說閻羅王經手記四眾逆修」亦為半行殘字，非標題，該卷當為《閻羅王經》一卷；又斯1002號、2503號實為〈大乘無生方便門〉，末附〈讚禪門詩〉一首，標目誤以全卷皆是〈讚禪門詩〉，而《大正大藏》〈疑似經〉亦列〈讚禪門詩〉之目，實則詩一首乃附錄於末而已。又斯404號《妙法蓮華經》〈如來壽量品〉第十六，應為卷五，《總目》以品數為卷數，誤為卷十六。若此改正者以百數。又道家書誤為佛家書者，更所在多有，如斯1061號道家書，誤標為「佛經」，實為《洞淵神咒經》卷第四；又斯107號道家書，亦誤標為「佛經」，實為《太上洞玄靈寶生玄內教經》；又斯1267號道家書，誤標為「佛經」，實為《神人所說三元威儀觀行經》卷第二，此類實多，均比對《道藏》或敦煌所藏其他號卷子，一一查對提正。

4. 標題空白：《總目》間有編號如「斯4879-4882」諸號一片空白，未加標識，或所見微卷損壞漏脫之故歟？今考斯4879號為《維摩詰所說經》卷下〈香積佛品〉第十、斯4880號為《大般若波羅密多經》卷一一四、斯4881號為《藥師琉璃光如來本願功德經》；斯4882號為《金剛波若波羅蜜經》，均查明詳列，另如《總目》所編「斯4894-4895」等空白無目處，咸如上例補正。
5. 一卷二題：一卷之上，或一卷之正背面，恆有數種不同經卷之抄文，此項抄寫當分別標識，而《總目》有僅標其一者，如斯316號，僅標目為《大乘起信論》，然其背面另有〈瑜珈部〉之佛經抄文；又如斯550號僅標目為《佛說大乘稻芊經》一卷，其上另有《普賢菩薩行願經王》一卷，此類均加補標，以符實際。
6. 標題含混：《總目》將種類龐雜之抄卷，一一標目，良非易事。抄卷苟存標題，《總目》依文錄下者多，抄卷苟無標題，《總目》

考出經文名目者少，概略稱之為「佛經」、「道經」者，則數以千計，然如此統稱，過於含混，後人不易細檢佛道之書，而諸經抄卷斷裂分散者，亦終難有綴合之期。故今於含混但稱「佛經」、「道經」者均細予查考，補明何經卷第者十之八九，如斯11號僅稱「佛經」，實為《大方廣佛華嚴經》卷五十三、五十四；斯14號僅稱「佛經」，實為《大般若波羅蜜多經》卷第一九一；斯1246號僅標「道」，實為《天師請問經》（此係比對伯2725號道家類書中檢出），斯1376號僅標「道經」，實為《太上洞淵神咒經》卷六，若此之例，補正者數以千計，非但檢出經名，且細列卷數，以資佐對斠校，而殘卷之分裂各號者，得依經名卷次筆跡之歸類對勘，極易聯合還原。此項補正工作，尋檢多費日力，亦為本書編輯中之重要貢獻。其有一時尋檢不獲者，或為古逸經卷，或為學力不逮，仍標「佛經」二字，以示闕如之義，俟諸高明。[6]

所以要不厭其詳的引述黃老師補正王重民《敦煌遺書總目》缺失的話，最重要的是突顯編輯一門專門性的叢書。不是把資料影印出來編輯成書，即可了事，編者除了具備高深的學科知識外，也需要豐富的編輯經驗才能隨時解決編輯過程中所產生的種種問題。

黃老師在編輯《敦煌寶藏》的過程中，也將近人研究敦煌學的成果編輯成《敦煌叢刊初集》（臺北市：新文豐出版公司，1985年）共收二十一種，精裝成十六冊。又將王重民所編《敦煌古籍敘錄》加入新發現的資料，也訂正不少錯誤，重編改名為《敦煌古籍敘錄新編》（臺北市：新文豐出版公司，1986年）。又因王重民的《敦煌遺書總目》缺失太多，已不符學術需求，乃將編輯《敦煌寶藏》所得的目錄知識，編成《敦煌遺書最新目錄》（臺北市：新文豐出版公司，1986年）。這些工具書都嘉惠了研究敦煌學的人士。

6　見黃永武：〈敦煌寶藏編輯例言〉，《敦煌寶藏》，第1冊，卷首，頁3-5。

四　結語

近年，筆者執行「民國以來經學研究計畫」，深感收集民國時期經學文獻太不容易，乃發願編輯以下各書：(1)《民國時期經學圖書總目》，(2)《民國時期經學叢書》，(3)《民國經學家著作目錄彙編》，四、《民國經學家著作集》。編輯這些書看似容易，其實一如黃老師編輯《敦煌寶藏》和相關工具書都有許多不為人知的困難，必須要克服和解決。黃老師編輯那麼多的工具書和大型叢書，碰到的困難應該有不少，但從來沒有看見他在文章中有抱怨的話，這種為學術犧牲奉獻的精神，可以作為我們後學的典範。讀黃老師所編的各種叢書，不僅增廣學識，更加深了我們對黃老師的了解。

原載於《文學新論》第13期（2011年6月），頁43-59。

提昇經學史研究的水平

——《中國經學史論文選集》出版的意義

一九七五年筆者進入東吳大學中國文學研究所碩士班就讀，「經學史」一課由屈翼鵬師講授。當時翼鵬師認為並沒有很理想的書可作教材，暫時拿馬宗霍的《中國經學史》來講授。馬氏的書篇幅雖短，讀起來卻困難重重，學期結束，有數位同學因考試不及格而被當了。我雖得了不錯的分數，但從那時起，一直在想著「經學史」有那麼困難嗎？

慢慢地，我發覺經學史並沒有那麼困難，所以不容易入門，應該是相關參考資料太少所致。這十多年中，個人從研究經學史進而教經學史，認為要提昇經學史研究的水平，至少有幾件事情必須要逐步完成。

其一，應有一部總結前人研究成果的經學論著目錄：清初朱彝尊編成《經義考》，總結清康熙以前經學研究的總成績，至今朱氏的書仍是研究清初以前經學不可或缺的工具。民國以來經學研究的成果如何，實也應有一部總帳冊，以便展示研究業績，並可讓學者按圖索驥，檢得所需的參考資料。

其二，應有一部反映前人研究成果的經學史論文選集：近數十年來研究經學史的論文有數千篇之多，如果能將較具代表性的論文，選輯數十篇編成一書，讓有志研習經學史的學者參考，也是提昇研究水平的方法之一。可惜，這一工作多年來一直沒有人嘗試去做。

其三，應將經學史的重要文獻編成參考資料選輯：學習文學史要研讀文學作品，學習哲學史或思想史，也要研讀哲學或思想的原典。

因此，最近數十年中，大陸編輯文學作品選、古代文論選、哲學文選、思想史參考資料等的著作相當多，獨不見有人編輯經學史參考文選一類的著作。研究經學史的人，既無法將數千種經書的注疏一一加以詳讀，又無參考資料選輯可供閱讀，如何提昇研究水平。

其四，應拋開前人窠臼撰寫一部嶄新的經學史：前人留下的經學史，篇幅短小，且多是人名、書名的堆砌，又缺乏史觀，學者望而生畏。因此，研究經學史的人越來越少，兩岸加起來也僅僅三、五人而已。由於人才缺乏，根本無法有新的經學史著作出現。後輩因缺乏新作的啟迪，觀點無法突破，研究成果也就乏善可陳。

這幾件事情，筆者一直期待研究經學的學者能一件件加以完成。可惜，年復一年都失望了。自一九八三年筆者從東吳大學中國文學研究所博士班畢業以後，在「求人不如求己」的反省後，即有將上述數年逐年完成的念頭。一九八七年四月起，即邀集李光筠、張廣慶、陳恆嵩、劉昭明四位學弟一起編輯《經學研究論著目錄（1912-1987）》，計收專著和論文一萬四千二百餘條，於一九八九年十二月，由漢學研究中心出版。近八十年間的經學研究成果全彙集於此編，研究經學的學者稱便，咸認為媲美清初朱彝尊的《經學考》。以上四件事，已完成第一件。

自一九九〇年九月起，筆者在「中央大學」中國文學研究所碩士班講授「經學史」一課，也在東吳大學中國文學系講授同一課程。兩個學校上課學生的層級不同，上課方式也有別。碩士班的課程，由筆者擬題，學生撰寫論文，並在課堂上作口頭報告。大學部的課程，則由筆者依經學史時代的先後，編纂講義來講授。但不論如何，學生所報告的，和筆者所講授的，內容都相當有限。因此編輯一部經學史論文選集，給學者提供近數十年研究的成果，並作為學生課外輔助讀物，也顯得特別迫切。自今年九月起，筆者因研究工作繁重，辭去「中央大學」中文研究所碩士班的課；但東吳大學中文系此一課程卻改開在研究所博、碩士班，仍由筆者講授。上課時，仍需要一部有分量的補充讀物。且近年來各大學中文研究所碩、博士班入學考試的方式有很大的變革，即廢棄考專書，而改考各種學術史，經學史即是其中的一種。編輯經學史論文選集，不但可作為經學史課的補充教材，也可為應考學子提供更多的參考資料。編輯工作自今年一月開始，八月完成。上述四件事，已完成兩件。

第三件工作，編輯經學史參考文選。在筆者講授此一課程的兩年中，已選注一小部分。今後數年內，將與修習此一課程的學生合力編注完成。至於第四件事，可說是學術史上的偉大工程，只能當作今後努力的目標，不敢奢望近期內完成。

以上是筆者想完成經學史研究的幾件大事的約略過程。下面將談談這部論文選集的編輯過程和其意義。

首先根據筆者主編的《經學研究論著目錄》，將大陸和本地適合入選的論文，擬出目錄初稿。然後將平時蒐集到的相關論文，依目錄初稿逐一挑出。由於選集的篇幅不可太大，臺灣發表的論文又比較容易找到，所以擬收的大多是大陸學者的論文。有筆者未蒐集到的論文，則委託大陸友人四川大學哲學系教授賈順先先生和中國社會科學院哲學研究所中國哲學史研究室孫尚揚先生代為影印。此一工作在今年三月已大致完成，將論文彙齊後，再作進一步挑選、增補，計選得九十餘篇。然後按經學史發展之脈絡，分為總論、先秦、兩漢、魏晉南北朝、隋唐、宋代、元明、清代、民國等九個時段，將論文分別納入。由於論文的篇幅甚多，約近百萬字。所以將總論至隋唐部分編為上冊，宋代至民國部分編為下冊。上下冊各供一學期課外閱讀參考之用。

筆者以為編輯出版此一論文選集至少有下列數點意義：

其一，反映近數十年研究經學史的成果：本選集所收的大陸學者論文，正可看出近數十年來大陸研究經學史的成果。他們的研究方向如何？研究方法和觀點有否侷限性？總成果如何？皆可從本選集中看出一二。要衡量大陸研究經學史水平的高低，本選集所收論文是很好的指標。

其二，提供研究經學史學者較深入的參考資料；本選集既收有九十餘篇論文，如依作者計算，即有八十餘位作者。這等於有八十多位各經的專家貢獻出來的智慧，自與三、五人寫九十多篇大不相同。讀者如能仔細閱讀這九十多篇論文，則對各時代各經發展的脈絡，和它們的時代特質，應該有相當深刻的認識。能如此，實已為將來研究經學史奠定良好的基礎。

但願本論文選集出版後，能為讀者節省一些蒐尋資料的時間，並提昇經學史研究的水平。（編者按：《中國經學史論文選集》，上冊於今年（1992）十月由文史哲出版社出版，下冊十二月出版。）

原載於《國文天地》第8卷6期（1992年11月），頁6-8。

評徐復觀著《中國經學史的基礎》

經學的形成，先秦有《詩》、《書》、《禮》、《樂》、《易》、《春秋》六經。漢時，因《樂》本無經，去其一，稱五經。其後迭有增加，有七經、九經、十二經之目，至宋代發展成十三經。由六經至十三經注疏之完成，所顯示的意義，不僅限於經數的增加而已，而是代表著傳統知識分子智慧之累積，與傳統文化生命的漸次發展。此種代表傳統文化精髓之經學，經民初反傳統浪潮的衝擊，已有落花飄零之憾；加以近人所著之經學史，或觀念偏頗，或失之簡略，或嫌深奧，研習者少[1]。以是經學所蘊含之真精神，已無多少人真正了解[2]。此為傳統文

1 清末以來，國人所著經學史書有四種：

(1)〔清〕皮錫瑞，《經學歷史》，光緒三十三年（1907）湖南思賢書局刊本，有周予同注釋本。周氏注本，坊間有1966年藝文印書館與1974年河洛出版社兩種翻印本。周氏書原以〈序言〉為起頁，藝文本刪去書前之〈序言〉、〈皮錫瑞傳略〉、〈皮鹿門先生傳略〉、〈皮鹿門先生著述總目〉，本書引用清代人名出處表等計十九頁，而改以正文為起頁，致使正文注釋中參見之頁數，與新標頁碼無法配合，研讀為難。

(2)劉師培撰：《經學教科書》第一冊，作於光緒三十一、三十二年間（1905、1906），有上海國學保存會原印本，收入1936年刊《劉申叔先生遺書》內。

(3)馬宗霍：《中國經學史》，1936年上海商務印書館《中國文化史叢書》本。

(4)甘鵬雲：《經學源流考》，1938年崇雅堂聚珍版印行。1967年鐘鼎文化公司與1977年廣文書局各有影印本。林政華先生以此書作於光緒四年（1878），且以其為我國經學史書開山之作，實嫌不考。詳見林先生撰：〈論今傳五部經學史的特色與缺失〉，《孔孟月刊》15卷4期（1976年12月）。

日本人之著作有三種：

(1)本田成之：《「支那」經學史論》，昭和二年（1927）京都弘文堂印行。我國有兩種譯本，一為江俠庵譯，題《經學史論》，1934年上海商務印書館國學小叢

化承繼過程的一大挫折。徐復觀先生深為此事擔憂，遂陸續作成《韓詩外傳的研究》、《周官成立之時代及其思想性格》，《中國經學史的基礎》[3]等書，重新檢討經學的意義，期賦傳統學術予新的生命。

《韓詩外傳的研究》為先生研治兩漢思想史而附及；《周官成立之時代及其思想性格》，旨在論定「《周官》乃王莽、劉歆們用官制以表達他們政治理想之書。」[4]最能表現先生經學之造詣者，厥為《中國經學史的基礎》一書。徐先生以為經學奠定中國文化的基型，中國文化的反省，應當追溯到中國經學的反省。經學反省的第一步，便須有一部可資憑信的經學史。而已有的經學史著作，有傳承而無思想，等於有形骸而無血肉，已不足以窺見經學在歷史中的意義（〈自序〉，頁1），此乃徐先生引以為恨之事，亦即其《中國經學史的基礎》之所以作也。

全書由〈先漢經學的形成〉、〈西漢經學史〉兩文構成。另加〈有關春秋左氏傳的補充材料〉一文，作為附錄。該文乃由徐先生〈原史〉一文摘出[5]。〈先〉文曾於一九八〇年八月臺北「中央研究院」召開的國際漢學會議中提出。全文分十小節，目的在證明「經學非出於

書本。一為孫俍工譯，題《中國經學史》，1935年上海中華書局印行；1975年臺北古亭書屋有影印本，惟略去譯者之名。

（2）安井小太郎外：《經學史》，昭和八年（1933）松雪堂印行。

（3）瀧熊之助：《「支那」經學史概說》，昭和九年（1934）印行。我國有陳清泉譯本，題《中國經學史概說》，1941年商務印書館印行。

2 1919年《南洋中學書目》與1928年王雲五先生之《中外圖書統一分類法》，拆散經學為哲學、文學、史學、社會學、語文學等類，即昧於經學精神之最佳例證。詳見蔣元卿：《中國圖書分類之沿革》（臺北市：臺灣中華書局，1966年，臺二版），頁249-251。

3 《韓詩外傳的研究》，見徐先生撰《兩漢思想史》卷三（臺北市：臺灣學生書局，1979年），頁1-47。

4 見《周官成立之時代及其思想性格》（臺北市：臺灣學生書局，1980年），自序，頁1。

5 〈原史〉收入徐先生撰《兩漢思想史》卷三，頁217-304。

一人一時，而係周初以來，由周室之史，經孔子及孔子後學，作了長期選擇、編纂、闡述的努力，以作政治、人生教育之目的。」(〈自序〉，頁2）而匡正清代經學家以經學成於周公或孔子之謬見。〈西〉文分三節，首節論博士性格的演變，及其在經學史上之地位。次節西漢經學的傳承，分就《易》、《書》、《詩》、《禮》、《春秋》、《論語》、《孝經》之傳承加以疏釋，並澄清前人之誤。三節西漢的經學思想，就漢初陸賈、賈誼、劉安、董仲舒、司馬遷等人之書，及漢中期以後之奏議、詔令等，闡釋其所顯示之經學意義；而以揚雄之經學總結西漢之經學思想。

在兩千餘年經學的傳承中，先秦可謂為經學之形成期，兩漢則為成立兼演變期。兩階段之分水嶺厥為秦朝。嬴秦一火，及秦末之戰亂，使本已極複雜的經學史問題，更為糾葛難理。漢以後學者於此兩階段糾結問題之探討，可謂眾說紛紜，莫衷一是。而徐先生此書，於前人所不疑者發其覆；糾結難理者則反覆疏釋，必至水落石出而後已。茲舉其較具創獲者如下：

1. 就經學之發端言之：皮錫瑞《經學歷史》以為「經學開闢時代，斷自孔子刪定六經為始，孔子以前，不得有經。」[6]此為今文家之說法。徐先生則以為經學發端於周公及周之史官。當時史官為了教戒的目的，對經書之編纂，曾作了很大的選擇。這些經選擇過的教材，同時也是歷史的重要資料。然就選擇、編纂的動機與目的來說，這僅是一種副作用而已。章學誠的「六經皆史」說，實忽略了經書之基本意義。徐先生以六經源於史官之說，雖非創見，然其舉證詳博，說理圓通，已為經學的萌芽作較詳盡的闡釋。

2. 就春秋、戰國經學的發展言之：徐先生以量化之方法，就《左傳》、《國語》加以分析統計，以為春秋時代《詩》、《書》、《禮》、

6　皮錫瑞撰，周予同注：《經學歷史》（臺北市：河洛圖書出版社，1974年），頁19。

《樂》、《易》，已成為貴族階層的重要教材。且在解釋上，亦開始由特殊的意義，進而開闢向一般的意義；由神秘的氣氛，進而開闢向合理的氣氛。至於孔子與六經的關係，徐先生以為孔子刪《詩》、刪《書》的說法是難以置信的。但孔子對經書的整理與價值之轉換，使五經成為爾後兩千多年中國學統的骨幹。至孟子特別重視孔子修《春秋》之意義。荀子則將《春秋》組入於《詩》、《書》、《禮》、《樂》而為五；《易》的價值，亦已為其所承認。至荀子的門人，進一步把《易》與《詩》、《書》、《禮》、《樂》、《春秋》組在一起，所謂六經之組合已告完成。此種解釋，將孔子在經學的地位予以肯定，更強調經學發展的累積意義，自比前人以六經完成於孔子之說更為合理。

3. 就博士在經學史的地位言之：徐先生以為博士是由孔門之博學與孔門新塑造的士結合在一起而形成。而以魯公儀休為今可考見最早之博士，以糾王國維氏以魯未必置博士之非。入漢以後之博士，徐先生以為可分為三個階段：首階段承繼戰國、秦以來之性格，可稱為「雜學博士」，以糾王國維以文、景時已有專精博士之非。五經博士之成立，為博士性格演變之第二階段。其前之雜學博士，並無專門職掌，此時之博士，不但專掌其所代表之經，且取得政治上法定權威之地位。而被舉為某經博士之人，對自己所代表之經的解釋，即成為權威的解釋。為博士設弟子員為博士性格演變之第三階段。至此博士增加以教授為業的固定職掌，儒家所提倡的理想大學學制，始具體實現。而師法觀念與章句之學，亦於此時產生，成為經義了解之一大障礙。徐先生之分析最為深刻，博士於經學史上之正負作用亦表露無遺。

4. 就西漢經學的傳承論之：《易》學的傳承，徐先生以為《史記》、《漢書》所述由商瞿至田何單線傳承之說，斷難成立。至費氏《易》，後人皆以為古文，此乃范曄所誤導；而以東漢費氏《易》之傳承甚盛，更是范氏之誤解。論《尚書》之傳承，以伏生並非失其本經；東漢馬融、鄭玄所注之《尚書》，乃以今文寫定之二十九篇古文《尚書》，非伏生之今文《尚書》。論《詩》之傳承，則以《魯詩》非最先出；《毛詩》乃今文非古文；《詩小序》乃作於史官，非衛宏。論《春秋》之傳承，以為漢代《公羊傳》的傳承統緒出於董仲舒，非胡母生；且糾戴宏以子夏至公羊壽五世單傳之妄。徐先生更就漢儒之奏議加以考查，以為諸儒皆兼通數經，清人謂漢儒專治一經乃是妄說。以上諸例，或前人所不疑，或早有成說，而徐先生一一予以全新之解釋，非有過人的洞察力，實不足以致此。

5. 就重視經學思想言之：徐先生曾以為舊有的經學史書，僅言經學之傳承，而不言傳承者對經學所把握的意義，以致經學成為缺乏生命的化石。本書〈西漢的經學思想〉一節，佔篇幅三十多頁，即為彌補前人之不足而作。就漢初之經學思想來說，徐先生曾選取陸賈《新語》、賈誼《新書》、劉安《淮南子》、董仲舒《春秋繁露》、司馬遷《史記》等書，以討論諸家所了解之經學的意義。漢中期五經博士成立以後，開闢儒生以經學進入仕途的門徑，也敞開了經學由社會層面直接進入政治層面的通道。而當時儒生的奏議與皇帝的詔令，最可見出經學在政治層面的伸展。至於揚雄以五經為「常珍」，諸子為「異饌」。徐先生謂人為了基本生存，不能離開常珍，而異饌則在可有可無之列，以為揚雄的話，總結西漢所了解的經學意義。此為徐先生深究兩漢思想史有得之言，非常人所能道也。

就上述五點觀之，已足見本書在學術思想史上之分量。至於在《孝經》的傳承中，敘及其所著〈中國孝道的形成、演變及其歷史中的諸問題〉一文[7]，謂《孝經》出於武帝末昭帝時代的偽造，為完全荒謬。實則，徐先生早於所著《中國思想史論集》再版序，坦承當時之「賣弄聰明，馳騁意氣」。其所以再於此書「誌其莫大之愧恥」，即

7　收入徐先生撰：《中國思想史論集》（臺北市：臺灣學生書局，1979年），頁155-200。

其學術良心的最高表現。徐先生生前善於求人之過，於自我之批判，更是嚴厲，此為其可愛處，亦他人所不及者，故於此一併及之。

然若就本書綜而論之，亦有應詳加疏釋而反略之者，玆就所知述之如下：

1. 論孔子之經學有所偏至：徐先生於孔子與《書》、《禮》、《樂》、《易》四經之關係，論之綦祥。於《詩》，則僅引《論語》：「《詩》可以興，可以觀，可以群，可以怨；邇之事父；遠之事君，多識於草木鳥獸之名」一章，以見其對人生、社會、政治之功用而已。至於孔子整理詩及以《詩》施教二事，皆未及細述。蓋不詳述其整理詩，即無法顯示孔子轉換經書價值之苦心；未論及以《詩》施教，則未能了解後代以美刺為《詩》教之淵源。而論孔子之《春秋》，篇幅更是單寒，僅述及《春秋》所以入六經，乃因孔子從魯史中取其義，離開孔子所取之義，則只能算是歷史材料，不能算是經。至於孔子所取之「義」如何，似未道及。

2. 論荀子之經學嫌疏略：徐先生論孟子之經學時，曾就孟子所引《詩》、《書》文句，作量化分析，以闡述其意義。於孟子論《禮》與《春秋》二經，亦多所闡發。而於荀子，除論其於《禮》之貢獻外，以為荀子將《詩》、《書》、《禮》、《樂》與《春秋》組在一起，使經學形式有進一步之發展。至於荀子引《詩》八十三次，引《書》十五次[8]，皆不下於孟子，卻未能仿孟子之例，分析其意義，實嫌疏略。且荀子於漢初經學思想之影響甚鉅，徐先生則僅引謝墉《荀子箋經序》、《汪中荀子通論》二段文字略述之而已。至於其影響之程度如何，全未道及。梅廣先生曾以為徐先生不能正面了解荀子[9]，徵之本書討論荀子經學之疏略，梅先生之言蓋是也。

8 詳見吳清淋撰：《荀子與書經》，《孔孟月刊》第13卷第9期（1975年5月），頁17。

9 詳見梅廣撰：《徐復觀先生的遺產》，《書目季刊》第16卷第1期（1982年6月），頁45。

3. 經學本身之演變似未道及：徐先生《西漢經學史》的前半部論經學之傳承，此為傳統經學史所注重；後半部就陸賈、賈誼、劉安、董仲舒、司馬遷、揚雄之書，及奏議、詔令等，論經學思想，此為經學之用的問題。至於經學本身因受時代環境之影響，而逐漸變質，自可視為經學之一新發展。如就全體經書言之，無一不受陰陽五行說之影響；單就一經來說，《易》學之逐漸象數化，孟嘉、焦延壽、京房、費直、高相等人，實為關鍵人物；而《尚書》與《詩經》於當時政治環境更扮演頗重要之角色；其時對《春秋》經微言大義之闡釋，更為前代所無。凡此，或皆可稱為漢代經學之新發展。本書或僅於行文中述及，或略而不談。則徐先生想為經學史注入血液之理想，似僅開其端緒而已。

上述諸疏失，為個人主觀之認定，恐有曲解徐先生者。若深一層論之，本書之出版具有下列兩點意義：其一，就歷史文化的傳承言之，徐先生以為要恢復歷史文化的活力，便要對塑造歷史文化基型的經學，重新加以反省、加以把握。則經學於此一文化大傳統的積極意義，已為徐先生所肯定。此有暮鼓晨鐘之大作用在。其二，就經學史本身言之，傳承兩千餘年的經學，對學者來說，某些問題已逐漸失去其感動力，徐先生的新說法，姑不論其正確性如何，已為日趨僵化的經學，注入新的血液。經學價值的再肯定，亦即民族活力的恢復。吾人翹首這一天的來臨。

原載於《漢學研究》第1卷1期（1983年6月），頁332-337。

評朱守亮著《詩經評釋》

一　引言

中國的經典大多成立於先秦時期。至兩漢時，由於文字形體的改變，和各種名物制度的失傳，這些經典不經解釋已無法完全了解。純就《詩經》一書來說，當時有齊、魯、韓、毛四大家，漢末又有鄭玄為《毛詩》作《箋》。至唐孔穎達為《毛詩》作《正義》，形成《詩經》注解的漢學派。自宋代提倡新經學運動，朱子《詩集傳》廢去《詩序》，承其流者亦不多信《詩序》，而大倡「淫詩」說，這就是《詩經》研究的宋學派。明中葉以後漢學復興，清代馬瑞辰的《毛詩傳箋通釋》、陳奐《詩毛氏傳疏》，即是漢學派名著。當時，又有姚際恆的《詩經通論》、方玉潤的《詩經原始》，重視詩篇的欣賞品評，而不屬於漢、宋學之列。以上三派的著作，各有長短，都是研究《詩經》，兼了解經學思想演變所不可或缺的著作。但是，要作為初學者研讀《詩經》的入門書，則各有不相宜的地方。筆者以為一本《詩經》的入門書，至少應具備下列數點基本條件：

1. 應有導論：敘述《詩經》的作者、作成時代、內容、價值、歷代研究成果、研讀方法等。
2. 立場應客觀：研究《詩經》有漢、宋學和文學派。偏於漢學，則著重文字、訓詁；側重宋學，則忽略小學功夫；長於文學，則善於欣賞品評。一本入門書則應綜合數派之長，而不偏於某一派，或某一家之說。

3. 注解應簡潔扼要：冗長的引文考證，僅能作為學術研究時參考之用，如施之於入門書，徒讓讀者生畏。
4. 能吸收最新研究成果：有修正或推翻前人說法，而足成定論者，應加以採入，好讓讀者建立正確的觀念。

若是持這數種標準來衡量前述各種《詩經》注釋，自無法令人滿意。為了迎合教學和社會大眾的需要，編纂通俗的《詩經》讀本，也成了研究《詩經》者的重要工作之一。綜計這三十餘年間出版的重要《詩經》通俗讀本，計有屈翼鵬師的《詩經釋義》，糜文開和裴普賢的《詩經欣賞與研究》、王靜芝的《詩經通釋》、馬持盈的《詩經今注今譯》、裴普賢的《詩經評註讀本》和朱守亮的《詩經評釋》等[1]。各書的體例繁簡不一，於各詩篇，或僅加注釋，或兼今譯，或蒐集前人之欣賞品評，要皆以能幫助讀者了解詩句，進而涵泳於先民悠揚的歌聲中，並達到發揚傳統文化為目的。各家注解，以朱守亮教授的《詩經評釋》最晚出，體例也較完備。

《詩經評釋》分上下兩冊，上冊為〈緒論〉和十五〈國風〉，下冊為〈小雅〉、〈大雅〉、〈周頌〉、〈魯頌〉、〈商頌〉。〈緒論〉共分二十四小節，包括引言、《詩》之來源、《詩》之名稱、《詩》之內容、《詩》之時代、《詩》之完成、《詩》之刪錄、《詩》之六義、《詩》之四始、《詩》之正變、《詩序》、《詩譜》、《詩》之價值、兩漢、三國、兩晉、南北朝、唐、宋、元、明、清、民國之《詩經學》、總結等。各節文字多參考胡樸安的《詩經學》一書。

---

1 屈師的《詩經釋義》，一九五二年四月中國文化出版事業委員會出版，分上、下兩冊。一九八〇年九月中國文化大學出版部有新排印本，合成一冊。糜、裴二氏的《詩經欣賞與研究》，分四集，由三民書局出版。第一集，一九六四年出版；第二集，一九六九年出版；第三集，一九七九年出版；第四集，一九八四年。前後合計約二十年才出齊。王氏的《詩經通釋》，一九六八年輔仁大學文學院出版。馬氏的《詩經今注今譯》，一九七一年臺灣商務印書館出版。裴氏的《詩經詳注讀本》，上冊，一九八二年出版；下冊，一九八三年出版。

詩篇評釋部分，依十五〈國風〉、〈小雅〉、〈大雅〉、〈周頌〉、〈魯頌〉、〈商頌〉之順序排列。各體詩前皆有簡單的導論。每一首詩，先標明該詩的詩句，大多參考張學波的《詩經篇旨通考》一書。然後逐章標明章旨，大多採自王靜芝的《詩經通釋》。每章並加以詳盡的注釋，大多雜採眾說，因文字多有更動，概不注出處。每詩之後有欣賞品評，大多轉錄自王鴻緒的《詩經傳說彙纂》、龍起濤的《毛詩補正》、裴普賢的《詩經評注讀本》等。然後有朱教授的案語，稱為「守亮案」，著重在詩篇篇旨的辨正和技巧的賞析等。由於本書是擷取各家的詮釋、剖析、評論、欣賞等解說於一書，所以稱為《詩經評釋》。

二　詩篇篇旨辨正

自從《詩序》為各詩篇加上政治性的解說以後，詩篇的本旨也就隱晦不彰。宋代的反《詩序》運動，旨在剝落《詩序》加之於詩篇的束縛，於詩旨的闡發貢獻不少。然朱子矯枉過正，視情詩為淫詩，本已逐漸彰顯之詩旨，又蒙上道學色彩。自清代以來，姚際恆、崔述、方玉潤、顧頡剛、聞一多、胡適、高亨、屈翼鵬師、糜文開、裴普賢、王靜芝等學者，在各種與《詩經》有關的論著中，時時刻刻都在尋求各詩篇合理的篇旨。從各學者互相討論的過程中，各詩的篇旨也逐漸被發掘出來。

本書有關篇旨的辨正，全在「守亮案」一欄內，辨正的過程，大抵先列《詩序》、《鄭箋》、《朱傳》和宋代以來各《詩經》學家之說，無法贊同者即列舉理由加以辨正，贊同者則加以申說。各篇之辨正皆細如毫髮，以便求得最正確的詩旨。這是本書最值得稱讚的地方。茲舉數首為例，以見作者辨正工夫之細膩：

（一）〈召南〉〈摽有梅〉

《詩序》說：「〈摽有梅〉，男女及時也，召南之國被文王之化，男女得以及時也。」朱子《詩集傳》說：「南國被文王之化，女子知以貞信自守，懼其嫁不及時，而有強暴之辱也。」朱先生以為詩中無一語言及及時者，《詩序》之說不可信。朱《傳》雖仍泥於文王之化說，但「懼其嫁不及時」一語，頗得詩旨。屈翼鵬師說：「此詩疑諷女子之遲婚者。」然詩中明言「求我庶士」，似及婚年齡之女子自作，所以朱先生以為「此女子懼嫁不及時之詩」（頁86）。

（二）〈齊風〉〈敝笱〉

《詩序》說：「刺文姜也。齊人惡魯桓公微弱，不能防閑文姜，使至淫亂，為二國患焉。」朱先生以為《詩序》之說，大抵得其要旨。而朱子則說：「齊人以敝笱不能制大魚，比魯莊公不能防閑文姜，故歸齊而從之者眾也。」朱先生以為文姜與齊襄敗德事，雖發生甚早，然至魯桓公被殺，始達高潮。故詩直刺魯桓公不能防閑文姜，而有此結果也。不必如朱《傳》易為莊公。至於屈師所說：「咏文姜嫁於魯之詩」，朱先生則以為觀詩中如雲、如雨等氣象，似是嫁時光景，然於敝笱、魴鰥云云無法交代；兩句明有魴鰥等大魚，非敝敗之敝所能制的意思，故以敝笱喻魯桓、魴鰥等喻文姜（頁290-291）。所以朱先生將詩旨定為「此刺魯桓公不能防閑文姜之詩」。

（三）〈魏風〉〈汾沮洳〉

《詩序》說：「刺儉也。其君儉以能勤，刺不得禮也。」朱先生謂儉為美德，何以刺之？且所言者公路、公行、公族，明為卿大夫，何以言刺君？方玉潤以為「美儉德也」，但詩有「美無度」一語，與方氏說不似。傅斯年以為「言一尋常百姓之子，美如玉英，貴族不及。」高亨以為婦女讚美男子之詩。但是詩有「殊異乎公路」等語，當為卿大夫，傅、高之說又不確。朱先生以為由「美無度」、「殊異乎公路」云云，則知修飾過分，大異乎一己之職位與身分，故刺之也（頁303）。所以採屈師之說，以為是「此刺某大夫愛修飾之詩」。

（四）〈唐風〉〈椒柳〉

《詩序》說：「刺晉昭公也。君子見沃之盛強能修其政，知其蕃衍盛大，子孫將有晉國焉。」後之解詩者多從之。朱先生以為詩中不但無刺意，且多讚美之詞，一如〈螽斯〉之祝人子孫眾多，〈桃夭〉之祝人家族繁盛。詩則言「碩大無朋」，是體格壯大，無與倫比，雖可美，但仍未必也。至「碩大且篤」，則言及性情篤厚矣，是則真可美也。如此之人自應子孫眾多，家族繁盛，故以椒實之盈升、盈匊言之。所以朱先生將詩旨定為「美體格碩大，子孫眾多之詩」（頁323）。

（五）〈陳風〉〈月出〉

《詩序》說：「刺好色也。在位不好德而說美色焉。」朱先生以為詩中確有男女之情，但如說刺在位不好德而好色，則甚為勉強。朱子《詩集傳》說：「此亦男女相悅而相念之詞。」屈師採朱子之說。朱先生以為由每章末句之憂勞愁苦觀之，似非男女相悅，而係男子之單戀。並謂詩之首句寫月色，二句寫美人容色之美，三句寫行動姿態之美、曲線之美。末句寫想念之深，不能自寧（頁288）。可見確為男子單戀之詩。

（六）〈陳風〉〈澤陂〉

《詩序》說：「刺時也。言靈公君臣，淫於其國，男女相悅，憂思感傷焉。」此實因前篇〈株林〉之說而來。朱子《詩集傳》說：

「此詩之旨，與〈月出〉相類。」是以後人多據此而以為男女相悅而相念之詩。朱先生以為就每章末二句觀之，似未達男女相悅的地步，而為一男子熱戀一美女，而不得親近之悲苦也（頁393）。所以將詩旨定為「男子熱戀一美女，不得親近，因作此以抒其憂之詩。」（頁391）

（七）〈大雅〉〈既醉〉

《詩序》說：「大平也。醉酒飽德，人有士君子之行焉。」朱先生謂《詩序》之說，無中心義旨，失之泛混，不可從。朱子《詩集傳》說：「此父兄所以答行葦之詩。」朱先生以〈行葦〉之詩，未必為祭詩，又何答也？且後數章皆從「公尸嘉告」而衍之，非謝答之辭也。所以朱《傳》也不可信。細審詩篇：「其告維何？籩豆靜嘉。」明言祭祀之狀：「君子萬年，永錫祚胤。」明述祝嘏之辭。所以朱先生把詩旨定為「周王祭畢燕群臣，群臣祝嘏之詩。」（頁765）

（八）〈魯頌〉〈有駜〉

《詩序》說：「頌僖公君臣之有道也。」朱先生引屈師之說，同意為頌僖公之作。然並不以為頌君臣之有道。朱子《詩集傳》說：「此燕飲而頌禱之辭也。」朱先生謂朱子之說意有未盡，以為詩中既言豐年燕飲之樂，詩末又有頌禱福祿之詞，所以將詩旨定為「慶豐年，燕飲而頌禱僖公之詩。」（頁929）

此外，像〈召南〉〈小星〉一詩，胡適以為是寫妓女生活最古的記載[2]。朱先生說：「然古未有妓，至漢武始置營妓，以待軍士之無妻室者，見《漢武外史》，故此說無取焉。」（頁88）又〈召南〉〈野有

2　胡適之說，朱先生並未注明出處。實見於《談談詩經》，收入《胡適文存》第四集（臺北市：遠東圖書公司，1959年），頁556-566。

死麕〉一詩，胡適以為「男子勾引女子的詩」[3]。朱先生說：「勾引二字拙，詩既言吉士，言玉女，則無禮云云，勾引云云，皆非其旨矣。」（頁99）是皆反駁胡適說之不確者。至如〈衛風〉〈氓〉，為棄婦自傷之詩，方玉潤對該棄婦曾有所批評，且下語頗重。朱先生則一一加以反駁，並方氏之非（頁190）。〈鄭風〉〈溱洧〉，為青年情侶縱情遊樂之詩，鄭玄解「維士與女，伊其相謔」句為：「因相與戲謔，行夫婦之事。」朱先生以為「如此解詩，令人作嘔」（頁269）。凡此皆駁正前人疏失之顯例。

由此可見朱先生對各詩篇之內容，皆能字斟句酌，所以判定之詩旨也較前人準確。有正確的詩旨，詩的欣賞才不致流於附會。研究《詩經》者在這種堅實基礎下，必能對詩義有更深一層的闡發。

三　緒論部分之檢討

本書緒論共分二十四小節，各節之內容大多採自胡樸安之《詩經學》，惟第二十三節「民國之《詩經學》」，為胡氏書所不及，乃朱先生自創之說。然不論採自胡氏，或朱先生之說法，似有數事可提出討論者：

（一）有關孔子刪詩事

大部分學者都已贊成孔子並未刪詩。但是，孔子刪詩事始見於《史記》〈孔子世家〉：「古者，詩三千餘篇，及至孔子，去其重，取可施於禮樂，上采契、后稷，中述殷、周之盛，及幽、厲之缺，……三百五篇，孔子皆弦歌之，以求合〈韶〉、〈武〉、〈雅〉、〈頌〉之音。」前人讀此段文字皆疏忽「及至孔子，去其重」等語。金德建的

3　同上。

〈論孔子整理詩經去其重複〉、陳槃的〈孔子刪詩折衷〉二文[4]，皆以孔子刪詩為刪去重複。此點可能是孔子刪詩說較合理的解釋。今後討論刪詩一事，恐應注意金、陳二氏之論文。

（二）頌的意義問題

大部分學者皆引阮元《揅經室集》:「頌之訓為形容者，本義也。且頌字即容也。故《說文》：頌，皃也。從頁公聲，籀文作額，是容即頌。」但是，明末方以智的《通雅》已先有訓釋，他說：

> 〈儒林傳〉:「徐生善為頌，孝文時為禮官大夫，傳子至孫襄，亦以頌為大夫。言禮為頌由徐氏。」《注》蘇林曰:「漢舊儀有二郎為頌貌威儀事，有徐氏、張氏，天下郡國有容史，皆詣魯學之。」《書》:「式商容之閭」一曰:「商之禮官也」，故今禮部稱容臺。按：頌，乃古容字，从頁公，平聲。漢唐生、褚生應博士弟子選，摳衣登堂，頌禮甚嚴。又作額。《漢書》容繫，一作頌繫。借為雅頌之頌，借義奪正義，故頌皃反借為容內之容。一曰《詩序》云:「頌者，美盛德之形容也。」正當作余封切讀。《詩紀》載〈舟張辟廱〉之詩末引用《周官注》所載曰:「敕爾瞽，率爾眾，工奏爾悲誦，肅肅雝雝，無吉無凶。」誦音容。是皆頌之轉聲。則頌為容字益明矣[5]。

方氏之《通雅》，能通讀者甚尟，故其釋頌的說法，知之者不多，今特錄之如上，以為今後研究《詩經》者之參考。

4　金氏之文，見所著《司馬遷所見書考》（上海市：人民出版社，1963年），頁31-37。陳氏之文，見《大陸雜誌》第45卷第5期（1972年11月），頁48-49。

5　見《通雅》（臺北市：臺灣商務印書館，1971年，《四庫全書珍本》三集本），卷28，《禮儀》，頁24-25。

（三）興的本質問題

此事兩千年來一直爭論不休。本書僅引朱子和鄭樵二說，似未盡能闡發其奧蘊。顧頡剛的〈起興〉一文[6]，以為歌謠的起首一兩句往往與歌詠的本事無關，這種句子就是起興。屈翼鵬師的《詩經釋義》即贊同此說。後來學者如徐復觀的〈釋詩的比興——重新奠定中國詩的欣賞基礎〉、裴普賢的〈詩經興義的歷史發展〉[7]，對興的義蘊都有相當深入的探討。如果將他們的研究成果略加提示，對讀者必有不少幫助。

（四）兩漢的《詩經》學

朱先生僅述及《魯詩》、《齊詩》、《韓詩》、《毛詩》等之傳授源流，至於當時諸家傳《詩》的共同特徵，朱先生並未述及。此點屈師的〈先秦說詩的風尚和漢儒以詩教說詩的迂曲〉、戴君仁的〈兩漢經學思想的變遷——詩經部分〉[8]，都有詳論，可參考。

（五）民國之《詩經》學

朱先生將本期研究《詩經》的著作分成通論概說類、譜序旨趣類、注解語譯類、欣賞評述類、語詞虛字類、音韻諧讀類、文字詮釋類、考徵斠補類、博考名物類、音樂文學類、方法導讀類、目錄引得

---

6 顧氏之文，原載《歌謠週刊》第94號（1925年6月7日）。收入《古史辨》第三冊，頁672-677。

7 徐氏之文，原載《民主評論》第9卷第15期（1958年8月），頁2-8。收入徐氏著：《中國文學論集》（臺北市：臺灣學生書局，1980年，4版），頁91-117，裴氏之文，收入裴氏著《詩經研讀指導》（臺北市：東大圖書公司，1977年，初版），頁173-331。

8 屈師之文，原載《南洋大學學報》第5期（1971年），頁1-10。收入《屈萬里先生文存》（臺北市：聯經出版事業公司，1985年），第1冊，頁197-223。戴氏之文，原載《孔孟學報》第18期（1969年9月），頁47-62。收入戴氏著《梅園論學續集》（臺北市：藝文印書館，1974年），頁1-22。

類、論文研究集類。每一類朱先生皆認為是一派，以致派別林立。大抵來說，每一個學派大多有一個以上的共同精神方向。以上所分的十三類，僅可稱為十三種著作方式，為其立派似嫌牽強。實則，自聞一多以佛洛依德性心理學說研究《詩經》以後，接續這種方法來研究的雖僅有數人，但已足可稱為一派。現在又有以西方文學理論來研究《詩經》者，大多為研究西洋文學的學者，人數甚多，也可成一派。這些朱先生的書皆未述及。且已述及的各類，有不少疏漏：(1) 注釋語譯類所引李度的《詩經選注》、陳慎初的《詩經譯注》，都是余冠英的《詩經釋注》(香港：萬里書店，1969年)，經這裡的書商改換姓名而成。(2) 音韻諧讀類，遺漏王力的《詩經韻讀》(上海市：古籍出版社，1980年)。這書是民國以來研究詩韻的最重要著作，不可忽視。(3) 目錄引得類，像鄭振鐸的《關於詩經研究的重要書籍介紹》、張壽林的《清代詩經著述考略》[9]等，對讀者也都有幫助。四、論文研究集類，所收《中國古史研究論叢》之《易經與詩經》，即《古史辨》第三冊，經此地出版者隨意改名而成。至於大陸和歐美學者的研究成果也都未述及，實不無遺憾。

此外，各《詩經》注本的導論部分，皆未述及《詩經》的鑑賞方法，以致讀者僅能從各詩篇的賞析中揣摩技巧，而無法獲知鑑賞的整體概念，這是研究《詩經》者最無法向讀者交代的地方。筆者曾作有〈古代的民歌——詩經〉一文[10]，第四小節〈詩經的鑑賞方法〉，曾就詩篇景物意象的經營、詩人對詩句的鍛鍊，和詩的整體結構等三方面，企圖建構一套鑑賞的理論，但因學養不足，僅提出一些例證而已。筆者希望有學者能提出一套縝密的鑑賞方法，以提高《詩經》研究的水準。

---

9 鄭氏之文，原載《小說月報》第14卷第3期（1923年3月）；收入鄭氏著《中國文學研究》(北京市：作家出版社，1957年)，頁24-49。張氏之文，原載《燕京大學圖書館學報》第50、51、52、54、55、56期（1933年5-10月）。

10 該文載《幼獅月刊》第59卷第6期（1984年6月），頁20-23。

五　注釋可斟酌者

《詩經》三百五篇，〈周風〉部分，文字較淺顯，不必句句皆注，但應注釋的字句仍不少。〈雅〉、〈頌〉部分，文字艱澀，甚至詰屈聱牙，幾乎句句皆得注。合計三百五篇的注解，應有數萬條。且每一字詞，往往有數種說法並存，很難定出彼非此是。本書的注釋，是兼採各家之長而成，且因文字有所更動，皆未明注出處，所以很難看出某注為某家之說，或是朱先生一己之創見。本節所提到的十數條注解，大多是近人新的研究成果，足可糾正《詩經》舊注之非，而為朱先生所未及採入者。茲說明如下：

（一）兕觥

《詩經》中四見，〈周南〉〈卷耳〉：「我姑酌彼兕觥」，〈豳風〉〈七月〉：「稱彼兕觥」；〈小雅〉〈桑扈〉：「兕觥其觩」；〈周頌〉〈絲衣〉：「兕觥其觩」。朱先生說：「匜類之稍小而深者者，或有足，或無足，而皆有蓋，蓋皆作牛首形。」（頁46、423、646、913）按朱說乃承屈師而來，而屈師即採用王國維之說。後來屈師有〈兕觥問題重探〉一文[11]，根據歷史語言研究所發掘的角形器，和各種書本文獻相參證，以為兕觥是像兕角形的飲器，它的用途很廣，不專作罰爵之用。起先可能用兕角做成，後來才改用銅鑄造。這個新說，裴普賢先生的《詩經評注讀本》已加以採用[12]。本書則未及更正。

---

11 該文原載《歷史語言研究所集刊》43本，第4分（1971年），頁533-538。收入《屈萬里先生文存》，第3冊，頁835-847。

12 裴氏書，《周南卷耳》：「我姑酌彼兕觥」，注說：「兕觥：用野牛角做的酒器，或其蓋作牛首形之酒器。」（頁16）似已採用屈師之說，然又不忍刪去舊說，故新舊兩者並存。

（二）黼黻

《詩經》中三見，〈秦風〉〈終南〉：「黻衣繡裳」，朱先生《注》說：「黻，古代禮服上黑青相間的花紋。」（頁358）〈小雅〉〈采菽〉：「玄袞及黼」，《注》說：「黼，繡有黑白相間斧形花紋之禮服。」（頁666）〈大雅〉〈文王〉：「常服黼冔」，注同〈小雅〉〈采菽〉（頁707）。根據屈師〈釋黹屯〉一文[13]之研究，黼黻本只有一字，它的初文作「黹」，即回回狀的花紋，後來才分化為黼、黻兩字，更將黼字釋為斧形花紋，黻字釋為黑青相間的花紋。屈師的論文，僅看篇題似與《詩經》無關，所以迄今未為研究《詩經》的學者所注意。

（三）〈小雅〉〈瞻彼洛矣〉

「鞞琫有珌」，朱先生《注》說：「鞞，刀鞘下末之飾曰琕。琫，刀鞘近口之飾曰琫。珌，文飾貌，有珌，珌然也。」（頁640）按：本句當依高亨之說作「鞞有琫珌」。鞞，即刀鞘。琫，是劍身與劍柄間的飾玉。珌是劍鞘末端的飾玉。《毛傳》說：「鞞，容刀鞞也；琫，上飾；珌，下飾。」觀念正確，後人另立新說，遂生誤解。那志良〈玉劍飾命名之探討〉一文[14]，對此事有詳細的研究。另外，〈小雅〉〈大東〉：「鞙鞙佩璲」，朱先生《注》說：「璲，讀為襚緌之襚，佩玉之綬帶也。」（頁630）根據那氏的研究，璲是革帶的佩玉。

（四）嶽

《詩經》中出現四次，〈大雅〉〈崧高〉：「崧高維嶽」，朱先生《注》說：「嶽，吳嶽也，即岍山，在岐周境內。」（頁825）〈周頌〉

---

13 該文原載歷史語言研究所集刊37本（1967年），收入屈師著《書傭論學集》（臺北市：臺灣開明書店，1969年），頁333-351。

14 該文載《故宮季刊》第5卷第3期（1970年12月），頁9-20。

〈時邁〉:「及河喬嶽」,朱先生說:「喬嶽,高山也。」(頁875)〈周頌〉〈般〉:「嶞山喬嶽」,朱先生說:「喬,高也。嶽,吳嶽也。」(頁920)此皆沿用屈師《詩經釋義》之說而來。但屈師有〈岳義稽古〉一文[15],以為嶽當指太岳(霍山),他的論證是:

1. 〈崧高〉篇「維嶽降神,生甫及申。」可知此「嶽」必和甫、申有關,而太岳(霍山)是和申、甫有關的,所以〈崧高〉篇的「嶽」,必是太岳。
2. 〈時邁〉和〈般〉兩首詩裡,都是「喬嶽」連文,而且都和河字並提。這表示兩首詩裡的「喬嶽」是指同一座山。吳嶽高僅一千五百多公尺,在西部諸山中,不能算是喬;太岳則是兩千五百公尺的山,比較有資格稱喬。且吳嶽靠近渭河,距黃河絕遠,太岳則較近。

可知《詩經》中的「嶽」,應指太岳(霍山),而非吳嶽(岍山)。

(五)〈邶風〉〈谷風〉

「涇以渭濁」,朱先生說:「涇、渭,二水名,在今陝西省,涇濁渭清。然涇未屬渭之時,雖濁而未甚見,由二水既合,則清濁益分矣。」(頁124)按:此為朱子之說,後代詩經學家不察,皆沿襲其誤。清乾隆時派陝西巡撫秦承恩考察二川之發源,發現涇清渭濁。乾隆帝乃御書《涇清渭濁紀實》一卷[16],以明其原委。一九七一年以後,涇渭清濁的事又有人提出討論,相關的論文有李景濚的〈從詩谷風「以」看涇渭〉、楊敦禮的〈乾隆的求證精神〉、傅曄的〈涇渭混濁

---

15 該文載《清華學報》新2卷第1期(1960年5月),頁53-67。收入屈師著《書傭論學集》,頁286-306。

16 該文收入《祕殿珠林石渠寶笈續編》(臺北市:故宮博物院,1975年),頁1457-1460。

一千年〉、裴普賢的〈涇清渭濁辨〉[17]等，皆可參考。〈谷風〉的「涇以渭濁，湜湜其沚。」是說涇水因渭水而混濁，但是過一會兒水也就清了。比喻涇水終有清的一天，而她的丈夫卻不能感悟。

（六）〈邶風〉〈擊鼓〉

「死生契闊，與子成說。」朱先生說：「契闊，隔遠之義。死生契闊，言恐生遠離，生而不能見，死而永長別也。又不論是死是生，是合是離，而愛情永不渝也。」（頁114）按：漢語中有一種偏義複詞，是用兩個單音的近義詞或反義詞作為詞義組成的，其中一個詞素的本來意義成為這個複音詞的意義，另一個詞素只是作為陪襯[18]。這種詞在古書中很多，如《孟子》〈滕文公〉上：「益烈山澤而焚之」的「山澤」，偏用「山」義；《史記》〈孝文本紀〉：「生子不生男，有緩急非有益也。」的「緩急」，偏用「急」義；諸葛亮〈出師表〉：「危急存亡之秋」的「存亡」，偏用「亡」義。本詩「死生契闊」的「契闊」，偏用「契」義，是說死生都要在一起。合下句「與子成說」的意思是：「以前跟你說過，我們死生都要在一起的。」如此解釋較為通達。

（七）〈鄭風〉〈溱洧〉

「洵訏且樂」，朱先生說：「洵，信也，即誠然。訏，大也。《釋文》引《韓詩》作盱，聲同義通。盱，樂也。洵訏且樂，與洵美且都句法相似；詩三百中，時有此類疊牀架屋之句。」（頁267）此沿用屈

---

17 李文見《中華日報》第5版，1971年6月21日。楊文見《「中央」日報》10版，1973年8月15日。博文見《「中央」日報》9版，1974年2月17、18日。裴文見裴著《詩經研讀指導》（臺北市：東大圖書公司，1974年），頁131-138。

18 見王力撰《古代漢語》（臺北市：坊印本，不注出版年），上冊，頁79。該書原分四冊，1962-1964年北京中華書局出版。

師《詩經釋義》之說。按：訏，有大意，引申為寬廣。這句是說洧水之外既寬廣且好玩。並沒有疊牀架屋之感。

（八）〈豳風〉〈東山〉

「蜎蜎者蠋」。《毛傳》說：「蠋，桑蟲也。」朱先生說：「桑蟲也，即野蠶。」（頁429）即承《毛傳》之說而來，但釋桑蟲為野蠶，顯然不合。根據鄒景衡先生的研究，所謂「蠋」即桑尺蠖。〈東山〉詩的作者，正在「零雨其濛」及「倉庚于飛」的早春，道經桑野，但見滿山滿谷盡是桑林，林上全係尺蠖，蜎蜎而行，睹之觸目驚心，故詩人感而記之。詳見鄒景衡〈釋蜎蜎者蠋〉一文[19]。

（九）〈小雅〉〈信南山〉

「中田有廬，疆場有瓜。」鄭玄〈箋〉說：「中田，田中也，農人作廬焉，以便於田事，於畔上種瓜，瓜成，又入其稅，天子剝削淹漬以為菹，貴四時之異動。」朱子《詩集傳》說：「一井之田，其中百畝為公田。內以二十畝分八家為廬舍，以便田事。」（頁155）是皆以「廬」為田廬。郭沫若說：

> 「中田有廬」和「疆場有瓜」為對文，可知「廬」必然是蘆字。（《說文》：「蘆，蘆菔也。」）以前的人都把這講錯了。甚至據以為八家共井式的井田的證據。其實，這猶如「南山有臺，北山有萊」（〈小雅〉）一樣，「臺」與「萊」為對文，是莎草，並不是亭臺樓閣的臺。這兒的「廬」也斷然不是房屋廬舍的廬呵[20]。

---

19 該文載《大陸雜誌》第63卷第3期（1981年9月），頁107-112。

20 見郭氏著：《青銅時代》（重慶市：文治出版社，1945年），頁88。

所謂蘆菔，即蘿蔔。下文的「是剝是菹」，剝指蘆菔；菹指瓜。如此解釋，才能恰然理順。

（十）〈小雅〉〈采菽〉

「平平左右」。《毛傳》說：「平平，辯治也。」朱子《詩集傳》與《毛傳》同。朱先生說：「猶便便，閒雅之貌，或以為辯治也，明慧也。」（頁668）按：「平」字之古文作「□」，「采」之古文作「□」二字容易相混。本句「平平左右」，應作「采采左右」，所以《毛傳》才說：「辨治也。」《服虔》也說：「平平，辯治不絕之皃。」[21]

（十一）〈邶風〉〈擊鼓〉

「爰居爰處。」朱先生說：「爰，語詞。相當於乃，於是。」（頁114）〈邶風〉〈凱風〉：「爰有寒泉」；〈鄘風〉〈桑中〉：「爰采唐矣」：〈小雅〉〈斯干〉：「爰居爰處」。朱先生之注皆相同。〈小雅〉〈四月〉：「爰其適歸」，朱先生說：「爰，于焉之合音，猶言在何處。」（頁606）根據裴普賢先生研究，爰字作問句時即問「在何處」[22]。上引諸句之爰字，皆應作問句，比較合理。

（十二）〈邶風〉〈北風〉

「莫赤匪狐，莫黑匪烏。」朱先生說：「莫，無也。匪，讀為非。狐之毛黃赤，故云。烏之羽色黑，故云。二句言沒有赤者非彼狐，沒有黑者非彼烏，蓋即天下老鴉一般黑之意，所以諷執政之人盡奸邪者也。」（頁140）此承屈師《詩經釋義》之說。又〈小雅〉〈小

---

21 詳見惠棟撰：《九經古義》。在《重編皇清經解》（臺北市：漢京文化事業公司，1980年），卷361，頁2。

22 詳見裴先生撰：〈詩經字詞用法舉例〉，第十四條爰字。原載《東方雜誌》復刊第6卷第5期（1972年11月），頁53-65。收入裴氏著《詩經研讀指導》，頁60-97。

弁〉:「莫高匪山，莫浚匪泉。」朱先生說：「匪，同非，句謂山莫不高也。浚，深也。句謂泉莫不深也。二句以喻父母之恩莫不深厚也。」(頁578)按：〈北風〉和〈小弁〉這兩句的句法相同，匪字應同〈檜風〉、〈匪風〉之「匪」，是彼的意思。〈邶風〉二句是說沒有比那狐狸更赤的、比那烏鴉更黑的。狐毛以赤為特色，烏羽以黑為特色。以狐、烏比喻執政之人。同理〈小弁〉二句是說沒比那山更高的、比那泉更深的。以山和泉比喻父母之恩。

此外，如〈陳風〉〈東門之池〉:「東門之池，可以漚紵。」鄒景衡先生以為紵並非紵麻，此處與麻字並用，係指大麻之雌雄株而言[23]。〈商頌〉〈玄鳥〉:「景員維河」之景，根據杜正勝先生之研究，即〈殷武〉篇的景山[24]。這些雖不一定成定論，但皆可參考。以使本書之注更盡善盡美。

六　其他缺失

本書除上文所述幾種疏失外，另有一些小缺失，茲附記於此。本書欣賞品評部分，引述古今各詩經學家之說甚多。根據書前凡例，各家之說多採王鴻緒的《詩經傳說彙纂》、龍起濤的《毛詩補正》、裴普賢的《詩經評註讀本》(頁2)，亦即轉引自王、龍、裴三家。而三家所引皆未注明出處。裴氏書於卷末有「本書評析引用歷代學者名錄」，但並未注明引自何書，所以仍未臻理想。本書所引諸家既未注明何朝代，亦未注明出自何書，所引較罕見的學者，如徐退山、陳昉、徐常吉、彭執中、陳推、朱道行、陳鵬飛、沈萬釪、賀子翼、薛志學、唐汝諤、曹居貞、鄒泉、錢天錫、張耒、王志長、潘時舉、汪

23 詳見鄒景衡撰：〈釋陳風漚紵〉，載《大陸雜誌》第68卷第6期（1984年6月），頁11-18。

24 見王氏《詩經韻讀》(上海市：古籍出版社，1980年)，頁215。

應蛟、鄒忠胤、徐鳳彩、胡紹曾等，一時皆不易確知何許人。如果能注明所在朝代，引自何書，讀者將免無處覆按之苦。

其次，所引各家，或用字號，或用本名，即同一作者也有本名、字號互用者，如引龍起濤之說，大都用「龍仿山」，但也有用「龍起濤」者，如頁185、196、627、730、772、909等都是。又引何楷之說，也大多用本名「何楷」，但也有用字號「何玄子」者，如頁229、297、904等都是。學者或將以為龍起濤和龍仿山、何楷和何玄子為不同的兩人。

其三，詩篇的斷句，經研究有應改正者。如〈魏風〉〈陟岵〉，原詩之斷句作：

> 陟彼岵兮，瞻望父兮。父曰：「嗟！予子行役，夙夜無已。上慎旃哉！猶來，無止。」

其他二章也是如此。今傳大多數的《詩經》注解也如此斷句。江有誥的《音學十書詩經韻讀》則斷作：

> 陟彼岵兮，瞻望父兮，父曰嗟予子，行役夙夜無已，上慎旃哉，猶來無止。

另二章亦同。陳奐的《詩毛氏傳疏》、王先謙的《詩三家義集疏》也是如此。這樣，岵、父押魚部；子、已、止押之部，始合《詩經》押韻之原則。王力的《詩經韻讀》也如此押韻。今人陳新雄的《古音學與詩經》[25]，更闡明此說，可參考。

其四，引前人之說有誤解其意者，如〈周南〉〈葛覃〉，朱先生

---

25 陳氏之文，見《孔孟月刊》第20卷第12期（1982年8月），頁20-25。

說：「胡適之以為描寫女工放假急忙要歸情景。不知爾時有無女工，有無工廠假日？故不取焉。」（頁44）朱先生並未說明胡先生之說出自何處，但據筆者讀過胡先生的著作，僅〈周南〉〈新解葛覃〉說：「這一篇是葛布女工之歌，後世誤用歸寧二字，以為專指女嫁後回母家，遂生種種誤解。」[26]並無「放假急忙要歸」等語。且胡適所謂「女工」，是否指工廠之女工，亦不可知。朱先生卻認定為今日工廠之女工，不無誤解。

其五，本書校對頗精，錯字甚少，然偶有數處脫誤：（1）頁32，倒三行，「有陸志偉先生之《詩韻譜》」，「偉」字應作「韋」。（2）頁265，倒三行，「清，目之美也。」敚「清」字。（3）頁362，引《史記》〈秦本紀〉云：「繆公卒，葬雍，從死者七十七人。」應作「百七十七人」，敚一「百」字。（4）頁469，〈小雅〉〈出車〉第二章「胡不旆旆」之「旆」，應作「斾」。（5）頁517，〈小雅〉〈沔水〉第二章「鴪彼飛隼」之「鴪」，應作「鴥」。（6）頁763，倒一行，「壼，捆致也。」之「壼」，應作「壸」。（7）頁786，〈大雅〉〈民勞〉第五章「民亦勞止，汔可小安。」敚「汔」字。（8）頁818，第八行，「當是哀君之不順」，原敚一「哀」字。（9）頁894，〈周頌〉〈載見〉：「永言保之，思皇多祜」，敚一「思」字。

其六，注音有誤者，如〈鄭風〉〈大叔于田〉：「襢裼暴虎」，朱先生說：「襢，音旦（ㄉㄢˋ）。」（頁234）按：襢無（ㄉㄢˋ）音，應讀（ㄊㄢˇ）音。又〈小雅〉〈瞻彼洛矣〉「鞞琫有珌」，朱先生說：「鞞，音陛（ㄅㄧˋ）。琫，音菶（ㄅㄥˇ）。」（頁640）但〈大雅〉〈公劉〉：「鞞琫容刀」，朱先生卻注：「鞞，音比（ㄅㄧˇ）。琫，音蹦（ㄅㄥˋ）。」（頁773）前後不同，不知何故？

---

26 胡氏之文，見《青年界》第1卷第4期（1931年），頁21。徐高阮編：《胡適先生中文著作目錄》，並未收此文收入。徐文見《歷史語言研究所集刊》34本下冊（1963年12月），頁759-783。

七　結語

綜合上文的討論，可知朱先生於各詩篇旨的辨正、詩義的探究，皆下過很深的功夫，足供研究《詩經》者參考。至於緒論的部分的疏忽、字詞訓釋的缺失等，實在所難免，亦不影響本書之價值。然筆者以為要編纂一本較完善的詩經讀本，僅參考詩經專著是不夠的，必須注意下列各種論著：

（一）語法學的論著

應將近人有關語法學的書，如劉景農的《漢語文言語法》、周法高的《中國古代語法》、黃六平的《漢語文言語法綱要》、譚全基的《古代漢語基礎》[27]，和相關論文詳加閱讀，對詩經字詞的訓釋，必有甚多意外的發現。

（二）社會學的論著

最重要的是研究中國古代社會結構的書，如瞿同祖的《中國封建社會》、郭沫若的《中國古代社會研究》、侯外盧的《中國古代社會史論》、呂振羽的《殷周時代的中國社會》[28]等，以便對周代的社會結構有全盤性的了解。有此等知識來注解《詩經》中的相關詩篇，才不會受前人注解之影響，而前後矛盾。

---

27 劉氏書，1958年北京中華書局出版。1976年洪氏出版社翻印時，將書名改為《漢文文言語法》，作者改作「本社編輯委員會編著」。周氏書，有造句編，1961年「中央研究院」歷史語言研究所出版；又有講詞編，1962年「中央研究院」歷史語言研究所出版。黃氏書，1974年華正書局翻印時，將作者改作「黃魯平」。譚氏書，1981年華正書局有翻印本。

28 瞿氏書，1937年上海商務印書館出版，1984年里仁書局有重排印本。郭氏書，1954年北京人民出版社出版，此地有翻印本。侯氏書，1955年北京人民出版社出版，此地有翻印本。呂氏書，1962年北京三聯書店出版。

（三）植物學的論著

最重要的是植物學專家，或具有現代植物學知識之學者的著作，如德國 Emil Bretschenider 著，石聲漢譯的《中國植物文獻評論》、于景讓的《栽培植物考》、耿煊《詩經中的經濟植物》、鄒景衡的《蠶桑絲織雜考》[29]等，應詳加參考。以便了解古代植物的分布、特性等，以改正前人的缺失。

（四）器物學的論著

近代古器物出土甚多，近人研究古器物的論著也較可觀，如容庚的《商周彝器通考》、容庚與張維持合著的《殷商青銅器論》、那志良的《玉器通釋》[30]等，也應參考。這些書都附有實物圖片，比起前人憑想像而畫的圖要可信得多。當然也是糾正前人錯誤的最佳資料。

如果能從上述幾個方面來加強相關知識，要編纂一部較完整的現代《詩經》注本並不是太難的事。筆者希望喜愛《詩經》的學者，能以本書為基礎，早日將此事完成。

原載於《漢學研究》第3卷1期（1985年6月），頁361-374。

---

29 石氏譯的書，1935年上海商務印書館出版。于氏書，1958年臺灣大學農學院出版。耿氏書，1974年臺灣商務印書館出版。鄒氏書，1979年自印本，三民書局經銷。

30 容氏書，1941年北平哈佛燕京學社出版，1973年大通書局有翻印本。容氏和張氏合著的書，1958年中國科學院考古研究所出版。那氏書，分上、下冊；上冊，1964年；下冊，1970年，皆作者自印本。

評《中國哲學史論文索引》*

一　前言

作學術研究工作，必須藉助各種目錄來檢查前人的研究成果，這已是人人皆知的事。大家都知道目錄索引的重要性，願意為編目錄而犧牲奉獻的人，則少之又少。是以五花八門的學科，有目錄供人檢查的，就相當有限。

中國哲學史這一學科，自清末興起，迄今已有八十餘年的歷史。研究的成果，如將專書、論文合計，可能有數萬篇之多。學者要檢索這些資料，如無適當的目錄，可說大海撈針，困難重重。這八十多年間，並沒有為這一學科的資料編過目錄，學者要檢索資料，只能利用綜合性的目錄，如《國學論文目錄》、《中國史學論文索引》、《中國近二十年文史哲論文分類索引》、《中國文化研究論文目錄》、《東洋學文獻類目》等書。這些目錄，既不專為「中國哲學史」一科而編，收錄資料自不夠完備，分類也時有錯誤。其不合需求也是理所當然的事。

二　體例

自一九八〇年七月，中國社會科學院哲學研究所圖書資料室即編

* 編者：方克立、楊守義、蕭文德，出版者：北京市：中華書局，出版日期：第一冊，1986年4月；第二冊，1988年10月；第三冊，1988年10月；第四冊，1991年11月。冊數：四冊。

有《中國哲學史論文資料索引》，陸續在《中國哲學史研究》發表，後來中斷未繼續。然以如此龐大的資料，要在期刊中連載，必曠日費時，且也不便檢索，其中斷也不必為之可惜。

天津南開大學的方克立、楊守義、蕭文德等三位先生有感於此種工作的重要，著手開始編輯《中國哲學史論文索引》。按計畫，這套書共有五冊，分別是：

第一冊：收錄一九〇〇至一九四九年間之論文。

第二冊：收錄一九五〇至一九六六年間之論文。

第三冊：收錄一九六七至一九七六年間之論文。

第四冊：收錄一九七七至一九八四年間之論文。

第五冊：是附編，收臺灣、香港兩地一九五〇至一九八〇年間之論文。

全書五冊，預計收錄論文篇目三萬條。至一九九二年底，已出版前四冊。就已出版的四冊加以考察，全書的基本體例是：

1. 按時代和內容分類：計分總論、先秦、秦漢、魏晉南北朝、隋唐五代、宋元、明清、近代八大類。每一大類又分數十類，如先秦一類，又分概論、儒家、墨家、道家、法家、名家、陰陽家、兵家、農家、縱橫家、雜家、其他等十三類。每一類下又分數小類，或數十小類不等。

2. 收錄資料範圍：以公開發行的中文期刊、報紙為主，也收錄有關輯刊、紀念特刊、論文集中的篇目。

3. 各條目的目錄項：每篇論文均按篇名、著譯者、報刊名稱、卷期、出版年月等項著錄，一篇論文曾在兩種以上報刊發表者，第二次以下，僅錄報刊名、卷期、出版年月，且與第一次的目錄項並排著錄。

4. 書末附錄資料：每一冊後附有〈所收報紙期刊一覽表〉和〈著譯者索引〉。

以上是本書編輯的基本體例。對基本體例有簡單的理解，才能進行下面數小節的批評工作。

三　優點

要評判一部目錄的好壞，最簡便的方法是將該目錄與同時代、同性質或性質相近的目錄相比較。可是，在以前並沒有人編輯過《中國哲學史論文目錄》一類的書，所以本書的優劣可能無法藉比較而得。但是，目錄是為方便檢索資料而設，資料是否齊全、分類是否合理、檢索是否方便，也成了評判目錄優劣的通則。

根據上述原則，本索引至少有幾點值得注意：

1. 第一套哲學史論文索引：寫一部前人未曾寫過的專著，蒐集資料，擬定章節，都得從頭開始，其困難不問可知。編一部前人未曾編過的索引，毫無資料可做憑藉，一條條的資料，全要重新抄錄，工作過程之艱辛，實非常人所可理解。本索引不論有多少缺失，此一開創之功，都值得後人感謝。

2. 涵蓋時間長，資料齊備：綜合性索引因收錄範圍廣，涵蓋時間都比較短。專門性索引，因專為某一學科而編，涵蓋時間往往很長。時間長，資料自然較豐富。本書收錄一九〇〇至一九八四年間，整整八十五年間的資料，不但展示了這段期間學者研究的總成績，更可提示學者將來研究的方向，也間接提昇了中國哲學史研究的水平。

3. 兼收論文集，擴大索引的功能：以前編輯索引，往往是期刊、報紙、專書分開編，論文集則當作專書處理，未能將所收的論文作分析條目。為能發揮論文集的學術功能，與期刊索引一起編排，實有其必要。民國初年，于式玉所編的《日本期刊三十八種中東方學論文篇目》和《一百七十五種日本期刊中東方學論文篇目》，已將期刊、論文集篇目混合排列。本索引第一冊收論文集十種，第二冊收九十三種，第四冊收一五九種（第三冊未收），合計收錄兩百餘種。雖然數量不夠多，但對讀者檢索論文集中的資料仍舊有不少幫助。

四 疏失

編輯目錄是件偉大的學術工程，編者的識見、人力、物力是否能配合，資料蒐集是否齊備，都足以影響目錄編輯的優劣。以下所提本索引的種種缺失，自與上述情況有關。

1. 未能兼收專著：索引的功用既在方便讀者檢索，則只要這一學科內的資料，應不分專著或論文，一概加以收錄。日本人編的目錄比較有這種觀念，所以不叫「論文目錄」，而叫「文獻目錄」。大陸所編的各種索引，大多專書、期刊論文各自成一系統，非常不方便檢索。本索引已知收錄論文集，卻未能兼收專書，實為美中不足。

2. 按論文發表時間分冊，增加檢索的困擾：涵蓋時間長，資料多至數萬條的索引，往往必須分冊。分冊的方法往往依資料的性質而定。如以本索引來說，也許是先秦兩漢一冊、魏晉至五代一冊、宋元明一冊、明清近代一冊，比較理想。可是，本索引的編者，卻按論文發表的先後，先分為四冊，再配上臺港一冊，合計五冊。既以發表時代分，又按地區分。讀者要檢索一位哲學家的資料，就必須一至五冊全部查閱，這是多麼不方便！

3. 各小類未再細分，也不便檢索：本索引每一小類中的條目，都僅按發表時間先後編排而已。如果這一小類中的條目少，內容又單純，按發表先後排，也沒有關係。如果條目多，內容又龐雜，檢索起來就相當費時。如第一冊孔子一類，有三十一頁之多；周易一類，有二十二頁之多。要檢查其中某些論題的條目，必須逐頁檢索，有時眼睛疲倦，看走眼，又得重來。如果能將這些類目，再分成若干細目，將更方便讀者。

4. 未能標明起迄頁數：民國以來的各種目錄索引，目錄項都不夠完整，有的非但未註明起迄頁數，連出版年月也闕如。本索引雖已為每一條目標明出版年月，卻仍舊未標明起迄頁數。其實目錄索引中標明頁數，至少有兩點作用：（一）讓讀者一找到該期刊，即可查到所需的論文，不必再查核該期刊的目次，確定頁數，再找論文。（二）可從標明的頁數看出該論文的分量，以初步決定是否要找來參考。本書的資料，既是實地查閱各期刊而得，把起迄頁數省掉，實有點可惜。

5. 附錄未能前後一貫，索引檢查不便：根據第一冊的「編輯體例」，每冊後均附有「著譯者索引」。可是本書第一、二、四冊有索引，第三冊卻沒有。這是本索引最嚴重的缺失。不論有多充足的理由，皆無法彌補此一疏失。再者，由於本書並未為每一條目編上流水號，作為代號，要編著譯者索引時，每一條目只好以該條目所在的頁數作為代號。如要查嵇文甫的論文，打開第一冊著譯者索引，頭一個頁數是「二十四」，表示在第二十四頁有嵇氏的論文條目。可是，第二十四頁有條目十四條，必須逐條核閱，才可查到所需的條目。時間上是多麼的不經濟！

6. 出版時間拖延太長，失去時效：每一種目錄，收錄資料都有其斷限。出版速度快，目錄才不會失去時效，本索引資料截止時間是一九八四年，這一部分資料收在第四冊。臺港資料則僅收到一九八〇年，這一部分資料收在第五冊。可是第四冊出版於一九九一年十一月，中間已隔了七年。第五冊臺港部分尚未出版，如能在今年出版，中間也隔了十二年。這些年間的資料，本索引皆無法收入，要資料新穎完備，就得再重新編一本。由此也可以看出大陸學界的工作效率是如何了。

五　結語

大陸在這幾十年中，雖編有不少目錄，但依筆者觀察，除《中國語言學論文索引》編輯體例較嚴謹外，其他各目錄體例上的缺失不少。如果要加以評分，大多僅及格邊緣而已。本索引是第一本中國哲學的論文目錄，有開天闢地之功，涵蓋時間長，也能注意收集論文集中的資料，使原本單一功能的目錄，變成雙重功能。這些都是值得稱許的地方。

至於本文所提的種種缺失，如：1.未收專書資料；2.按論文發表時間分冊，增加檢索困擾；3.各小類未再細分，也不便檢索；4.未能標明起迄頁數；5.附錄未能前後一貫，索引檢查不便；6.時間拖延太長等六項缺點，大都是本書的結構問題，除非把整部書重新編過，不然，已無法再補救。

唯一盼望的是，大陸以後再編目錄時，能多參考海外既有的目錄。在臺灣，綜合性的目錄，如「央圖」的《期刊論文索引》（簡稱）、漢學研究中心的《漢學論著選目》；專科性的，如「央圖」的《中國近二十年文史哲論文分類》、《中國文化研究論文目錄》、東吳大學的《中國法律論文分類索引》，和本人主編的《經學研究論著目錄》、《朱子學研究書目》。在日本，則有《東洋學文獻類目》。這些目錄體例較完善，可給大陸學者參考的地方很多。能多參考、研究別人的長處，才能提昇編輯目錄的水平。

原載於《鵝湖學誌》第9期（1992年12月），頁173-179。

朱子學研究成果的總匯

——談《朱子學研究書目》

朱子學自南宋以來，有數個階段的新發展，如元代和明初，大部分經學和哲學著作，都在闡述朱子思想，形成學術思想史上所謂的「述朱」時代。明中葉王陽明「心學」興起，「朱陸異同」也成為哲學上論爭最激烈的主題。清初，陽明「心學」勢力逐漸衰竭，朱子學再度復興，造就前所未有的朱學時代。從此，朱子思想深入各個層面，至今仍處處有朱子影響的痕跡。

在韓國，朱子學由中國傳入後，也盛極一時，出現了金宏弼、鄭夢周、李退溪等朱子學家。在日本，朱子學於元仁宗時傳入，南村梅軒、藤原惺窩、山崎闇齋等人，相繼出現，宏揚朱子學不遺餘力，使德川幕府成為日本朱子學最後發皇的時代。至如東南亞各地，中國人的地方，都可發現朱子的影響力。

自十七世紀開始，歐洲的傳教士也開始注意朱子之學，此後翻譯朱子之著作，闡發朱子思想之精蘊等，每年皆有新作出現。一九八二年更在夏威夷召開有史以來第一次的「朱子學國際會議」，舉世注目。朱子學之成為國際性的學術，於此更得到有力的證明。

朱子學既成為國際性的學問，研究朱子學的人遍布世界各地。研究成果所發表的媒介，也不僅限於期刊、報紙、或出版專著，有的可能出現在論文集，或在會議上宣讀，甚至學位論文，或是各種獎助計畫的論文，……等等，不一而足。要窺知朱子學研究的成果如何，非有一專門性的目標加以統合不行。是以編輯朱子學研究書目的事，也成為朱子學研究的重要課題之一。

一九八六年《上饒師專學報》第三期增刊刊載趙炳熙的〈朱熹研究論著索引〉，收論文261條，專書66條，朱子年譜102條。可說是較早彙錄朱子學研究成果的書目。可惜，全論文、專著，也僅收327條而已。且各條目的著錄方式，也非常不方便檢索，如潘富思的〈論朱熹〉一文，先發表於《浙江學刊》1981年1期，後來收入中國人民大學編輯的《複印報刊資料（中國哲學史）》1981年3期中，趙氏書目的著錄方式「人大複印資料 B5 1981年3期」。這種著錄方式，至少會引起兩種誤解。其一，中國人民大學的複印報刊資料，全名並不是「人大複印資料」，假如有讀者從「人」字來查這條資料，根本查不到。其次，用B5來代表「中國哲學史」，這只不過是出版者的編號，一般讀者怎麼知道「B5」代表什麼？既如此，如何查到資料。趙氏書目中，此種疏忽不少。

一九八八年戴瑞坤先生出版《陽明學漢學論集》一書，書末附有〈朱子學研究論著目錄〉收論文、專著，計686條。比趙炳熙的書目要多出兩百餘條。戴先生曾到日本就學，且專研宋明理學，對日本朱子學的資料蒐集不少，這是戴氏書目最有價值的地方。可惜此一書目各條篇目的出處，皆只注卷期，不注頁次；出版日期，也僅注明出版年，不注出版月。所注之出版年，又往往有誤。且因對資料性質不夠熟悉，著錄不夠清楚者也不少，如：尹士德〈對「朱子的天體演化思想」一文的幾點意見〉一文，戴氏所注的出處是：「哲學 405 1963」，正確的出處應該是「人民日報哲學405期 1963年某月某日」，如果從「哲學」二字去查詢，如何查到資料？

一九九〇年六月國際文化出版公司，出版吳以寧《朱熹及宋元明理學》，收論文專著752條。吳氏書目收錄不少文革期間批朱子的論文條目，這是該書目較有用的地方。可惜，由於編者對目錄性質認識不清，且對臺灣和海外資訊的認識不足，所著錄的資料訛誤太多。且誤收非朱子的資料，如《朱子治家格言》，並非朱子所作，而是清人朱柏廬之作，吳氏書目卻收有〈朱子治家格言選批〉的條目。

如將上述三種書目剔除重複部分，所收朱子學論著條目，實不及一千條。可是，本世紀以來的九十年間，研究朱子學的論著條目，是否僅僅這一千條而已？恐怕是上述三種書目的編者收羅不夠廣，遺漏太多所致，本人一直從事中國經學史的研究，朱子的經學涉及《周易》、《尚書》、《詩經》、《三禮》、《春秋》、《四書》、《孝經》等書，規模體系皆甚為龐大。研究經學史，如不研究朱子，宋元以後的經學，實在研究不下去。因此，一面蒐集研究朱子經學的論文，一面把涉及朱子的論著條目抄錄下來。慢慢地，發現前人所編的書目確實遺漏太多。日本人曾主編過《經學研究論著目錄》，略諳目錄編輯方法，遂有重新編輯朱子學書目的念頭。這一書目，本預計明年才出版，恰好本所將於五月召開「國際朱子學會議」，及改變編輯計畫，邀請東吳大學中國文學研究所碩士班馮曉庭、許維萍二弟協助編輯，將書目定為《朱子學研究書目》。

個人覺得這本《朱子學研究書目》（以下稱《本書目》）至少有下列數大特點，為以前數種書目所不及，茲分述如下：

其一，資料蒐羅完備：《本書目》收錄條目有2251條。如就地域來說，包括大陸、臺灣、香港、新加坡、韓國、日本、歐洲、美國等地的資料；就文學來說，則有中文、韓文、日文、德文、法文、英文等國文字的資料。比趙炳熙書目，多出1924條；比戴瑞坤書目多出1565條；比吳以寧書目多出1499條。此不但證明了坊間朱子學書目資料的不足，更可證明朱子學研究的蓬勃發展。讀者欲查詢朱子學研究的成果，《本書目》將可提供較完備的資料。以免左右搜尋之苦。

其二，分類細密合理：趙炳熙的書目，僅將所收論文書目，分成綜述、哲學思想、政治思想、社會和倫理思想、教育思想和教學方法、語言文學藝術等思想六大類。資料最多的哲學思想竟未加細分。戴瑞坤的書目，僅分專著和論文，並未就內容分類。吳以寧的書目，也僅將資料粗分為生平與評介、宗教與經學、哲學思想與學術論辨、教育思想與教育方法、語言與文學、其他等類。《本書目》的分類，比上述三目更為細密，如經學一類，再細分為綜論、周易、尚書、詩經、三禮、春秋、四書、孝經。每一類再依實際情況細分。哲學思想這一大類，更細分為數十小類之多。讀者可即類求書，以免盲目搜尋，浪費時間。

其三，體例完整齊備：《本書目》中的期刊論文條目，著錄作者、篇名、期刊名、卷期、頁數、出版年月等項；論文集論文條目，則著錄作者、篇名、論文集名、頁數、出版地、出版者、出版年月等項；專書則著錄作者、書名、出版地、出版者、頁數、出版年月等項。都比以前的書目完備。專研朱子的論文集，除將論文篇目散入各類外，更另立「論文集」一目，將其篇目一一排列出來，方便讀者了解該論文集的全部內容。為使讀者確知每次朱子學會議有哪些學者參加，發表哪些論文，也另立「學術會議」一目，將各次會議的論文篇目依次排列出來。當然這些篇目，仍依《本書目》的體例，也散入各類中。這些體例，都是以前的書目所沒有，而為《本書目》所新創。

就《本書目》的資料、分類、體例等方面來說，可以說是朱子學研究資料的大成。我們所以要如此說，只不過略盡個人棉薄之力而已。但願《本書目》出版之後，對提昇專科書目的編輯水平能有些許的貢獻。

原載於《國文天地》第8卷1期（1992年6月），頁39-41。

評陳榮捷著《王陽明傳習錄詳註集評》

一　前言

自明代中葉起，陽明之哲學可謂聲光萬丈，籠罩一世。其弟子遍及全國，若依黃宗羲《明儒學案》所分，約有浙中、江右、南中、楚中、北方、粵閩、泰州等派。其中以浙中、江右、泰州影響後代最深。明末清初，學者漸厭心性說之空疏，抨擊王學末流者日多，王學也逐漸衰微。當王學於國內逐漸失勢時，在東瀛有了新據點。日本之提倡陽明學，始於十七世紀初之中江藤樹，其後經熊澤蕃山、三輪執齋、佐藤一齋、大鹽中齋之提倡，遂成一足可與朱子學相匹敵之學派[1]。二十世紀初，亨克（F. G. Henke）著《王陽明之生平與哲學》（*A Study in the Life and Philosophy of Wang Yang-Ming*），陽明之學又於西方世界萌芽。近十數年來，歐美有關王學之專著竟有十數種之多[2]。足見陽明學已蔚為一世界性之學問。

研究陽明哲學，最基本之資料實為《傳習錄》。蓋陽明哲學之創意乃致良知之教，如就《傳習錄》三卷觀之，卷一僅提及「良知」四次，至卷二、三則「良知」俯拾皆是。所以，要深究致良知之內涵，捨《傳習錄》已無他書。若就三百餘年來，研究《傳習錄》之成果觀

1　參見戴瑞坤：《陽明學說對日本之影響》（臺北市：中國文化大學出版部，1981年），頁174-235。

2　參見陳榮捷：《歐美之陽明學》，《華學月報》第4期（1972年4月），頁36-47。

之，國人之作，有王應昌《王陽明先生傳習錄論》、孫鏘《傳習錄集評》、葉紹鈞《傳習錄點注》、許舜屏《評注傳習錄》、但衡今《王陽明傳習錄札記》、于清遠《王陽明傳習錄注釋》[3]、吳爽熹《陽明傳習錄之研究》[4]等七種。各書或注或評，或綜合研究，皆有勝場，然實未至善。至於日人之研究成果，有三輪執齋《標註傳習錄》、佐藤一齋《傳習錄欄外書》、東正純《傳習錄參考》、東敬治《傳習錄講義》、小野機太郎《現代語譯傳習錄》、山田準《王陽明傳習錄講本》、安岡正篤與中田勝《傳習錄諸註集成》。山田準與鈴木直、山木正一、近藤康信、中田勝、安岡正篤，又皆有譯注本[5]。另有九州大學中國哲學研究室編的《傳習錄索引》。林林總總，不下十餘種。可見，就質量來說，國人之研究成果，皆不及日人。這是國人應警惕的一件大事。去年年底，陳榮捷先生《王陽明傳習錄詳註集評》出版，國人於學術競爭的頹勢中，或稍可扳回一城也。

陳榮捷先生早年留學美國哈佛大學，以《莊子哲學》論文，榮獲該校哲學博士學位。歷任嶺南大學教務長，美國夏威夷大學（Hawaii University）、達慕斯大學（Dartmouth College）、徹含慕大學（Chatham College）、哥倫比亞大學（Columbia University）等校教授。曾將陽明《傳習錄》、朱子與呂祖謙合編之《近思錄》等譯為英文。又編有《中國哲學資料書》（*A Source Book in Chinese Philosophy*），將中國近三千年的哲學論文，選譯為英文，並敘述其流變。又曾為《大英百科全書》各版撰述中國哲學部分。並任《哲學百科全書》（*The Encyclopedia of Philosophy*）中國部分主編。歐美學術界譽為介紹東方哲學文化

3 以上所述諸書，詳見陳榮捷：《王陽明傳習錄詳註集評》（臺北市：臺灣學生書局，1983年），頁16-22。

4 本書為輔仁大學哲學研究所碩士論文，1971年作者自印本。

5 以上所述諸書，詳見陳榮捷：《王陽明傳習錄詳註集評》（臺北市：臺灣學生書局，1983年），頁16-22。

思想至西方最為完備周詳之中國大儒[6]。中文著作則有《王陽明與禪》、《朱子門人》、《朱學論集》等[7]。陳先生於英譯《傳習錄》之餘，又以國內無《傳習錄》之善本，國人取資無由，遂就其英譯之經驗，參以近代諸家注評，編成《王陽明傳習錄詳註集評》。

二　本書之內容及特色

全書首為概說，分四部分：甲、〈傳習錄略史〉，敘述《傳習錄》卷上（初刻《傳習錄》)、《傳習錄》卷中（續刻《傳習錄》)、《傳習錄》卷下（《傳習續錄》）之刻成經過，及〈陽明朱子晚年定論〉之所以附入《傳習錄》卷末。乙、〈傳習錄版本〉，依各版本刻成時代之先後，計錄有版本一十九種，或為本國刻本，或為日本刻本，或為英譯本，皆混合排列。丙、〈傳習錄之注評〉，錄有中日文注評三十二種，亦混合排列。陳先生云：「以注釋論，則日本較勝。以評論言，則中國方面為優。」（頁16）丁、引用書簡稱與版本，條舉引用書二十種，列其書名、作者、版本等。

其次為《傳習錄》之正文，分五部分：（1）《傳習錄》卷上，有徐愛、陸澄、薛侃等所錄，計129條。（2）《傳習錄》卷中，有〈答顧東橋書〉、〈啟周道通書〉、〈答陸原靜書〉、〈答陸原靜第二書〉、〈答歐陽崇一〉、〈答羅整庵少宰書〉、〈答聶文蔚〉、〈答聶文蔚第二書〉、〈訓蒙大意示教讀劉伯頌〉等九書。陳先生將各書依段落分條，計有71條（即第130條至200條）。（3）《傳習錄》卷下，有陳九川、黃直、黃修易、黃省曾、黃以方所錄，計142條（即201條至342條）。全書總計342條，每條皆加新式標點，以便閱讀。各條後，先集錄各家評語，

6　見陳澄之編：《廣東開平陳榮捷先生年譜》，頁11，收入陳榮捷：《王陽明與禪》（臺北市：無隱精舍，1973年5月）。

7　《朱子門人》和《朱學論集》，皆1982年臺灣學生書局印行。

次為詳注各種典故。此為本書最見工夫處，亦即本書價值所在。（4）《傳習錄》拾遺，就日本注本所增之27條，附以〈年譜〉及《陽明全書》中有關之論學語而成，有51條。（5）《朱子晚年定論》，將陽明此書所錄朱子34封書簡，加以新式標點，以利後人參照閱讀。

其三為附錄，即陳先生〈從朱子晚年定論看陽明之于朱子〉一文[8]。全文旨在論述陽明編成《朱子晚年定論》後，當時及後代學界之反映，並就其得失加以評斷。陳先生以為陽明此書之「最大缺點，在斷章取義，獨提所好，……所採三十四書，實只代表二十三人。朱子與通訊者，所知約四百三十人。今所取幾不及二十分之一。即此可見其所謂晚年定論，分毫無代表性。」（頁445）陳先生又以為陽明編《定論》，乃因其說新奇，令人懷疑、譏笑，馴至攻擊，故欲調停解紛，與援朱入陸、入禪無關也。至於所謂定論，實非朱子之定論，乃是陽明之定論，以見陽明之不出乎朱子。陳先生所論，頗不囿於成說，可謂深思有得之作也。

本書既為中、日、歐美諸《傳習錄》注本最晚出之作，必有前人所不及者，茲分述如下：

1. 注釋力求詳贍：陳先生曾編譯《中國哲學資料書》、《近思錄》、《傳習錄》等，於有關哲學概念之演變和典故之出處，必已瞭如指掌。今以如此豐富之經驗，來為中文本《傳習錄》作注，自能左右逢源。陳先生述其為本書作注之態度云：「注中有詞必釋，有名必究，引句典故，悉溯其源。不特解釋，且每錄經典原文，以達全意。注家有所引者，皆檢查原書，備舉卷頁。」（頁5）詳覈全書內容，實非虛言。且注釋中需考證始能明之者，也能不吝惜筆墨，詳引各種資料，以定其是非。如卷中錢德洪〈序〉後引有佐藤一齋所引《陽明答

---

8 本文原發表於《中國書目》季刊，第15卷第3期（1981年12月），頁15-34。後收入陳先生所著：《朱學論集》（臺北市：臺灣學生書局，1982年），頁353-383。

徐成之第二書》：「若有以陰助輿庵而為之地者。」（頁160）日本《陽明學大系》卷三以為輿庵即王文轅，先生詳引諸書以明其非。第139條注割股事，詳言李紱《割股考》，引《魏書》〈孝子傳〉張密至孝事，實有誤。並條舉歷代割股事數十則，論述一千七百餘字，最為詳盡（頁184）。第204條有「復與于中、國裳論內外之說。」（頁288）于中，日人皆以為姓王，先生則詳加論證以為子中之誤（頁289）。各條中此類之注甚多，皆糾正前人失誤者，亦即本書注文最大之特色。

2. 集評兼容並蓄：陳先生的英譯《傳習錄》，並未蒐錄諸家評語。本書則廣擇中、日陽明學家之評語二十餘家。中國之評家有馮柯、劉宗周、孫奇逢、施邦耀、黃宗羲、王應昌、唐九經、陶潯霍、孫鏘、梁啟超、許舜屏、但衡今、于清遠等。日本之評家則有三輪執齋、佐藤一齋、吉村秋陽、東正純、東敬治等。先生云：「以前諸家從未採馮柯，亦不用日人東正純與國人但衡今富有哲學性之精到案語。後者或未之聞，前者則必其以馮氏攻擊陽明而避之也。今純以學術立場為主，贊毀在所不論。其于陽明之言有所發明或修正，如劉宗周與佐藤一齋等人之語，則寧多毋少。其徒事表揚或止重述陽明之意，如孫奇逢、東敬治等人之語，則寧少毋多。」（《概說》，頁5）此可見陳先生採錄前人評語之態度。且先生於前人之評，間有自下按語者，或糾駁日人評語之失，或闡發陽明之意。此可見陳先生於陽明哲學之契會。所錄二十餘家之評，可謂集中、日諸評之大成，皆先生苦心蒐羅之功也。

3. 拾遺巨細無闕：謝廷傑所編《王文成公全書》之《傳習錄》，計有342條。如以此數為準，與他本相較，則諸本共增多36條。此36條，均載於佐藤一齋之《傳習錄欄外書》。佐藤氏于《傳習錄》99條註又舉一條，合上數計37條。陳先生又從《王文成公全書》卷目錢德洪之刻文敘說錄出四條，為拾遺之第38至41條。此外，又從陽明年譜抄出陽明論學語十條，為第42至51條。總計增拾遺51條。陳先生云：

「今之增補，不時志求完整，而亦因拾遺諸條有新義也。如拾遺第2條言工夫本體，誠為《傳習錄》第204、315、337等條所不及。拾遺第4，鄉愿狂者之辨，此《傳習錄》312條為精微。拾遺第5條，言尊德性；第23條伊川言覺；第24條，言戒慎與慎獨之關係，皆有新見解。凡此，于王學研究，不無小補也。」（《概說》，頁6）則先生為呈顯陽明哲學之全貌，爬羅剔抉之苦心，已彰彰明著。

就上述三點觀之，本書在學術上之貢獻，不言可喻。然而於內容所涉甚廣，難免有照顧欠周者。茲就知見所及，提出檢討。

三　傳刻及版本問題

關於《傳習錄》之刻成，陳先生於〈概說〉甲、《傳習錄略史》，說之已詳。其中《續刻傳習錄》的刻成問題，陳先生曾云：

> 嘉靖三年（1524），陽明五十三歲。是年十月，門人南大吉以《初刻傳習錄》為上冊，陽明《論學書》九篇為下冊，命弟逢吉校對而刻于校（今浙江紹興），為《續刻傳習錄》。（〈概說〉，頁8）

此云《續刻傳習錄》刻成於嘉靖三年（1524）。然陳先生又於《傳習錄》卷中錢德洪〈序〉：「昔南元善刻《傳習錄》於越，凡二冊」，作注云：

> 《傳習錄》，薛侃首刻于虔為三卷。據《年譜》，嘉靖三年（1524）十月，南大吉刻《傳習錄》，又名《續刻傳習錄》，凡二冊。上冊即虔刻三卷，下冊錄陽明八書。然《年譜》繫〈答顧東橋書〉于嘉靖四年（1525），繫〈答歐陽崇一書〉與〈答

聶文蔚書〉于五年（1526）。則南大吉之刻，或在嘉靖三年之後。（頁162）

此處陳先生因《年譜》繫〈答顧東橋書〉於嘉靖四年，繫〈答歐陽崇一書〉與〈答聶文蔚書〉於嘉靖五年，遂定《續刻傳習錄》之刻成時代為「嘉靖三年之後」。似較《略史》部分肯定為三年更加審慎。然筆者以為《傳習錄略史》既在論述《傳習錄》之傳刻經過，有關上述三書所引起之問題，自應詳加討論，不應略不之及。而注釋中再涉及此問題時，只須見前文即可。如此，不但可避免衝突，更可節省篇幅。

陳先生於《傳習錄略史》中，既列有版本一項，大概是將古今有關《傳習錄》之各種版本全數蒐羅，再評其得失，然就筆者所知，約有下列數種版本，陳先生未計及：

一、《王陽明傳習錄》

在一九三五年十月沈卓然重編《王陽明全集》內。有民國六十九一九八〇年八月臺灣文友書店影印本。

二、《王陽明傳習錄及大學問》（附《王陽明年譜》）

一九五四年八月「國防部總政治部」印行。封面注云：「國軍幹部必讀」。由此本可知，政府遷臺以來思想教育之一斑，及國內王學盛於朱學之緣由。

三、《王陽明傳習錄》（附大學問）

一九五四年十月正中書局影印本。版本與正中書局《王陽明全書》中之《傳習錄》相同。

四、《王陽明傳習錄》（附大學問）

一九六三年九月樂天出版社影印本。

五、《傳習錄》

一九八三年四月大夏出版社排印本。即根據葉紹鈞點注本重新排印。將葉本隨頁之附注，改為篇末注釋。

國內之版本計有上述五種。國外另有：

1.《傳習錄》 亨克（F. G. Henke）譯

收入亨克《王陽明哲學》（*The Philosophy of Wang Yang-Ming*），一九一六年出版。此為陳先生之《歐美之陽明學》一文所述及。此書內容欠佳，陳先生所以不將其列入，殆因此故也。然蒐集版本，旨在見其發展之跡，不必因後出之佳，而忽略其開創之功。

2.《傳習錄》 富山房編輯部編

一九七五年富山房印行，《漢文大系》第十六種。

以上二書筆者皆未之見，內容如何，不可得而知。上述諸種版本，皆非至要，然既要明其著其版本，就應寧濫勿缺。

四　年代疏忽

本書有關年代的疏忽有兩點，一為生卒年有誤，二為各年號後所附西元年代有誤。先說前者。本書每提及某一思想家，皆附有西元之生卒年。惟細察所附生卒年，頗多可議者，茲條舉如下：

1. 程頤（1037-1107）（頁25）。按：程頤之生年，各家年譜皆作1033年。
2. 閻若璩（1635-1704）（頁65）。按：若璩之生年，張穆閻《潛邱先生年譜》作明崇禎九年，即1636年。
3. 蔡元定（1135-1191）（頁93）。按：元定卒於宋寧宗慶元四年，即1198年。
4. 陳獻章（1482-1500）（頁165）。按：獻章生於明宣宗宣德三年，即1428年。此云1482年，必為鉛字誤植。
5. 湛若水（1471-1555）（頁284）。按：《明儒學案》卷三十七甘泉庚申四月卒，年九十五。庚申即嘉靖三十九年（1560），上推95年，即憲宗成化二年（1466）。陳先生云1471至1555年，或根據誤本而錄。

6. 王時槐（1522-1593）（頁333）。按：《明儒學案》卷二十，《江右王門學案王時槐傳》云：「乙巳十月八日卒，年八十四。」乙巳即萬曆三十三年（1605）。此云1593年，非也。
7. 曹端（1374-1434）（頁437）。按：各家年譜所記曹端之生平，或作明太祖洪武九年（1376），或作十年（1377），似未見作1374年者。
8. 王守仁（1492-1529）（頁437）。按：陽明生於明憲宗成化八年，即1472年。

至於各皇帝年號下所附西元年代，錯誤亦多，茲列之如下：

1. 正德十三年（1517），陽明四十七歲（頁8）。按正德十三年為1518年。
2. 《初刻傳習錄》。正德十三年（1517），薛侃刻於江西虔州為三卷（頁12）。按：其誤同上。
3. 陳龍正，號幾亭，崇禎四年（1634）進士（頁13）。按：崇禎四年為1631年，非1634。陳龍正於崇禎七年（1634）中進士。此處四年，應改作七年。
4. 標註《傳習錄》，日本正德三年（1712）編（頁14）。按：應作1713年。
5. 《劉子全書》遺編，二十四卷，光緒二十五年（1892）重修（頁16）。按：光緒二十五年，為1899年。
6. 烈士雲井龍雄（慶應六年，一八七年年，卒，年二十七）手鈔《傳習錄》九十六條為二卷（頁21）。按：慶應似無六年，1870年為明治三年。
7. 近藤康信釋，《傳習錄》，昭和三十六年（1960），東京明治書院發行（頁21）。按：昭和三十六年為1961年。
8. 紹興元年（1190），朱子以《大學》、《論語》、《孟子》與《中庸》為四書（頁26）。按：紹興元年是1131年，朱子僅兩歲。此應作紹熙元年。

9. 正德三年（1506）二月，太監劉瑾柄政（頁26）。按：正德三年為1508年，非1506年。實則，此為正德元年（1506）事。

10.年譜正德八年（1512）錄此段（指徐愛跋）為徐愛自序（頁55）。按：正德八年為1513年。

11.太田錦城《疑問錄》，天保二年（1822）本（頁70）。按：天保二年為1831年。

12.高祖六年（201）尊太公為太上皇（頁82）。按：應作西元前201年。

13.嘉靖九年（1552年），陽明歿後六年，門人四十餘人，合同志會於京師（頁141）。按：嘉靖九年為1530年，非1552年。又按年譜，陽明卒於嘉靖七年，嘉靖十一年門弟子四十餘人合同志會於京師。此乃陽明卒後四年。此處云嘉靖九年門弟子會於京師，又云此為陽明卒後六年事，皆誤。

14.錢德洪，正德八年（1529）與王畿入京殿試（頁161）。按：正德八年為1513年。此處應作嘉靖八年（1529）。

15.張叔謙，嘉靖十六年（1138）進士（頁358）。按：嘉靖十六年為1537年。

以上為本書所附年代疏誤處。筆者讀本書時，常思考各年代致誤之由，但總不得其解。或陳先生寫作時隨見隨附，未及詳覈所致。

五　注解體例可商者

本書為注釋古書之作，注釋時必有其體例。由於陳先生並未在書前附上「凡例」，所以注解時之體例不得而知。若依平常注書之標準來覈按全書之注解，有些體例似頗可商榷。茲述之如下：

按注解常例，一詞在書中出現兩次或兩次以上者，皆在首次出現時詳加注解，再次出現時，即可參見前文。一則求體例一致，再則可節省篇幅。如依此例詳覈本書之注解，大都符合要求，然可商者亦有數處：

1. 卷上徐愛〈引言〉，注二云：「舊本，即十三經《禮記》之《大學》，程頤、程顯，與朱子，均改易章句，參看第129條，注二。」（頁26）
2. 第73條，注一云：「志至氣次，參看81條，注二。」（頁101）
3. 第108條，注二云：「一源，語出〈伊川易傳序〉。參看156條，注五。」（頁131）

此三條，所釋之詞為「舊本」、「志至氣次」、「一源」三詞，陳先生皆不在其首次出現時詳釋之，卻要讀者參見後文，恐非所宜。又鄒守益之名出現多次，本書之處理也未盡理想，如：

1. 第312條，注二云：「鄒謙之，名守益，參314條，注二。」（頁355）
2. 第314條，注二云：「鄒謙之，名守益，字謙之，號東廓（1491-1562）。……」（頁359）
3. 第342條，注二云：「鄒謙之，參看314條，注二。」（頁385）

此處於314條詳注之，卻要312條與342條參見314條，甚乖體例。又如272條已有告子一詞（頁330），本書不加注解，卻於273條再次出現時才注之（頁330），也不合常理。

此外，有些名詞出現兩次，各有解釋，釋文互有出入。如《大詞》一詞，卷上徐愛〈引言〉注一已釋之（頁25），42條注二又重釋之（頁79），內容甚不一致。又有些書，前後各有引用，名稱卻不統一，如32條集評有《姚江釋毀錄》（頁71）一書，以後引用時，僅作《釋毀錄》。毛奇齡《王文成傳本》，107條注一（頁129）、121條注一（頁145），皆引作《王陽明傳本》；122條注一（頁147），則作《王文成傳本》。此皆有待改進。

至於各條注解之內容，誠如陳先生所說：「有詞必釋，有名必究。引句典故，悉溯其源。不特解釋，且每錄經典原文，以達全意。」(《概說》，頁5）然有些詞似僅明其出處，而未加詮釋，如：

1. 腔子：《二程遺書》，卷七，頁一上，「心要在腔子裡。」不指明為明道語抑伊川語。……（頁86）
2 氣象：《延平答問》上，頁十七下至十八上。(頁103）
3. 會其有極：《書經洪範》：「無有作好，遵王之道。無有作惡，遵王之路。無偏無黨，王道蕩蕩。無黨無偏，王道平平。無反無側，王道正直，會其有極。歸其有極。」(頁125）
4. 方外：語出《易經》、《坤卦》、《文言》。(頁139）
5. 厭然：《大學》，第六章。(頁144）
6. 明心見性，定慧頓悟：見《六祖壇經》第八、十三、三十、三十五、三十六等節。(頁165）
7. 曆律：曆法呂律。(頁192）
8. 常惺惺：瑞巖禪師之語，見於《五燈會元》，第七章。《明覺禪師語錄》，卷三，引之。(頁230）
9. 不庸：《孟子》，〈盡心篇〉第七上，第十三章語。
10.見性：佛語。此詞不見經書。(頁376）
11.實相：《法華經》所說。幻相，《涅槃經》所說。(頁382）
12.六虛：卦之六爻（六位）周流於空虛之間。(頁384）

以上十數條，大抵明其出處而已，即或釋之，亦失之簡略。讀者欲明各詞之涵意，恐仍需再查原書。則此類注解所給讀者之指導，實相當有限。

至於重要之哲學概念，如「心即理」(頁30)、「道心」、「人心」（頁42）等，也應有所闡釋，以確定其內涵。且本書卷首未能有一解題，以分析陽明重要哲學概念之發展，故「致知」、「良知」、「致良知」、「知行合一」等詞首次出現時，也應詳加詮釋，以助了解。

六　注解內容可議者

本書之注解，有極少數觀念訛誤，或用語欠缺，此亦將影響讀者對全書之了解，茲提出討論如下：

1. 本書注《大學》一詞有前後兩次，首次云：「《大學》，為《禮記》第四十二篇。經一章，傳二十章。……」（頁25）第二次云：「《大學》，乃《禮記》四十九篇之第四十二篇。……」（頁79）兩條之注互有出入，前已云之。按《大學》之分經傳實朱子為之，非《大學》古本如此也。本書於他處亦曾明之。然此處未能明言，恐讀者將以為《大學》自古即分經傳，此實與陽明恢復古本之意相違。且朱子所分之傳為十章，此云二十章亦誤。

2. 第1條「以親九族」，本書注云：「九族，《詩經王風》，《葛藟篇》序《毛氏傳》云自高祖至玄孫。《尚書歐陽》（歐陽修，1007-1072，《毛詩本義》）云父族四，母族三，妻族三。」（頁28）按：所謂《尚書歐陽》，乃指漢代歐陽氏所傳之《尚書》，非歐陽修也。歐陽修，無《尚書》方面之著作。陳先生云《毛詩正義》，亦非《尚書歐陽》。此條之注稍嫌離譜。

3. 第1條「平章協和便是親民」。陳先生注協和一詞時，引《堯典》：「九族既睦，平（調和）章（開發）百姓。」（頁29）「調和」、「開發」為陳先生所加，用以解釋「平」、「章」二字者。按：平為「釆」之誤字，即辨也。章，即明也。意謂「辨明百姓」，非「調和開發百姓」也。

4. 第11條「羲黃之世。」陳先生注云：「羲黃，伏羲與三皇（天皇氏、地皇氏、人皇氏）。」（頁50）按：「羲黃」之黃」，或當指「黃帝」，絕不可釋為「三皇」。觀《傳習錄》他處有作「羲黃」者，則知此處作「羲黃」或為徐愛筆誤。

5. 第11條有「九丘八索」、「三墳」之語。陳先生兩引孔安國〈古文尚書序〉以注之（頁48、50）。按：此所謂孔安國〈古文尚書序〉，即《偽孔傳》之序，應注明之，以免誤會。同條陽明引《孟子》云：「盡信書，不如無書，吾於〈武成〉取二三策而已。」陳先生注「武成」一詞云：「《書經》〈周書篇〉名。武王伐紂歸，議其政事。」（頁49）按：孟子所見之〈武成〉、漢初之〈武成〉與今傳五十八篇《尚書》之〈武成〉，皆不相同，如不加說明，讀者或將以為今傳之〈武成〉，即孟子所見之〈武成〉矣。

6. 第93條，陽明云：「如冬至一陽生。必自一陽生，而後漸漸至於六陽。」陳先生注曰：「五月夏至一陽初生，漸長而于六月之間為六陽。十一月冬至，陰漸長。亦于六個月期間至于六陰。」（頁114）按：此為十二月消息卦之說也。漢人以十二辟卦配十二個月，復卦（䷗）值十一月，臨卦（䷒）值十二月，泰卦（䷊）值正月，大壯（䷡）值二月，夬卦（䷪）值三月，乾卦（䷀）值四月，姤卦（䷫）值五月，遯卦（䷠）值六月，否卦（䷋）值七月，觀卦（䷓）值八月，剝卦（䷖）值九月，坤卦（䷁）值十月。依此，可知十一月陽漸長，至于四月為六陽；五月陰漸長，至於十月為六陰。陳先生所云正與此相反。

7. 第124條，陽明云：「其後居九三載，見得聖人之學若是其簡易廣大。始自嘆悔錯用了三十年氣力。」陳先生注「錯用三十年」云：「弘治元年（1488），十七歲始與道士論養生，至十五年（1502）三十一歲漸悟仙釋之非，前後十五年，及至居夷，則近三十年。《年譜》謂二十年。」（頁148）按：陽明於武宗正德元年（1506），上封事，反抗劉瑾濫權，下詔獄，貶貴州龍場驛。三年（1508）春，至龍場，悟《大學》格物致知之旨。四月（1509）始論知行合一。五年（1510）三月，升廬陵知縣，離貴州。此即陽明所謂居夷三載也。計自弘治元年（1488），至正德五年（1510），前後約二十年，《年譜》所云是也。陳先生云三十年，則失考。

8. 第137條有「知者意之體，物者意之用」二語，陳先生注云：「佐藤一齋謂此二語出陽明之《大學旁釋》。近藤康信沿之，然《大學旁釋》早佚。《函海》所載《大學旁釋》為偽作。《王文成公全書》不載。兩語來自《大學旁釋》原本，亦屬可能。」（頁179）今傳《百陵學山》有《陽明大學古本問》、《大學古本旁釋》二書。《古本問》之末有王文祿跋文云：「嘉靖丁亥秋，先康毅君率祿渡江扣陽明洞天，聞王龍溪先生講大學，得《古本傍釋》，止前序，後增四問答，祿今重梓，增答格物問標眉，若壓經敢移附旁。經文『未之有也』，下接『此謂知本』二句，文氣太急，必有缺文。」[9]可知文祿曾重梓《古本大學旁釋》，且有所增訂。然文祿為明中葉之偽書家，所言或不盡可信。今不論文祿之言如何，《函海》本之《古本大學旁釋》實本之《百陵學山》。陳先生論《旁釋》之真偽，不及《百陵學山》，似仍有所不足也。

9. 第202條，有「維天之命，於穆不已。」一語，陳先生注云：「於穆，語見《詩經》，〈大雅〉，〈周頌〉，維天之命，第二六七篇。」（頁287）按：〈維天之命〉，乃〈周頌〉篇名。既在〈周頌〉，即不在〈大雅〉。

至於182條陳先生注「東家丘」一語時，引《隱侯集》，云出自《漢魏六朝百三十名家集》（頁261）。實則，書名應作《漢魏六朝百三家集》，乃一〇三家，非一三〇家也。又陳先生云，陽明於正德五年「陞江西廬陵縣知府」（頁26、344），一府之長才稱知府，此既云廬陵縣，則應作知縣。此雖小誤，亦不可不辨。

9　見王文祿編：《百陵學山》（臺北市：臺灣商務印書館影印本），《大學古本問》，頁9。

七　結語

數十年來國內研究陽明學之論著雖多，體大思精之作實不可多得，能為陽明之書作校勘注釋者，更是鳳毛麟角。以是本書之出版實具有非凡之意義：其一，本書注釋詳盡，更集結中、日二十餘家之評釋，可謂《陽明傳習錄》集大成之作，為研究陽明哲學所不可或缺。其二，本書內容體例完備，是今後國人整理古代哲學論著之佳例。蓋古代思想家之著作，內容深奧且駁雜，如不徹底整理，所謂傳承文化，總不夠扎實。欲整理古籍，本書自可充當範例。其三，多年來陳先生闡揚中國哲學於西方，今以八十餘高齡完成此書，其為學術犧牲奮鬥之精神、毅力，皆足為後學法式。如因本書之出版，感召更多後學從事古代學術思想之研究，則是另一收穫也。

明代學者楊慎，著書多誤，後人以楊氏無佳子弟為其拾遺補闕所致，陳先生本書之些許疏忽，殆應作如是觀。將來再版時，如能就上文所述，斟酌修改，以求盡善盡美，則其他諸本之《傳習錄》，或有因之而廢，而失傳者，亦不足惜矣。

原載於《漢學研究》第2卷1期（1984年6月），頁331-342。

附錄一　讀林慶彰先生書評後

陳榮捷　徹談慕學院、哥倫比亞大學

拙編《王陽明傳習錄詳註集評》，於去年十二月由臺灣學生書局出版。捷遠在海外，本年一月底方見一本，發現錯字甚多，即編勘誤表，改正數十錯誤。其後學生書局來信謂編輯部又發現錯字更多，編成正誤表。其時書已發行。聞《漢學研究》將有林先生之書評，乃又急合併兩表改正錯點共158。則書評已先於該刊第二卷第一期（1984年6月）發表矣。及捷八月到臺北，始知編輯部之表為林先生所編。讀其書評，可知其作書評時尚未見捷所編之正誤表矣。彼所編正誤表中，除捷所發現數十錯誤外，尚多一百有餘。捷藉此將來可以改正，萬分感激，而林先生治學嚴謹，更令人仰佩。

書評第一節「前言」，簡介王學文獻與捷之履歷。謂此書出版，「國人於學術競爭的頹勢中，或稍可扳回一城」。對於此書與著者期許之厚，可以知之。第二節論「本書之內容及特色」。以「先集錄各家評語，次為詳注各種典故。此為本書最見工夫處，亦即本書價值所在」。更以此書既為注本「最晚出之作，必有前人所不及者」。分列1.「注釋力求詳贍」，2.「集評兼容並蓄」，3.「拾遺巨細無闕」。以下則以文之大半專論「照顧欠周者」。

第三節論「傳刻及版本問題」。林先生謂捷既定《續刻傳習錄》於嘉靖三年，又謂「或在嘉靖三年之後」，自應詳加討論，避免衝突。據捷所考，以嘉靖三年為當，但亦有三年以後之可能。此處未見衝突。即詳加討論，結論亦不外如此。林先生又謂「陳先生於《傳習錄略史》中，既列有版本一項。……然就筆者所知，約有下列數種版本，陳先生未計及」。此下林先生列《傳習錄》國內版本五種，國外兩種。此兩種一為亨克之《王陽明哲學》（*The Philosophy of Wang Yang-Ming*），一為富山房編輯部所編之《傳習錄》。此富山房本即拙著頁14第16之「三輪希賢（執齋）之《標注傳習錄》」。林先生未之見，不足怪也。林先生謂亨克之書「陳先生之《歐美陽明學》一文所述及。此書內容欠佳。陳先生所以不將其列入，殆因此故也」。此則不然。若以《傳習錄》版本而言，則除林先生所舉七種之外，尚有錢穆之《傳習錄大學問節本》、吉村晉之《王學提綱》（抄錄《傳習錄》），與島田虔次之《王陽明集》（亦抄選）。林先生以捷「大概是將古今有關《傳習錄》之各種版本全數蒐羅，再評其得失」。此於捷之目的，微有誤會。拙著名「詳註集評」，故限於評與註，而非廣泛研究《傳習錄》。書中頁12至16所錄版本19，皆與註評有關。注家往往只舉「南本」、「施本」等等，故有介紹之必要。其他《傳習錄》版本，不論全部或選抄，其無註無評者，皆不採入。顧名思義，不得不然。不採亨克之書，正以此故。林先生所舉七種之中，國內「五」葉紹鈞注與國外「二」富山房之註，均已採用。捷藏有國內「三」正中本《王陽明傳習錄》（附《大學問》），因無註評，故缺。其餘國內「一」、「二」、「四」三種均未見。如林先生知此三書有註有評，請祈示知。如有再版，當必補入。

第四節論「年代的疏忽」。此處林先生提出「生卒年頗多可議者」八項、「皇帝年號下所附西元年代，錯誤亦多」者十五項，共二十三項。此二十三項之中，錯印而捷所勘誤表經已改正者兩項。此外十七項確誤，自當改正。其餘四項，可有解釋，茲釋之如下：

生卒年第「一」項本書頁25程頤1037年生誠誤，但頁23與頁473均作1033年無誤。

第「五」項本書頁284以湛若水之生卒年為1471至1555年，的確是訛。捷二十年前英譯《傳習錄》前言頁24，已用1466至1560年。十一年前英文《東西哲學》期刊載拙作〈湛若水對於王陽明之影響〉文內頁12，亦用1466至1560年，均不誤。

第「七」項曹端1374年生亦誤。捷二十年前所編英文《中國哲學資料書》頁465已用1376年不誤。1970年出版之英文《明代思想中之個人與社會》內載粗作「明代早期之程朱學派」頁29用1376年，亦不錯。《資料書》臺北曾複印兩次。然兩書林先生或未之見，則此處林先生不以為一數目字印刷之誤而認為「可議」，亦屬自然。

皇帝年號「六」以1870年為慶應六年，最為無解，應急改正。慶應元年為1865年。想必以1870年順數為六年，而忘記1866年日本維新，十二月孝明天皇歿，1867年1月明治天皇踐祚矣。林先生謂「慶應似無六年，1870年為明治三年」是也。

林先生第四節結論謂「筆者讀本書時，常思考各年代致誤之由，但總不得其解。或陳先生寫作時隨見隨附，未及詳覈所致」。捷編譯著述書16種，為文134篇。以四十年之練習，略識治學方法。絕不敢隨見隨附，未及詳覈也。書文具在，可以為據。捷書文注釋恐過萬數，生卒年亦過千數。別書無誤，而本書反數處有誤，想是二十年前之舊稿，字又潦草，未及改正。疏必忽之處，無敢自恕。林先生未考別書，而作此論，亦理所當然。

其次第五節為「注解體例可商者」，凡六項。林先生以為注釋應為首次名詞之出現。捷以此例為有可用者，亦有不可用者。拙著中英文凡人名必於首次出現時備舉其生卒年。其他注釋則前後或詳或略，皆因本文而定。如《傳習錄》第312條（頁355）只注「鄒謙之，名守益，參看314條，注二」。至314條，注二（頁359）則比較詳細，云「鄒謙之，名守益，字謙之，號東廓」等約一百字。蓋第312條鄒謙之只是四門人侍坐之一。314條則謙之為主角。是以較詳，使讀者於主角多所了解，是以不為古書體例所拘。謂此為「甚乖體例」，「不合常理」，似是過言。頁71用《姚江釋毀錄》而以後作《釋毀錄》，林先生謂為「名稱卻不統一」。然此類簡稱，我國古例有之，如《朱子語類》簡稱《語類》是也。第六節林先生亦簡稱《古本大學旁釋》為《旁釋》，無礙也。至「王文成傳本」頁129與145誤作「王陽明傳本」，承林先生改正，謹謝。

林先生又列名詞未加詮釋者十二項。其中「七」「曆律」已釋為「曆法律呂」。「十二」「六虛」已釋為「卦之六爻（六位）周流於空虛之間」。「四」「方外」，文內有「敬以直內，義以方外」，讀者當一目了然。「一」「腔子」注有引語「心要在腔子裡」，讀者當不誤解為樂曲腔調。「十一」「實相」，本文亦有幻相對照。「二」之「氣象」，「六」之「明心見性」，「八」之「常惺惺」，與「十」之「見性」，均字面已夠明白。惟「三」之「會有其極」，「五」之「厭然」，與「九」之「不庸」，皆不常用，則自當加以詮釋也。至如林先生謂「道心」、「人心」、「致良」、「良知」、「致良知」、「知行合一」等詞，「也應詳加詮釋，以助了解」。恐非每詞一篇文章，難以濟事。若釋「知行合一」為「知識與行為連合為一事」，恐似畫蛇添足耳。

第六節為「注解內容可議者」，凡九項。此處捷得益最多。林先生謂「有極少數觀念訛誤，或用語欠妥」。此仁者之言也。其中四項，可有商量。第六節第「一」項，大學「此云二十章亦誤」，是也。拙編《中國資料書》頁87至94分十章，不誤。第「四」本書頁50注「羲黃」為伏羲與三皇誠誤。英譯《傳習錄》頁21則注為伏羲黃帝不誤。第「六」項誤以五月陽初生，十一月陰初生。林先生指出此與十二月消息卦之說相反。拙譯《傳習錄》頁57作十一月陽漸長，五月陰漸長不誤。以上別書不誤而本書實誤。只是說明捷曾知之，非敢云此處非誤也。

第七項注《傳習錄》第124條謂陽明自嘆錯用了三十年氣力，以自十七歲與道士論養生至三十一歲漸悟仙釋之非為「近三十年」。林先生據《年譜》謂二十年，以捷為「未考」。此殊不然。蓋嘗考之，《傳習錄》124條謂「吾亦自幼篤志二氏。……其後居夷三載。……

始自嘆悔錯用三十年氣力」。《年譜》四十三歲下載同一問答則謂「悔錯用功二十年」。《傳習錄》三十年可是可非，《年譜》二十年亦可是可非。吾不知有誰曾下深究，對此二十年抑三十年之問題為一有學術性之解決。此誠捷所未考。諸本《傳習錄》皆不改三十年為二十年，未嘗無因。若以狹義而言，則從十七歲至三十一歲，前後只是十有五年，二十三十兩者皆非。陽明年三十四始進學者，且與湛若水定交，不再篤志二氏。及居夷三載（三十七至三十九歲），已見聖人之學。故從十七歲談養生至此實共二十三年，固不止二十年也。陽明之嘆，在其錯用氣力之久，不應減二十三年為二十年。此必為各本不改三十年為二十年之故。是以捷注云，「近三十年」。但又加「《年譜》謂二十年」。蓋不敢擅改原文，而又使讀者知《年譜》有二十年之說也。以二十三年為近三十年為誇張則有之，然總覺比減二十三年為二十為符合陽明本意。以意逆志，不以文害辭，此之謂也。

第「八」項本書頁179注二間及《古本大學旁釋》。林先生以為應加《百陵學山》王文祿曾重梓之《古本大學旁釋》，謂捷「論《旁釋》之真偽，不及《百陵學山》，似仍有所不足」。但林先生又謂「文祿為明中葉之偽書家，所言或不盡可信」。如此豈非徒增讀者之疑惑耶？

第「九」項之三在本書頁26與344均誤作「陞江西廬陵縣知府」。林先生謂「此既云廬陵縣，則應作知縣。此雖小誤，亦不可不辨」。捷1963年英譯《傳習錄》概說頁25譯知縣為 magistrate。以後1972年在英文《東西哲學》第二十二卷第一期頁66論陽明之文，1974年為《大英百科全書》作《陽明傳》第十八冊頁538，與1976年為美國亞洲學會《明代名人傳》（Dictionary of Ming Biography）撰《陽明傳》頁1410，均用 magistrate。歐美譯知縣為 magistrate，譯知府為 prefect，通行已久。捷固非不知陽明在廬陵為知縣也。去年出版韋政通教授主編之《中國哲學辭典大全》，捷為撰「王守仁」條，頁95亦用「知縣」。凡書之錯字，有三可能。一為打字或印刷之誤，一為著者筆誤，一為著者蒙昧之誤。林先生於「知府」之誤謂「不可不辨」，則彼不以為印誤或筆誤，而必為蒙昧之誤可知。此乃林先生抉擇之自由，別人不能強也。林先生結論比捷於明代學者楊慎「著書多誤。後人以楊氏無佳子弟為其拾遺補闕所致。陳先生本書之些許疏略，殆應作如是觀」。不知經過上面解釋，林先生尚作如是結語否。

本書注釋共一千六百餘。去其重複，亦在千數。林先生曾舉出數注，稱為「詳盡」「特色」。但於捷之注釋與別人注釋比較，其量之多少如何？質之精粗如何？以前我國註家曾採用日註否？如此種種問題，林先生均未論及。不知此諸方面亦有可取之處否？

最大問題乃林先生之書評，只論注釋之一面。書名「詳註集評」，而林先生對於評語方面，只在第二節之「二」稱「集評兼容並蓄」，略述本人概說頁五之言而泛說數語，未見有如討論注釋長至數千言者。如得林先生再撰關於集評之一書評，觀此書與別家之集評比較如何？劉宗周、但衡今、于清遠等評語以前曾有人採用否？國人曾採用日人評語否？本書採用之語是否有當？優劣何在？評家語之精者有無遺漏？所採評語，能否發明陽明之意旨？為文與此書評同樣詳盡，同樣精到，則於提高學術水準，必增一大生力也。

附錄二　對陳榮捷先生一文的幾點說明

今年六月，拙文〈評陳榮捷著《王陽明傳習錄詳註集評》〉（以下簡稱〈拙評〉），在《漢學研究》二卷一期刊出後，由漢學研究資料及服務中心轉來陳先生〈讀林慶彰先生書評後〉一文（以下簡稱〈答文〉），對〈拙評〉所涉及之問題詳加答覆。此種認真之態度，當今學術界恐少有人企及。陳先生之風範，足為後學法式者甚多，此其彰明較著，值得敬佩者也。然陳先生之〈答文〉對〈拙評〉似仍有些許誤解。現在筆者願將寫作〈拙評〉之經過，略加敘述。至於陳先生對〈拙評〉之誤解，也分項提出說明。

首先，談撰作〈拙評〉之經過。1983年12月，陳先生《王陽明傳習錄詳註集評》，由臺灣學生書局出版。次年1月，承該書局惠贈一冊。筆者拜讀之後，發覺書中有不少疏忽，遂向該書局報告。該書局希望筆者代作一勘誤表。筆者以一個多月的時間，勘正340處，並作成一表。2月底，攜該表赴書局，始知陳先生已由美國寄達一表，計33條，且該書局已印刷完成。書局乃將兩表互勘，相同者有23處，其餘317處，皆為陳先生之表所無。書局以為茲事體大，須將筆者之表航寄陳先生審閱，始敢定稿，印行附錄。書局奉函陳先生之前，曾詢筆者是否須說明該勘誤表為筆者所作。筆者以為當初製成勘誤表，一則出自志願，旨在訓練自己治學；一則陳先生為當今學術界著名學者，年高學豐，詳讀其著作，必能受益匪淺；遂告知書局可用「學生書局編輯部」所編名義提出，俾免他人誤以為筆者藉此攀附陳先生。後來，陳先生將二表合併為一，略加刪削後重製一表寄回。函中並讚美該書局編輯部之程度甚高。要求將前表廢棄，另印新表。這是陳書所附「勘誤表」編印的整個過程。

至於筆者既為陳先生的著作製勘誤表，何以又撰書評呢？其原因有三：(1) 陳先生的書出版於1983年12月，勘誤表印成於今年三、四月間，當中已有不少人購有先生之書，這些讀者必不知該書會有勘誤表，〈拙評〉或可告知讀者，書中有些許偶疏，閱讀或引用時，應稍加留意。(2) 勘誤表所能勘正者，僅字詞的訛誤，陳先生的書，除字詞之誤外，也有些許照顧欠周，或應詳反略的地方，必須有一書評，向陳先生請教。(3) 以前梁子美先生曾為屈翼鵬師之《普林斯敦大學葛思德東方圖書館善本書志》作勘誤表，又兼撰書評。此次筆者亦師其例。而且，筆者喜歡評書。自1976年開始習作學術性文字以來，所作書評已有二十餘篇。其中較重要的有：王德毅先生的《中國歷代名人年譜總目》(《書評書目》第74、76、77期，1979年6、8、9月)；張錦郎先生的《中國參考用書指引》(《「中央」日報》，1979年10月17日)；徐復觀先生的《中國經學史的基礎》(《漢學研究》第1卷第1期，1983年6月)；「央圖」的《中國文化研究論文目錄》(《中國書目季刊》第17卷第1期，1983年6月)；漢學中心的《臺灣地區漢學論著選目》(《東方雜誌》第17卷第4期，1983年10月) 等，皆秉持客觀之態度為文。此次為陳先生書所撰之評介，亦持此種態度。或許陳先生去國數十年，國內漢學界之情形較不熟悉，遂誤為筆者既作勘誤表，又撰書評，似有意挑剔。相信陳先生不會如此想，但是筆者還是願意藉本文澄清，並懇請先生鑒諒。

其次，陳先生之答文，或未能把握〈拙評〉之文意，以致有些許誤解；或陳先生之解釋，筆者未敢苟同者，茲提出向先生請教。

其一，有關《傳習錄》及版本問題，陳先生於《傳習錄略史》中謂嘉靖三年十月陽明門人南大吉命弟逢吉校刻陽明論學書九篇，為《續刻傳習錄》(頁8)。在《傳習錄》卷中，又因《年譜》繫〈答顧東橋書〉於嘉靖四年，繫〈答歐陽崇一書〉與〈答聶文蔚書〉於五年，遂以為《續刻傳習錄》或刻於嘉靖三年之後 (頁162)。由於陳先生這兩種說法，分別見於其書之頁8和頁162，並沒有集中於一處討論，所以〈拙評〉云：

> 筆者以為《傳習錄略史》既在論述《傳習錄》之傳刻經過，有關上述三書所引起之問題，自應詳加討論，不應略不之及。而注釋中再涉及此問題時，只須見前文即可。如此，不但可避免衝突，更可節省篇幅。

筆者是說，《續刻傳習錄》的成書年代，既因〈答顧東橋〉、〈答歐陽崇一〉、〈答聶文蔚〉等三書之問題，可能刻成於嘉靖三年之後，則此事最好在頁8《傳習錄略史》中說明清楚，不必等到頁162才討論。這是個體例問題。也就是同一問題之討論，可不必分散於兩處，於《傳習錄略史》中說明即可。而陳先生答文卻說：

> 據捷所考，以嘉靖三年為當，但亦有三年以後之可能。此處未見衝突，即詳加討論，結論亦不外如此。

這段話不但誤解筆者之意，且語意頗為模糊。陳先生既明言嘉靖三年南逢吉刻陽明論學書九篇，為《續刻傳習錄》；但是根據《人譜》，其中三書卻作於嘉靖四年或五年。如果南逢吉所刻，確含有〈答顧東橋〉、〈答歐陽崇一〉、〈答聶文蔚〉等三書，則《年譜》之繫年必誤；如果《年譜》之說無誤，則南逢吉之刻，必不含該三書。此點稍加分析即可明白。而陳先生卻說三年與三年以後，兩說皆可成立，而未見衝突。這點，恕筆者不敢苟同。然這些已非〈拙評〉之本意。〈拙評〉只不過希望同一事不必分兩處討論而已。

其二，陳先生書《概說》部分，有《傳習錄版本》和《傳習錄注評》兩項。目錄版本學上慣常之說法，一書之注評自也是該書版本之一。陳先生之書卻要將與《傳習錄》有關之書分為版本與注評兩項，在版本學上已為例不純。且陳先生於版本一項僅云：「《傳習錄》版本甚多，現擇其要者以年代先後為序，……繕錄如下。」（頁2）似乎有意搜羅《傳習錄》之各種版本，而非僅錄有注評者而已。所以，筆者才將陳先生未著錄之七種版本提出討論，並云：「陳先生於《傳習錄略史》中，既列有版本一項，大概是將古今有關《傳習錄》之各種版本全數蒐羅，再評其得失。」而陳先生答文說：

> 此於捷之目的，微有誤會。拙著名「詳註集評」，故限於評與註，而非廣泛研究《傳習錄》。書中頁十二至十六（筆者按：指《傳習錄版本》一節所錄諸書）所錄版本十九，皆與註評有關。……其他《傳習錄》版本，不論全部或選抄，其無註無評者，皆不採入。

然將《傳習錄》版本一節所錄十九種版本略加查核，所謂《初刻傳習錄》（虔刻）、《續刻傳習錄》（南本）、《續刻傳習錄》（閭東本）、曾才漢刻《遺言》、錢德洪刻《傳習續錄》、錢德洪編《傳習錄》三卷、宋儀望校刻《陽明先生文錄》本、謝廷傑編《王文成公全書》本、朱文啟等編《王陽明先生傳習錄》、楊荊山刻《傳習錄》、俞嶙編《陽明全集》本、張問達編《陽明文鈔本》、《傳習則言》等十三種，筆者所知皆無註無評，不知陳先生何以說：「所錄版本十九，皆與註評有關」？是否記憶偶誤？如果與註評有關，也應列入《傳習錄注評》一節，始合體例。可見《傳習錄版本》一節，並不排除無注評之《傳習錄》，所以筆者才要求陳先生補入七種版本。筆者這樣做，如果陳先生認為是誤解其意，那也是其書為例不純所致。

其三，注解體例可商者一節，筆者以為一詞在書中出現兩次或兩次以上者，皆在首次出現時詳加注解，再次出現時，即可參見前文。

一則求體例一致，再則可節省篇幅。並舉「舊本」、「志至氣次」、「一源」、「鄒守益」等詞為例。其中，鄒守益一詞，各見於312條、314條、342條，共三次。在312條出現時，陳先生僅注「鄒謙之，名守益，參314條，注二。」（頁355）而於314條出現時，注解則比較詳細，約一百字（頁359）。陳先生所以如此處理，答文說：

> 蓋第312條鄒謙之只是四門人侍坐之一。314條則謙之為主角。是以較詳，使讀者於主角多所了解，是以不為古書體例所拘。

由於陳先生的書，並無「凡例」說明注解的規範，所以筆者才以傳統正常之體例來衡量。陳先生既以注解應就書中人物所佔分量定其繁簡，自無不可。然筆者所求的是體例之劃一，陳先生書中各名詞是否皆如此處理，或者僅是鄒守益一特例而已，陳先生自較筆者清楚。否則，豈不自亂其例。

其四，關於〈拙評〉述及陳先生書中有些名詞之注釋，稍欠詳細之部分，亦有說者。由於陳先生書是以「有詞必釋，有名必究，引句典故，悉溯其源。不特解釋，且每錄經典原文，以達全意。」（頁5）作標榜，所以筆者將某些解釋較簡單之名詞數十條，抄給筆者上中國思想史一課的學生，請他們解釋其內涵，學生可了解的即刪去，剩下〈拙評〉所錄之十數條，學生較難完全理解，尤以「曆法律呂」來釋「曆律」；以「卦之六爻（六位）周流於空虛之間」來釋「六虛」，學生更是似懂非懂。筆者才希望陳先生能作較詳盡之解釋。至於「道心」、「人心」、「致知」、「良知」、「致良知」、「知行合一」等詞，皆有其奧旨，自應有所闡釋，以助了解。此亦筆者多年來教學之感受。而陳先生竟以「非每詞一篇文章，難以濟事」，而不予考慮；且更以「知識與行為連合為一事」釋「知行合一」，以見其為畫蛇添足。然筆者所要說的並非此種故作笨拙式的解釋，也不需要一大篇文章。如果像陳先生所說，每詞皆需一大篇文章，那布魯格（W. Brugger）的《哲學辭典》（Philosophisches Worterbuch），豈非要數十巨冊。但該書篇幅並不多，卻不失其權威性。可見篇幅長短並非關鍵，端看解釋者之技巧而已。

其五，關於陽明《古本大學旁釋》一書，陳先生云；「《函海》所載《大學旁釋》為偽作。」（頁179）筆者之意見是：《函海》是清初李調元之刊本，其所收之《古本大學旁釋》實來自《百陵學山》。吾人討論一本偽書時，應注意其較早之刊本，此乃目錄學之基本常識，所以請求陳先生能注意《百陵學山》。而陳先生的答文卻以筆者之言為「徒增讀者之疑惑」，這豈非過言？

其六，筆者於〈拙評〉結語中云：「明代學者楊慎，著書多誤，後人以楊氏無佳子弟為其拾遺補闕所致，陳先生本書之些許疏忽，殆應作如是觀。」而陳先生之〈答文〉云：「不知經上面解釋，林先生尚作如是結論否。」似乎以「多誤」二字作為其書之結論。實則，陳先生如果詳審〈拙評〉，必知筆者所述之三意義，才是〈拙評〉之結論。且〈拙評〉言：「（本書）內容所涉甚廣，難免有照顧欠周者。」又云：「（本書）有極少數觀念訛誤，或用語欠妥。」即結語亦云：「本書之些許疏忽」。可見自始至終皆不以陳先生之書為「多誤」，而陳先生卻自認為其書「多誤」，似非筆者所願見，尤非筆者之初意。

至於陳先生〈答文〉中時云此書雖誤，他書並不誤，以證其於某事並非不知。筆者並沒有以先生為有所不知之意，只不過就該書之缺點提出討論而已。此點讓陳先生無法釋懷，深覺過意不去。又陳先生認為〈拙評〉並未評及詳註部分，乃一大問題。筆者評介先生之書時，並未承諾作全面性之探討，則所謂問題根本不存在。承陳先生倚重筆者，要求再作一文批評詳註部分，筆者深為感激。惟個人治學的重點本不在陽明學，手頭上有關《傳習錄》評語之書有限，此地各圖書館所藏亦有所不足。如先生能將所藏相關諸書複印一份賜贈，則筆者願勉力為之，以酬先生之雅意也。

純就學術性書評一事觀之，臺灣一地可謂是大沙漠。影響其發展之因素甚多，但最大的關鍵還是作者與書評者間如何自我調適的問題。梁子美先生為屈翼鵬師的《普林斯敦大學葛思德東方圖書館中文善本書志》作勘誤表，又撰書評。翼鵬師致梁先生二函，一云：「拙編此一《書志》，諒紕繆尚多，倘蒙惠予教正，無任企感。」另一云：「此類工具書，肯通讀一遍者，已屬罕觀，臺從不惟細讀，且為之校正，為之匡謬，高誼雲深，尼首不足以言謝也。」（見王天昌先生撰：〈屈萬里先生的風度〉，《書和人》366期，1979年6月16日）屈師的這些話，筆者無時不銘記在心，以為有朝一日，如能略有成，當以此為矢志不忘的座右銘。

附錄三　陳榮捷先生的按語

捷按：林先生文頁668第5行云：「不知陳先生何以說，『所錄版本十九，皆與註評有關』？是否記憶偶誤。」林先生謂「筆者所知皆無註無評」，誠然。然頁662第九行捷明謂「注家往往只舉南本施本等等，故有介紹之必要」。非記憶偶誤也。

頁668第18行林先生力主傳統正常之體例，捷則以為有時可不採用。

頁669第24行林先生釋未及批評詳註部分，因臺北藏書不足，謂「如先生能將所藏諸書複印一份賜贈，筆者願勉力為之」。然則責任在捷而非在林先生耶？實在《四明叢書》之〈求是編〉、黃宗羲之《明儒學案》、孫奇逢之《理學宗傳》、梁啟超之節本《明儒學案》等等，臺北各大圖書館均有收藏。且葉紹鈞、但衡今、于清遠三書，均在臺北出版。即就臺北所有註評傳《傳習錄》之書，作一評文，亦有益於讀者。捷領教必多。

其餘仁者見仁，智者見智，敬謝林先生盛意。

《佛教相關博碩士論文提要彙編（2000-2006）》讀後

一　前言

梁啟超在所著〈佛家經錄在中國目錄學之位置〉中提到佛教經錄，有優勝於普通目錄者數事：

1. 歷史觀念甚發達：凡一書之傳譯淵源、譯人小傳、譯時、譯地，靡不詳敘。
2. 辨別真偽極嚴：凡可疑之書皆詳審考證，別存其目。
3. 比較甚審：凡一書而同時或先後異譯者，輒詳為序列，勘其異同得失。在一叢書中抽譯一二種或在一書中抽譯一二篇而別題書名者，皆一一求其出處，分別注明，使學者毋惑。
4. 蒐採遺逸甚勤：雖已佚之書，亦必存其目以俟採訪，令學者得按照某時代之錄而知其書佚於何時。
5. 分類極複雜而周備：或以著譯時代分，或以書之性質分。性質之中，或以書之涵義內容分，如既分經律論，又分大小乘；或以書之形式分，如一譯多譯、一卷多卷等等，同一錄中，各種分類並用。

梁氏舉出五點理由，證成自己的說法。他又說：「吾儕試一讀僧祐、法經、長房、道宣諸作，不能不歎劉《略》、班《志》、荀《簿》、阮《錄》之太簡單、太素樸，且痛惜於後此踵作者之無進步也。」[1]

梁氏在讀過梁僧祐《出三藏紀集》、隋法經《大隋眾經目錄》、隋費長房《歷代三寶記》、唐道宣《大唐內典錄》等佛教目錄書以後，非常讚賞這些目錄編輯體例的嚴謹，對一般目錄書如劉歆《七略》、班固《漢書》〈藝文志〉、荀勗《中經新簿》、阮孝緒《七錄》的內容太過簡單，後來編作的目錄也沒有進步。梁啟超認為漢魏晉南北朝時期的一般書目，比不上南朝、隋、唐的佛書目錄。事隔一千五百年，所謂一般書目改進了多少，是否已超越了佛書目錄？如果以香光尼眾佛學院圖書館編輯的《佛教相關博碩士論文提要彙編（1963～2000）（以下簡稱《提要初編》）和《佛教相關博碩士論文提要彙編（2000～2006）》（以下簡稱《提要續編》）二書來觀察，答案應該是否定的。

二　《提要續編》的體例

《提要續編》的編輯體例，大抵遵循《提要初編》。要了解《提要續編》，就得了解《提要初編》的體例。

《提要初編》書前有香光尼眾佛學院院長悟因法師的〈序言〉，接著為〈編例〉，再接著為〈分類表〉、〈分類目次〉。根據〈編例〉，本書收1963年至2000年8月臺灣、香港地區各大學及學院研究所中與佛教相關的博碩士論文1070篇。〈編例〉第一條收錄範圍，解釋所謂「相關」，包括三種文獻類型：

1. 凡佛教與各學科、佛教與各宗教之關係比較，以及受佛教影響或與佛教有交涉之文獻。
2. 凡與佛教研究範圍有交叉或重疊之學科，例如西藏研究、敦煌學、宗教理論、印度哲學等文獻。

---

1 《佛學研究十八篇》（臺北市：臺灣中華書局，1976年7月）。

3. 凡在臺灣地區發展傳布之道教、民間信仰、基督教、天主教、新興宗教等宗教信仰及宗教藝術之文獻。

〈編例〉對資料來源、內容結構、著錄規則、論文編號、分類系統、編排方式、輔助索引，都有簡要的說明。〈編例〉條理清晰，面面兼顧，可作為各種工具書編例的範本。

正文按〈分類表〉所訂類別，將論文提要分為二十大類，各類下再分小類，如「04 佛教人物及其思想」，下分印度、魏晉南北朝、隋唐五代、宋、明清、民國、日本；又如「06 經典研究」下分阿含部、本緣部、般若部、華嚴經、法華經、維摩經，楞嚴經，其他：又如「15 佛教各宗」下分三論宗、天臺宗、華嚴宗、禪宗、淨土宗、其他。書目提要主要採自政治大學社會科學資料中心、「央圖」、各校系所之典藏，並參考各博碩士論文的電子資料庫。

輔助索引有三：(1)〈題名索引〉，即按篇題筆畫順序編排的索引。(2)〈人名索引〉，即按論文作者、指導教授、被研究者姓名筆畫順序編排的索引。(3)〈年代索引〉，即按論文畢業年分編排的索引。

《提要續編》收2000年9月至2006年12月，臺灣地區佛教相關博碩士論文1070種。所謂「相關」，也把《提要初編》中〈編例〉所述的第三點刪去。這樣收錄範圍就更明確了。香港的學位論文則不再收錄，原因為何，沒有具體說明。但卻加收中華、法光、圓光三所佛學研究所和南華大學佛學研究中心的論文。刪去不相關的，增加相關的部分，這是相當明快的作法。

正文的〈分類表〉，也有所增刪。如新增「07 戒律研究」一類，刪去「20 印度哲學」一類。「06 經典研究」也增加寶積部、大集部、經集部。「08 論書研究」也增加釋經論、中觀部、瑜伽部、論集部、南傳論典等二級類目。另外刪併「西藏研究」、「敦煌學」、「民間信仰及習俗」下之子目。目錄書重要的是能因時制宜，因書立目。本書編輯手法靈活，也可看出一斑。

索引部分僅存〈題名索引〉和〈人名索引〉兩種，可能因提要涵蓋時間僅六年多，不必浪費篇幅再編〈年代索引〉。這也是善於權變的表示。

為方便讀者，在正文之後，輔助索引之前有附錄兩種：(1)〈臺灣地區佛學研究所畢業論文簡目〉；(2)〈《佛教相關博碩士論文提要彙編》1963至2000年版與2000至2006年版分類對照表〉。

三　編印《提要彙編》的意義

香光尼眾佛學院圖書館人力有限，他們不但編輯《佛教圖書館館刊》，也出版甚多佛教方面的工具書，如《佛教圖書分類法》、《臺灣地區佛教圖書館現藏佛學相關期刊聯合目錄》等書。更編輯出版兩大本的《提要彙編》。個人以為出版這套《提要彙編》，不但呈現近五十年大學校院研究佛學之總成績，也指引了今後研究佛學的新方向。此外，還有下列數點意義：

(一)證明僧尼也可以編輯高質量的工具書

一般人以為臺灣的佛教人物大都把時間花在禮佛、參禪，或寫一些通俗佛教讀物作善書，能合作編輯高質量的工具書，如智旭的《閱藏知律》、會性法師的《大藏會閱》，可說少之又少。《提要彙編》的出版，證明香光尼眾佛學院圖書館不但有編輯工具書的人才，且有以編輯工具書為志業的尼眾，不但使一般人對僧尼的印象改觀，勢將帶動國內佛教團體編輯其他佛學工具書的風氣。

(二)繼承佛教目錄的優良傳統

前文提到六朝、隋、唐間有許多體例完備的佛書目錄。此一傳統代代有人繼承下來，明末智旭所編的《閱藏知津》，可說是佛教書籍的《四庫提要》，此書編成時間，早於清乾隆時代的《四庫提要》一百餘年。可見佛學界編輯書目的能力一直領先一般書目。《提要彙編》的編輯出版就是繼承此一優良傳統而來。試看一般書目中，有沒有一本博碩士論文提要可媲美這一套《提要彙編》？

（三）持續編輯，樹立典範

編輯工具書，能持續數十年不間斷的並不多。許多工具書也因為沒有持續編輯，逐漸失去時效。後起的人如有所編輯，往往不接續著編，資料蒐集的起始時間有時無法銜接，收錄內容和編輯體例也不一致，檢索時文獻資料也就有所遺漏。香光尼眾佛學院圖書館所編的工具書，該修訂的已修訂，如前文提及的《佛教圖書分類法》已有改定本，《臺灣地區佛教圖書館現藏佛學相關期刊聯合目錄》已出第二版。《提要初編》收錄資料到2000年8月，《提要續編》則從2000年9月開始收錄。能如此銜接，文獻資料才不會遺漏。以香光尼眾佛學院各位法師的學術使命感，將來勢必會編《提要三編》，如此持續不斷編輯下去，也形成了一種優良的傳統，學術水平也自然而然的提高了。

四　結語

香光尼眾佛學院在悟因法師的領導下，又有自衍法師對佛教工具書編輯的執著，才能出版如此高質量的《提要彙編》。她們對編輯工具書的執著精神，有一天也會感染到其他圖書館，大家一起規劃合作編輯工具書，或將相關佛教文獻數位化，再困難的工作，也有完成的一天。就如同筆者常常跟學生說的，隋朝靜琬在河北房山刻石經，一代代接續的刻下去，到明嘉靖年間終於全部完成。這種默默耕耘的精神，是這時代所最缺乏的。我們文史學界有不少編輯工具書失敗的例子，如編《明人文集篇目分類索引》，已失敗一、二次；《臺灣文學研究文獻目錄》，聽說不少學者主持過，但都見不到成果。這些都不免浪費公帑。如果主其事者，能多多向香光尼眾佛學院圖書館的諸位法師學習，書早就編好出版了。但願這篇讀後感，不會加重法師們的心理負擔。

原載於《佛教圖書館館刊》第47期（2008年6月），頁124-126。

評《二十世紀中國人物傳記資料索引》

傳記是研究一位人物不可或缺的資料，是以自古史學家皆很重視傳記資料，司馬遷的《史記》，傳記資料就佔了大半，歷代正史也都沿用這種體例。後來傳記從史書中獨立出來，各種體裁的書都有傳記。傳記資料一多，讀者要上山下海去搜尋，煞是辛苦。如能把傳記資料的條目編成索引，可節省不少搜尋的時間。

1912年哈佛燕京學社曾編印《四十七種宋代傳記綜合引得》、《遼金元傳記三十種綜合引得》、《八十九種明代傳記綜合引得》和《三十三種清代傳記綜合引得》等四種人物傳記索引。因為檢索方法不方便，且所收資料不夠多，不久就被淘汰。現在，最方便使用的傳記資料索引是《明人傳記資料索引》、《宋人傳記資料索引》、《元人傳記資料索引》、《唐五代人物傳記資料綜合索引》。但是，傳記資料越來越多，讀者根據索引仍舊要到處查詢，頗為不便。如果將傳記資料編成一大叢書，可節省讀者不少時間，周駿富主編的《清代傳記叢刊》和《明代傳記叢刊》就是因應這個需求而出版。

以上所說的都是清代以前的傳記資料索引，民國以來的人物可能更多，傳記資料的分布可能更廣，亟需要一本傳記資料索引來統攝繁雜的傳記資料，一九七三年中央曾編輯《中國近代人物傳記資料索引》，但因收錄資料不夠多，且有許多錯誤，並未發生影響力。一九九〇年十二月上海辭書出版社出版王明根主編的《辛亥以來人物傳記資料索引》，民國以來人物傳記資料的檢索才有比較好的工具書。

本索引仍舊是王明根主編，共有四冊，收錄一九〇〇年到一九九九年，一百年間有過傳記資料的人物共有四萬八千多人，除著重收錄政治、經濟、軍事和文化思想界的知名人物外，還收錄了華僑和少量中國籍外國人的傳記資料。全書分上、下兩編，上編為《辛亥以來人物傳記資料索引》的修訂本，收錄一九一一年辛亥革命至一九四九年新中國成立，這段時期人物的傳記資料。下編將收錄人物的上限從一九一一年向前延伸到一九〇〇年，下限從一九四九年向後延伸到一九九九年，包括新中國成立後成名的人物。

本索引收錄資料條目，多達二十餘萬條，要檢索二十世紀中國人物的傳記資料，非利用本索引不可，光是這一點，就可以知道本索引的重要性。但如果仔細審視仍可發現不少缺點，茲舉失收人物和失收資料兩點來談：

一　失收人物

本索引雖已收四萬八千多位二十世紀人物的傳記資料，但應收入而被遺漏掉的人物仍有不少。例如：羅倬漢（1898-1985）是廣東興寧縣人。一九一九年考入北京大學哲學系，攻讀外國哲學。一九二五年畢業後曾任教於北京、興寧、廣州諸中學。一九二七年曾擔任興寧縣縣長。一九三三年，東渡日本，就讀東京帝國大學研究院，攻讀歷史和哲學。抗日戰爭爆發後回國，先後擔任桂林師專、雲南澂（澄）江中山學師範學院、成都女子文理學院、廣東省立文理學院等校教授。一九四九年後，任教於廣東省立文理學院、華南師範學院，擔任二級教授、歷史系主任，直至一九六〇年退休。一九八五年八月十二日病逝於廣州，享年八十七歲。羅氏的主要著作有早年所著之《詩樂論》、《史記十二諸侯年表考證》。而本索引第四冊所收入的，卻是個同名同姓的軍人羅倬漢[1]，其實學者羅倬漢的傳記資也不難找，在《興寧文史》第五輯和第十六輯都有懷念他的文字，茲臚列重要篇章如下：

1. 林鈞南：〈緬懷羅孟瑋教授〉，《興寧文史》第五輯（1985年11月），頁158-160。
2. 陳子川：〈悼羅孟瑋師〉，《興寧文史》第五輯（1985年11月），頁162。
3. 何國華：〈正直愛國的學者羅倬漢教授〉，《興寧文史》第十六輯（1992年9月），頁80-88。
4. 魏啟清、萬福友：〈眷眷學子心〉，《興寧文史》第十六輯（1992年9月），頁89-92。
5. 郭夏：〈說「曼陀羅書」〉，《興寧文史》第十六輯（1992年9月），頁93-94。
6. 陳斌：〈歷史系設立「羅倬漢獎學金」〉，《興寧文史》第十六輯（1992年9月），頁95。

當然，二十世紀中國人物那麼多，遺漏幾個算不得什麼大缺點，但如果各個領域的重要人物都有失收，那就說不過去。像柳存仁先生是研究道教和古典小說的權威，本索引沒有收錄他的資料，大概以為柳先生後半生並非中國籍。

二　失收資料

本索引號稱收入中文傳記資料二十多萬條，取材於一九〇〇至一九九九年，中國出版的中文專著、論文集、報刊、年鑑、索引、百科全書和文史資料等。但是，還是有不少傳記資料沒有收錄進去，例

1 復旦大學歷史系資料室編：《二十世紀中國人物傳記資料索引》，第4冊，頁1819。收入「羅倬漢（1901-）陳予歡編著　黃埔軍校將帥錄第1001頁」一條。

如：龔道耕的傳記資料，本索引第一冊收入三條（頁2049）：

1.〈龔向農先生傳略〉　潘慈光

《圖書館館刊》　1994年1卷3期

《四川文獻》　1964年19期

《民國四川人物傳記》　第219頁

2.〈記龔向農先生〉　龐俊

《四川文獻》　1967年61期

3.〈龔道耕（1876-1941）〉　關國煊

《傳記文學》　1979年35卷5期

《民國人物小傳》　第四冊　第432頁

第一條出處刊名《圖書館館刊》，應作《國史館館刊》，出版年一九六四年應作一九四八年。第四冊收龔道耕傳記資料兩條（頁2559）：

1.〈成都龔向農先生墓誌銘〉　龐俊

《廣清碑傳集》　第二十卷　第1389頁

2.〈記一代經學大師龔向農先生〉　唐振常

《文史雜誌》　1990年4期

兩編所收傳記資料合計才五條，但根據筆者的了解，龔道耕的傳記資料至少有十幾條。一九四二年六月出版的《志學》第六期曾編輯「龔向農先生逝世紀念專號」，該專號收有悼念龔道耕的文章多篇：

1. 龐石帚：〈記龔向農先生〉
2. 龔讀籀：〈先王父向農府君學行述略〉
3. 徐仁甫：〈龔先生著述目錄〉
4. 李雅南：〈記龔向農先生文〉
5. 輓詩
6. 輓聯

此外，當代學者撰寫有關龔道耕的傳記資料還有：

1. 龔師古：〈先祖父龔向農生平簡述〉，《成都志通訊》，1986年4期。

2. 周積厚：〈龔向農先生生平事略〉，《金牛文史資料選輯》第4輯（1987年）。
3. 朱旭：〈龔道耕〉，《四川近現代人物傳》第4輯，成都市：四川大學出版社，1987年。
4. 姜亮夫：〈學兼漢宋的教育家龔向農〉，《四川近現代文化人物》，成都市：四川人民出版社，1989年[2]。

以上的資料條目都為本索引所失收。又如：孫德謙（1869-1935）的傳記資料，本索引第一冊收入兩條（頁658）：

1. 〈孫隘堪年譜初稿〉　吳丕績
   《學海》1944年創刊號、1944年1卷6期
2. 〈孫德謙（1873-1935）〉　何廣棪
   《傳記文學》1978年33卷2期　《民國人物小傳》第3冊　第150頁

第三冊也收入兩條（頁856）：

1. 〈孫德謙的目錄學思想〉　柯平
   《武漢大學學報》1986年3期
2. 〈清故貞士元和孫隘堪先生行狀〉　王籧常
   《廣清碑傳集》第19卷　第1314頁
   《民國人物碑傳集》　第630頁

兩編合計四條。其實，孫德謙的相關傳記資料不僅只這四條而已，由於孫氏生前曾任大夏大學教授，在他過世後，《大夏周報》就不斷有為他開追悼會的消息，也有圖書館收購他珍藏圖書的消息[3]。一九三五年十二月出版的《大夏周報》十二卷九期有「追悼孫德謙先生專號」，刊有十餘篇哀悼性質的文字。另外，後人的研究論著中也有一

2 姜亮夫此文又改題目為〈龔向農先生傳〉，刊於王元化主編：《學術集林》第6卷（1995年），頁286-294。

3 見〈圖書館收購孫德謙教授藏書國學珍本千餘冊〉，《大夏周報》，第12卷8期（1935年12月），頁168。

些傳記資料可參考，如：

1. 學術世界編譯社：〈撰述人傳略：孫德謙〉，《學術世界》第2卷1期（1936年7月）。
2. 錢基博：〈孫德謙〉，《現代中國文學史上》上編，香港：龍門書店，1965年，頁115-126。
3. 馮永敏：〈孫德謙先生論讀書〉，《孔孟月刊》第27卷6期，1989年2月，頁35-39。
4. 余崇生：〈孫德謙與《六朝麗指》〉，《國文天地》第12卷8期（1997年1月），頁40-44。

其他人物多多少少都有失收的資料，因為資料是無所不在的，而找資料的人卻有不可克服的侷限，誠如莊子所說：「以有涯隨無涯，殆矣。」所以，失收資料如果不是太離譜，應是情有可原。

本索引最可議的一點，是把以前出版過的《辛亥以來人物傳記資料索引》收錄為第一冊、第二冊。根據本索引的編輯說明，這第一冊、第二冊是《辛亥以來人物傳記資料索引》的修訂本，但修訂的幅度有多大，〈編輯說明〉中未詳加說明。許多讀者以為本索引四冊都是新的資料，所以定價一五八〇元人民幣，勉強還能忍受，沒想到打開一看，有一半是舊書重印。如果買過《辛亥以來人物傳記資料索引》的人，等於有一半重複，這重複的一半，也增加讀者一半的負擔。不然，如果僅有後面兩冊，定價應該不會那麼高。以上海辭書出版社的商譽，竟有這種做法，實在令人不解。當然，本索引新的資料雖只有一半而已，仍花費編者不少時間和精力，讀者在使用時仍然會相當感激。

原載於《中國文哲研究集刊》第38期（2011年3月），頁326-331。

談《東洋學文獻類目》*

自二十世紀初年以來，漢學研究逐漸發展成一種世界性的學問，除大陸、香港和臺灣本身的研究成果外，日本、韓國、美國、歐洲等地的研究成果，也相當可觀。這些漢學研究的成績，有的出版成專書，有的發表在專門性的期刊，有的輯成論文集。就專書來說，可能由數十年前的數十種到現在的千種；論文則由數百篇，進展到萬餘篇。刊載這些資料的期刊或論文集，也可能由起先的數十種，進展到現在的近千種。資料多，分布又廣，如何在有限的時間內，獲得最豐富、最正確的資料，這就有待一種涵蓋世界各地區，兼包各種語言的文獻資料目錄來提供訊息了。到目前為止，肩負這一任務的是，已創刊五十八年，且全未曾間斷過的《東洋學文獻類目》。東洋學的範圍比漢學要廣一點，但就該《類目》這五十多年來的編輯方向，仍是以漢學為主。檢查漢學文獻，仍以該《類目》最受重視。

一九二九年，日本利用八國聯軍之役所獲得的庚子賠款，在外務省的協助下，成立了「東方文化學院京都研究所」。當時為蒐集漢學研究資料，於昭和九年（1934）編成《昭和九年度東洋史研究文獻類目》，收錄日本、「支那」和歐美學者研究東方學的成果。這本《類目》的體例是：（1）分上下欄，採直排，每欄皆由右而左；（2）書前有「收錄雜誌目」，分日本之部、「支那」之部；（3）論文和專著混合

* 《東洋學文獻類目》（1934-1987），編者：京都大學人文科學研究所東洋學文獻中心，出版者：財團法人人文科學研究協會，出版日期：一九三五年～一九八九年，冊數：四十三冊。

排列。論文部分，各錄其篇名、作者、期刊名、卷期。所收專著分量相當少；(4) 書末有人名索引，日本和「支那」分開排列。(5) 歐美文的論著附於全書之後。

往後各年度的《類目》，大抵維持這一體例。昭和十三年（1938），「東方文化學院京都研究所」改名為「東方文化研究所」。次年（1939）八月，又改名為「京都大學附設人文科學研究所」。當時，由於中日戰爭爆發，雙方戮力應戰，無法專心研究。所以，自昭和十三、十四年度（1938、1939）起，每兩年出一冊。昭和十七、十八年度（1942、1943）的《類目》，卷首有〈昭和十七、八年度の東洋史學界〉一長文。分一般史、歷史地理、社會史、經濟史、政治史、法制史、宗教史、學術思想史、科學史、文學史、美術史、考古學、民族學、書誌學等項，分別請當時著名的學者撰寫。自昭和十九、二十年度（1944、1945）起，將論文、專著分開排列。昭和二十一年（1946）至二十五年（1950），則合出一冊。之後，又改為每兩年出一冊。自昭和二十八、二十九年度（1953、1954）起，每篇論文篇目皆加上起迄頁數。昭和三十二年（1957）起，又恢復為每年一冊。昭和三十六年度（1961）起，改名為《東洋學研究文獻類目》。《類目》由昭和九年（1934）創刊至昭和三十七年度（1962），一直是上下欄直排。這二十九年間，共出版十八冊，可說是《類目》編輯的第一階段。

昭和四十年（1965），京都大學人文科學研究所成立「東洋學文獻中心」，負責文獻資料的蒐集，並承擔《類目》的編輯工作，該中心銜接昭和三十七年度（1962）的《類目》，自昭和三十八年（1963）編起，將書名改為《東洋學文獻類目》，且內文也由直排，改為由左而右的橫排。所收論文和單行本，也由昭和三十七年（1962）本的4344條，增至6029條。計增加1786條，約增五分之二。至一九八〇年度，論文已收10132條，單行本則有977條，合計11009

條。可見有關東洋學研究的資料，已越來越多。用平常的鉛字排印，已無法應付需求。這十八年，共出版十八冊，可說是《類目》編輯的第二階段。

自一九八一年起，《類目》的資料改由電腦處理，可說是《類目》發展的第三階段。現在已出版至一九八七年。所收論文有11621條，單行本有1304條。合計12925條。另外，還有西方語言的論文790條，專書973條。

由於《類目》涵蓋的時間自一九三四年起一直到現在，從未間斷，且兼包中文、日文、韓文、歐美文的資料，所以逐漸成為讀者檢查漢學論著不可或缺的工具書。這套書，臺灣幾家圖書館雖有收藏，但較早的年度，往往殘缺不全。這十多年來，臺灣有數家出版社用接力的方式把這套書陸續影印出來了。這可說是漢學研究上的一件大事。一九八〇年五月，木鐸出版社先將一九六三至一九七七年度的十五本影印出版。一九八三年一月又加印一九七八、一九七九年的兩個年度。接著丹青圖書公司也將一九三四至一九六二年度的部分影印出版。後來，華世出版社又影印出版一九八〇年度的一冊。最近，捷幼出版社又影印出版一九八一至一九八五年的部分。則要查一九三四至一九八五年度的《類目》，因影印本的出版，已方便許多。

但是，丹青影印的一九三四至一九六二年度部分，各冊中有關「北京」、「人民」、「中華人民共和國」……等字眼全被刪去。相關的條目，往往變成空白。因此，檢查這一部分的資料，利用丹青影印本，反而產生許多困擾，這是所有利用這套書的研究者，應該注意的。

以上，談到這五十多年間，《類目》編輯發展的經過，和臺灣出版界影印的情形。《類目》本身能持續編輯五十多年，收錄的範圍又那麼廣，對漢學研究的貢獻也人盡皆知。但基於精益求精的精神，對《類目》這麼多年來存在的一些缺失，實有提出檢討的必要。

一九四九年以後的十數年間，《類目》所收臺灣大陸的期刊，較為平均，大部分該收的期刊也都收了。文革期間，大陸期刊銳減，《類目》收錄臺灣期刊也暴增。可是，文革以後，轉而大量收錄大陸期刊，臺灣的期刊能被收入的，已寥若晨星。如以《類目》一九八五年、一九八六年、一九八七年，三個年度為例，所收的臺灣各大學學報，僅有《政治大學學報》、《逢甲學報》、《北市師專學報》等三種而已，其他如：《東海學報》、《師大學報》、《淡江學報》、《清華華報》、《高雄師院學報》、《臺北師專學報》、《新竹師專學報》、《臺南師專學報》、《屏東師專學報》，皆未及收錄。

其次，各院系的學報，專業性較強，似乎更能符合《類目》收錄的標準了。可是，除了《臺灣師範大學國文研究所集刊》、臺灣師範大學《歷史學報》、成功大學《歷史學報》、《臺大中文學報》、《輔仁國文學報》外，像《東海中文學報》、《東海歷史學報》、《政治大學歷史學報》、《中興大學文史學報》、《臺大歷史學報》、《臺大哲學論評》等皆未收入。且已收的《臺灣師範大學國文研究所集刊》，一九八五年收第二十九號，一九八七年收第三十一號，一九八六年出版的第三十號，卻被遺漏了。

再者，一般性的學術期刊，只收了《大陸雜誌》、《中華文化復興月刊》、《臺灣文獻》等數種，像《孔孟學報》、《中外文學》、《中國文化月刊》、《民俗曲藝》、《幼獅學誌》、《思與言》、《食貨》、《書目季刊》、《傳記文學》、《臺灣風物》、《鵝湖》……等，全未收錄。而大陸的《傳記文學》，是受臺灣《傳記文學》的影響而創刊，《類目》收了大陸的《傳記文學》，卻不收臺灣的《傳記文學》，這就很難理解了。

由以上的分析，可知《類目》對臺灣研究漢學的現況了解略有不足，該收的學術期刊遺漏大半以上。此種疏漏，恐非一時疏忽，可能是有意的漠視。也許《類目》僅根據該研究中心所藏的學術期刊編輯而成，該所未收藏的，當然沒有收錄。如果《類目》的全稱是《東洋學文獻中心所藏期刊中東洋學文獻類目》，則我們無法置評。可是

《類目》的全稱是《東洋學文獻類目》，且公開發行，這就有兩種事實不容忽視，其一，它是研究東洋學一定要檢查的工具書；其二，此一工具書可能有較完整、較豐富的東洋學資料。讀者因《類目》所形成的認知是如此，而該《類目》，卻遺漏太多重要的資料，這豈不有損讀者的權益。

以上所述，謹提供給編輯《類目》的東洋學文獻中心參考。

原載於《中國文哲研究通訊》第1卷2期（1991年6月），頁132-135。

日本所藏中國經籍及其學術價值

一　前言

中國典籍自從應神天皇十六年（西元285年），百濟人王仁將《論語》和《千字文》帶到日本，到今天，已有一千七百年的歷史。[1]這一千七百年中，中國的經學研究發生了幾次的變化。有所謂漢學、宋學和清學之別。同樣地，日本的經學發展也經歷了三階段，即所謂古注、新注和清代考證學三個階段。在鎌倉、室町時代以前是古注的時代，即所謂漢學的時代。江戶初期到中期是新注盛行，即所謂宋學的時代。江戶後期受清代考證學影響，也出現了考證學派。

日本這一千七百多年的學風所以如此，是因為日本的文化都是受中國文化的影響而形成。文化的特色應由全體國民所塑造，國民唯有努力接受新知，才能趕得上時代的脈動，中國不同時段的學術傳入日本，對日本人來說，就是接受新知，漢學、宋學和清學，就是不同時段的新知。而記載傳播新知的就是書籍。這一千七百年間，有多少書籍傳入日本，並產生影響，很難作較正確的估計。近年，嚴紹璗教授編輯出版《日藏漢籍善本書錄》（北京市：中華書局，2007年3月），蒐羅存藏在日本的中國典籍編為一書，這些流傳日本的漢籍善本總算有本總帳簿，對想了解漢籍在日本流傳情形的學者，提供了莫大的方便。從這本總目，可知經、史、子、集四部，各部所藏典籍有多少？

1　這是《古事記》和《日本書紀》的記載，但大部分學者不太相信這種說法。詳見王家驊：《日中儒學の比較》（東京：六興出版，1988年6月），頁50-53。

有哪些典籍在中國已經失傳？對中國各部學術的研究有何貢獻？

筆者對日本經學文獻的整理有相當高的興趣，已主編《日本研究經學論著目錄》（臺北市：中國文哲研究所，1993年10月）、《日本儒學研究書目》（臺北市：臺灣學生書局，1998年7月）等書。數年後擬執行「日本經學研究計畫」，這篇論文姑且作為執行該計畫之前的暖身。由於日本所藏的經部典籍甚多，這篇小文不可能作深入的論述，只能舉被列為國寶和重要文化財的部分典籍略加說明。

二　日藏經籍的類別

中國典籍流傳到日本去的，經、史、子、集四部都有，種類非常多。如以經部來說，幾乎遍及各種經籍的歷代重要注解。這些經注，如以注釋的形態來說，可分為漢魏晉經注本、單疏本、注疏合刊本；如以書寫印刷的不同來說，有抄本、刻本之別；如純就版本形式來說，也有卷子本、線裝本之別。本小節依注釋形態來分。

（一）漢魏晉經注本

1 毛詩詁訓傳卷第六

唐寫本，今存卷第六殘卷，存〈唐風〉〈蟋蟀〉、〈山有樞〉、〈揚之水〉、〈椒聊〉、〈綢繆〉、〈杕杜〉、〈羔裘〉、〈鴇羽〉八篇。原藏京都洛西名瀧長樂院，今藏於東洋文庫。一九五二年三月被認定為「日本國寶」。

2 春秋經傳集解　殘本一卷

唐寫本，今存卷二（桓公）。

本卷子，明治初年收藏於柏木政矩家。楊守敬赴日，驚為古鈔，重價購之以歸，其後由合肥人李國松收藏。大正末年，又被內藤湖南攜往日本，現典藏於藤井齋成會有鄰館。一九五二年三月被認定為「日本國寶」。

3 周禮鄭氏注十二卷

宋建安刊巾箱本。卷末有日本光格天皇文化十三年（1816）狩谷掖齋、近藤正齋題識。原正宗寺收藏，今藏於足利學校遺蹟圖書館。本書已被認定為「日本重要文化財」。

4 周禮殘本二卷　鄭玄注

宋蜀刊大字本。今存卷九、卷十〈秋官〉兩卷。本為黃丕烈、汪士鐘、陸心源皕宋樓舊藏，今藏日本靜嘉堂文庫。卷末有嘉慶十九年（1814）和嘉慶十年（1815）兩篇○○○的題識。本書已被認定為「日本重要文化財」。

（二）單疏本

漢初以前儒家經典的經文和經注，都是獨立成書，如《周易》經的部分和《易傳》的部分，是分別成書的。《詩經》的本文和《詩序》是各自成書的。漸漸的，學者為了閱讀查閱方便，把經注合為一書，至魏晉時代經注合成一書的情形逐漸完成。最明顯的例子是費直、鄭玄、王弼等人將《周易》經傳混而為一。[2]南北朝以後，義疏之學興起。當時的疏是否單獨成書，還有待研究，但唐代的五經正義則是單獨成書，這種注經並疏通注文的「疏」，由於是單獨成一書，版本學上稱為「單疏本」。現存單疏本有唐宋寫本和宋刻本兩個類別[3]。

2　參見張善文先生：〈王弼改定周易體制考〉，《福建師範大學學報》，1989年第2期，頁19-23轉頁30。

3　長澤規矩也有〈現存宋刊單疏本刊行年代考〉，收入《長澤規矩也著作集》第3卷（東京：汲古書院，1982年8月），頁19-25。

屬於唐宋寫本的有：

1 《毛詩正義》秦風殘卷

孔穎達等奉敕撰，唐人寫單疏本，京都市藏。

共四頁紙，今存自〈小戎〉末尾的「言念君子，載寢載興，厭厭良人，秩秩德音」之疏到〈蒹葭〉首部之《疏》，並有「溯游從之，宛到水中央」《疏》的一部分。

羅振玉（1866-1940）說：「《毛詩》〈秦風正義〉殘卷，存〈小戎〉、〈蒹葭〉凡六十七行，前後均斷損。吾友富岡君所藏，字跡疏秀，唐寫本之佳音。不僅『民』字缺筆，為可據也，以校天水以後諸本；其勝處殆不可指數。」[4]可見此書之價值。

此本被指定為「日本重要文化財」。

日本京都帝國大學文學部有影印本，一九二二年。

已有的研究成果有：（1）羅振玉〈日本古寫本毛詩單疏殘卷〉，收入《羅振玉校刊群書敘錄》（揚州市：江蘇廣陵古籍刻印社，1998年）；（2）王曉平〈京都市藏唐抄本《毛詩正義秦風殘卷》研究〉，刊於《天津師範大學學報（社科版）》，二〇〇五年五期，頁68-73。

2 《周易正義》

孔穎達等奉敕撰。鈔本。存卷五至卷九，凡五卷。是鎌倉時代根據南宋刊本抄寫。與通行本異同的地方不少，有很高的校勘價值。原載金澤文庫，後流出歸彰考館文庫收藏。

今人的研究成果，有阿部隆一：〈關於金澤文庫舊藏鎌倉抄本《周易正義》與宋槧單疏本〉，收入《阿部隆一遺稿集》第一卷（東京：汲古書院，1993年1月），頁493-504。

---

4 羅振玉：〈日本古寫本毛詩單疏殘卷〉，收入《羅振玉校刊群書敘錄》（揚州市：江蘇廣陵古籍刻印社，1998年）。

3 《禮記正義》殘本一卷

唐人鈔卷子本。全書本七十卷，此本今存卷五〈曲禮〉上、下，可惜，首尾皆缺佚。原狩谷掖齋等舊藏，今藏於東洋文庫。

此本如與南宋紹熙年間（1190-1194）刊印的《禮記正義》相校，字句頗多相異，大抵更接近《禮記正義》原來面貌。

本書已被認定為「日本重要文化財」。

4 《春秋公羊疏》三十卷

鈔本。現藏日本蓬左文庫。此書分卷與經注本不同，經注本作二十八卷。作疏者及其時代，經數百年考辨，尚未有一致的結論。本書以前國內並無印本，二〇一〇年年初經嘉義大學中國文學系的馮曉庭教授，託在日本的友人取得影本，始能見其真面目。能否提供一些線索，有待進一步的研究。

今傳影印本有一九五二年五月京都大學文學部用蓬左文庫藏影宋鈔本。但此影印本並不容易見到。

現有的研究成果很多，幾乎都是日本學者所作：（1）狩野直喜〈公羊疏作者時代考〉，《小川博士還曆祝賀史學地理學論叢》，頁95-110，東京：吉川弘文堂，1930年5月；（2）重澤俊郎〈公羊疏作者時代考〉，《「支那學」》第六卷四號，1932年12月：（3）河口音彥〈公羊疏成立年代私考〉，《「支那」學研究》第八號，頁45-53，1951年9月；（4）杉浦豐治《公羊疏校記》，東京：書籍文物流通會，1953年；（5）杉浦豐治〈公羊疏成立時代に就いての考察〉，《日本學士院紀要》第十二卷三期，頁209-227；（6）杉浦豐治《公羊疏論考：考文篇》，京都市：安城學友會，1961年12月；（7）杉浦豐治〈公羊疏について〉（1-5），《金城學院大學論集》第37、41、45、49、61號，1968年12月、1970年3月、1971年2月、1927年1月、1975年。

屬於宋刻本的有：

1 《尚書正義》二十卷

孔穎達等奉敕撰，宋刊單疏本。

本書由日本入宋僧圓種於十四世紀從中國帶回，典藏於金澤文庫，十六世紀流出散佚。光格天皇寬政八年（1796）德川幕府醫官得其零本，並查訪餘卷所在。光格天皇享和三年（1803）由大學頭林述齋建議此書歸楓山官文庫（紅葉山文庫）典藏。明治初年歸內閣文庫典藏。明治二十四年（1891）三月，此書移交給宮內省圖書寮（即今宮內廳書陵部）。[5]

本書已被認定為「日本重要文化財」。

今傳影印本有：（1）大阪每日新聞社《秘笈大觀》影印本，1929年。（2）《四部叢刊三編》影印本，1935年。（3）鼎文書局影印本，1972年。

本書有內藤虎次郎作、錢稻孫譯〈影印宋槧單本尚書正義解題〉，刊於《北平圖書館館刊》第四卷第四期（1930年8月），頁31-51。

2 《毛詩正義》殘本三十三卷[6]

孔穎達等奉敕撰，宋紹興九年（1139）單疏刊本。原金澤文庫、竹添光鴻（1842-1917）、內藤湖南（1866-1934）等舊藏。現為武田科學財團杏雨書屋典藏。

---

5 參考嚴紹璗編著：《日藏漢籍善本書錄》（北京市：中華書局，2007年3月），上冊，頁110。

6 本書原有四十卷，既闕卷一至卷七，應存三十三卷，嚴紹璗先生撰：《日本藏漢籍珍本追蹤記實——嚴紹璗海外訪書志》（上海市：上海古籍出版社，2005年5月），頁340卻作三十二卷。

宋太宗端拱元年（西元988年）校勘《五經正義》，淳化三年（西元992年）刻成《毛詩正義》。紹興九年（1139）紹興府重刊。

本書今闕七卷，存卷八至四十。每半頁十五行，每行二十三至二十七字不等。以二十五、二十六字居多。卷四十末有淳化三年刊本所列校勘官名銜。末有「紹興九年九月十五日紹興府雕造」碑記，可確定是紹興刊本。

此書原為金澤文庫舊藏本，後流入民間，日人島田翰（1879-1915）《古文舊書考》云：「古澤介堂氏從周防古剎所獲，後歸井上百爵，遂為吾師（竹添光鴻）有。」每卷卷首或卷尾有「金澤文庫」、「香山常住」墨印，並有「井井居士珍賞子孫永保」印記。

本書於一九三四年一月，被指定為「日本國寶」。

本書京都東方文化學院曾於一九三六年三月影印出版，書名作《國寶毛詩正義》。

今人研究成果，有韓宏韜〈《毛詩正義》單疏本考〉，刊於《河池學院學報》第二十六卷六期（2006年12月），頁44-48。

3 《禮記正義》殘本八卷

孔穎達等奉敕撰，宋紹興、乾道年間單疏刊本。

本書全本共七十卷，今存卷六十三至七十。本為金澤文庫舊藏，後歸甲斐身延山久遠寺典藏。

本書每半葉十五行，每行二十六至二十八字不等，白口，單黑魚尾。左右雙欄。《禮記正義》宋刊單疏本在中國僅存劉承幹嘉業堂所藏之卷三、卷四兩卷。此本今雖僅存八卷，然作為《禮記》單疏本，與東洋文庫所藏平安時代寫本卷五殘本，共為天壤間孤寶。[7]

本書已被指定為「日本重要文化財」。

7　參考嚴紹璗編著：《日藏漢籍善本書錄》，上冊，頁110。

今傳影本有：（1）東方文化學院京都研究所影印本，1930年；（2）《四部叢刊三編》影印本，1935年。

今人研究成果，有：（1）安井小太郎《禮記正義殘卷校勘記》，東京：東方文化學院，1936年（東方文化叢書2）。（2）內藤虎次郎〈宋版禮記正義に就いて〉，《書物禮讚》第六號，1927年4月；收入《內藤湖南全集》第十二卷，頁272-275（東京：筑摩書房，1970年6月）。

4 《爾雅疏》十卷五冊

邢昺奉敕撰，北宋刊宋元修補本。原陸心源皕宋樓藏本，今藏靜嘉堂文庫。本書每半葉十五行，每行三十字，白口，左右雙欄。經文、注文、疏文各自空一格單行。白口，單黑魚尾，左右雙邊。王國維以為是南宋初年刊本。

本書已被指定為「日本重要文化財」。

今人研究成果有王國維：〈宋刊本爾雅疏跋〉，收入《觀堂集林》（北京市：中華書局，1956年6月），卷二十一，頁1037。

以上介紹唐宋抄本四種，宋刊本四種。單疏本的學術價值在哪裡？阿部隆一先生說，在一部書中同時收入經、注和疏的作法確實十分便利，但是為了使本來卷次章句的劃分及次序各不相同的經、注和疏相互照應，有時不得不離析正義附入經注本，因而造成牽強附會、變亂舊形的情況。此外，訛脫誤刻也隨著時代的推移而增多。《周易正義》原為十四卷，王注十卷，但合刻注疏本或為十卷，或如越刊八行本及殿本那樣分為十三卷，或如十行本、明監本、汲古閣本等題為「周易兼義」的通行本那樣分為九卷。因為，從文本的純粹性和正確性的角度看，保持舊貌的單疏本是十分珍貴的。[8]

8 阿部隆一著、陳捷譯：〈關於金澤文庫舊藏鐮倉鈔本《周易正義》與宋槧單疏本〉，刊於《中國文哲研究通訊》，第10卷4期（2000年12月），頁19-29。

(三) 注疏合刊本

單疏本由於必須有經注相配合，才能方便閱讀。所以從南北朝以來單獨流傳的單疏本，慢慢地也跟經注逐漸合在一起。將唐人的《五經正義》的經注疏合刊為一書的是南宋初年浙東茶鹽司，先刻有《周易正義》、《尚書正義》、《周禮正義》三種。南宋光宗紹熙年間，三山黃唐來主該司，又刻《毛詩正義》、《禮記正義》兩種。即世所謂「黃唐本」，又因為這些刻本，都是每半葉八行，所以也稱「八行本」。

日本所藏的浙東茶鹽司所刊刻的注疏合刊本，有《周易注疏》十三卷、《尚書正義》二十卷、《禮記正義》七十卷，三種都是八行本。[9]

1 《周易注疏》十三卷

孔穎達等奉敕撰，宋刊八行本，足利學校遺蹟圖書館藏，是最早的注疏合刻本之一。

本書每半葉有八行，行十六字至二十一字不等。注文雙行，白口，左右雙欄。版心題「易注疏○」。下方記刻工姓名，計有十八人，卷中避宋諱，缺筆至「構」字。

本書原為宋人陸游所藏，每卷末仍保有宋理宗端平年間（1234-1236）陸游第六子陸子遹的識語。何時從陸家傳出，並不可知，但卷一末第七行有上杉憲實（1411-1466）之子上杉憲忠贈書給足利學校的題識「上杉右京亮藤原憲忠寄進」。蓋陸游此書先為上杉憲忠所得，後憲忠尊其父囑，將家藏送給足利學校，供學子使用。

本書於一九五五年六月被指定為「日本國寶」。

9 可參考長澤規矩也：〈越刊八行本著書考〉，《書誌學》第4卷第4號，1935年（昭和10年）5月，頁23-30。後收入《長澤規矩也著作集》第1卷，頁26-31。

2 《尚書正義》二十卷八冊

孔穎達等奉敕撰，宋刊八行本，足利學校遺蹟圖書館藏，是最早的注疏合刻本之一。

本書卷首孔維等〈上表〉之天頭，有「此書不許出學校闔外憲實」，「足利學校公用」墨書，卷二十末第七行有「上杉安房守藤原憲實寄進」題簽。

本書於一九五五年六月被指定為「日本國寶」。

今人研究成果有：長澤規矩也：〈越刊八行本注疏考〉，收入《長澤規矩也著作集》第一卷（東京：汲古書院，1982年8月），頁26-31。

3 《禮記正義》七十卷三十五冊

孔穎達等奉敕撰，宋刊八行本，足利學校遺蹟圖書館藏，是最早的注疏合刻本之一。

有宋紹熙三年（1192）三山黄唐跋文，卷三十三至四十為豐後萬壽寺僧人一華補鈔，卷首天頭，有「此書不許出學校闔外憲實」的提示。

卷末有紹熙三年（1192）三山黄唐刊行的〈跋〉，該文說：

> 六經疏義自京監蜀本皆省正文及注，又篇章散亂，覽者病焉。本司舊刊《易》、《書》、《周禮》正經注疏萃見一書，便於披繹，他經獨闕。紹熙辛亥仲冬，唐備員司庾，遂取《毛詩》、《禮記》疏義如前三經編彙，精加讎正，用鋟諸木，庶廣前人之所未備。乃若《春秋》一經，顧力未暇，姑以貽同志云。壬子秋八月，三山黄唐謹識。

可見在黄唐來主事之前，該司已刊刻了《周易》、《尚書》、《周禮》三經的注疏，黃唐再刊刻《毛詩》、《禮記》二經注疏，合計五種。至於《春秋》一經，因力有未逮，將留給同志去做。

此本傳到日本後，日本學者作了訓點和校勘。有日本室町時代（1395-1573）的墨筆訓點，並有江戶時代的朱墨校字。卷二十六的末葉缺佚。卷三十三至卷四十（共四冊），卷四十七的末葉，係室町時代僧人補寫。日本光格天皇寬政九年（1797）新樂定編錄《足利學校藏書目錄》，引近藤正齋關於此本八卷補寫諸事的考訂文曰：

> 《禮記正義》七十卷，《藏書目錄》中第一卷封面內側，題誌〈郊特牲〉、〈內則〉、〈玉藻〉三編缺欠，本經自八至九，正義三十三至四十，此乃上杉憲實手書也。押「松竹清風」篆印。（上杉氏）贈送之時，此四本實缺。補本四冊，乃抄本也。首題「紫府豐後僧一華學士於武州勝沼，以印本令書寫贈送，一次校合畢」。補本係據世間南宋所刻《附釋音》本。一華乃豐後萬壽寺僧，文明、永祿間（1469-1570）人。當年因世無《正義》本，故以《附釋音》本補之。

本書於一九五五年二月被指定為「日本國寶」。

今人的研究有：（1）常盤井賢十：〈宋紹熙板禮記正義に就いて〉，《東方學報》（京都）第四冊（1933年12月），頁59-105；（2）長澤規矩也：〈越刊八行本注疏考〉，收入《長澤規矩也著作集》第一卷（東京：汲古書院，1982年8月），頁26-31。

4 《附釋音毛詩注疏》二十卷三十冊

孔穎達等奉敕撰，宋刊十行本。本書是注疏合刊本，且附有陸德明《經典釋文》。宋末建安一經堂劉叔剛刊行，為足利學校遺蹟圖書館所藏。每半葉十行。[10]為《附釋音毛詩注疏》之祖本，清人阮元據以校《十三經注疏》的明正德十行本，是元人覆刻本的明修補本，並非原本。

本書已被認定為「日本重要文化財」。

本書一九七三至一九七四年間東京汲古書院有影印本，書前有長澤規矩也所撰〈足利學校遺蹟圖書館藏南宋刊行十行本毛詩注疏解說〉，後收入《長澤規矩也著作集》第十卷中。

以上所舉的注疏合刻本有三種八行本、一種十行本，在版本學上是收藏家所歆羨的越刊本，在經學研究上，又是我國最早的經注疏合刊本。要了解義疏與經注如何結合，結合時作了哪些加工的工作，就必須利用這些經注疏合刻本。日本所藏的數種宋刊本，正好可滿足學者的需求。

（四）中國已失傳經籍

由於中國經籍傳入的歷史甚為悠久，加上保存得當，有不少傳入後，就一直流傳下來。累積到現在如果細加分析，可以發現唐人抄寫的漢晉經注和南北朝隋唐的經疏，在日本保存最多，這都是中土所沒有的，茲舉數例加以說明：

1 《講周易疏論家義記殘卷》

撰者無可考。《隋書》〈經籍志〉並未著錄類似書名的著作。本書現藏日本奈良興福寺。

關於此書內容，狩野直喜有〈《講周易疏論家義記殘卷》跋〉說：

> 此書存〈釋乾〉、〈釋噬嗑〉、〈釋賁〉、〈釋咸〉、〈釋恆〉、〈釋

10 長澤規矩也有〈十行本注疏考〉，《書誌學》第3卷第6號，1934年（昭和九年）12月，頁7-16。收入《長澤規矩也著作集》第1卷，頁32-39。

> 遯〉、〈釋睽〉、〈釋蹇〉、〈釋解〉，凡九卦。而〈釋咸〉條題曰「講周易疏論嘉義記釋咸」第十，知即書名，而卷數與撰人名氏則不可得而知矣。但見其獨詳於〈釋乾〉，〈噬嗑〉以下皆轉為簡略，一書之體，不應如此，疑似節錄，非其全本。又鈔胥無識，文字訛奪，無行無之，其難度甚於《釋文》，是可惜也。[11]

本書所引漢魏以來三玄之學和佛家般若空宗義，以至三論教學「竟一智」說，實為研治六朝儒經義疏學發展的重要文獻，尤其將之與孔穎達《周易正義》相關部分作比較，對了解南北朝末年至隋唐初年的經學發展應有相當的幫助。[12]

一九五五年二月被指定為「日本重要文化財」。

有京都帝國大學文學部影印本，一九三五年。

相關的研究成果有：（1）狩野直喜：〈講周易疏論家義記殘卷跋〉，《「支那」學》第八卷一期，頁67-71，1935年10月；（2）狩野直喜：〈書舊鈔本講周易疏論家義記後〉，漢學論叢，第一輯，1936年5月；（3）藤原高男〈《講周易疏論家義記》における易學の性格〉，《漢魏文化》第一號（1960年6月），頁42-63；（4）本田濟：〈評《講周易疏論家義記》における易學の性格〉，《漢魏文化》第二號（1961年8月），頁74-75；（5）馮錦榮：〈「格義」與六朝《周易》義疏學〉──以日本奈良興福寺藏《講周易疏論家義記殘卷》為中心〉，《新亞學報》，第二十一卷（2001年），頁113-136；（6）河野美貴子〈興福寺藏《經典釋文》及び講《講周易疏論家義記》について〉，《汲古》第五十二

---

11 狩野直喜：〈講周易疏論家義記殘卷跋〉，《「支那」學》第8卷第1期（1935年10月），頁67-71。

12 詳見馮錦榮先生〈「格義」與六朝《周易》義疏學〉──以日本奈良興福寺藏《講周易疏論家義記殘卷》為中心〉，刊於《新亞學報》第21卷（2001年），頁113-116。

號（2007年12月）。中文版《風起雲揚——首屆南京大學域外漢籍研究國際學術研討會論文集》（北京市：中華書局，2009年10月），頁531-547。

2 《禮記喪服小記子本疏義》殘卷一卷　〔陳〕鄭灼撰

唐寫本。《隋書》〈經籍志〉並未著錄類似書名的著作。此本是《禮記》第十五篇〈喪服小記〉的疏義，卷首首題及經疏數行缺佚，卷尾明題「喪服小記子本疏義第五十九」。原為田中光顯等收藏，今藏早稻田大學圖書館。

藤原佐世的《本朝見在書目錄》著錄《禮記子本義疏》百卷，題「國子助教皇侃撰」。這裡的「義疏」和「疏義」，應都指當時的義疏體，可惜，皇侃的《義疏》早已亡佚，無法作比對。

今本中有「灼案」、「灼謂」、「灼又疑」等字，「灼」是指皇侃的學生鄭灼，他取皇侃的書，薈集眾說加以按語，這種解經的體制，猶如母子關係，作義疏的身分如同子女，所以稱「子本」。

本書已被指定為「日本國寶」。

本書有一九一六年羅振玉石印本。

本書的研究成果有：（1）胡玉縉：〈殘本禮記子本疏義〉一卷提要，《續修四庫全書總目提要．經部》（北京市：中華書局，1993年7月），上冊，頁545；（2）鈴木由次郎：〈禮記子本疏義殘卷考文序〉，《中央大學文學部紀要》哲學科，第十一號，1958年3月；（3）鈴木由次郎：〈禮記子本疏義殘卷考文〉，《中央大學文學部紀要》哲學科，第十六號，1970年；（4）喬秀岩：〈禮記子本疏義〉，《義疏學衰亡史論》（東京：白峰社，2001年2月），頁179-194。

3 《論語義疏》　皇侃著

皇侃，吳郡人，梁國子助教，精通《三禮》、《論語》、《孝經》。

所著《論語義疏》十卷、《隋書》〈經籍志〉、《經典釋文》、《舊唐書》〈經籍志〉、《新唐書》〈藝文志〉都有著錄。五代丘光庭作《兼明書》、北宋邢昺作《論語注疏》，頗多引錄。宋晁公武、尤袤所編書目都有著錄。南宋中葉，朱子是否見過皇侃的《論語義疏》，已是疑問，陳振孫《直齋書錄解題》已不見著錄。大概宋以後已失傳，清中葉才回傳中國。

《論語義疏》是何時傳入日本的？大抵在唐朝後期該在日本被用作博士家的教本。許多教育機構皆用作課本。因此，在日本保存下來的都是抄本。根據日本學者橋本秀美（陳沂）的說法，《論語義疏》的鈔本多達三十餘種[13]，是歷代各種經說所不及。

4 《古文孝經孔傳》

《隋書》〈經籍志〉、《經典釋文》、《舊唐書》〈經籍志〉、《新唐書》〈藝文志〉都不見著錄，僅日本藏有此書。日本享保十七年（1732）日本古學派學者，荻生徂徠之弟子太宰春臺刊刻了此書。不久，由汪翼滄攜回國內。鮑廷博將其刻入《知不足齋叢書》第一輯，盧文弨為該書作序時，以為非近人所能撰造，但又有些許可疑。盧氏說：

> 余按傳文以求之，如云：「閒居靜而思道也」，則陸德明引之矣；「脫衣就功，暴其肌體」云云，則司馬貞引之矣；「上帝亦天也」，則王仲丘引之矣。其文義典核，又與《釋文》、《會要》、《舊唐書》所載一一符合，必非近人所能撰造。[14]

---

13 見陳沂：〈日本古代論語學資料及其研究〉，《原學》，第2輯（1995年1月），頁353-380。

14 盧文弨：〈新刻古文孝經孔氏傳序〉，收入盧文弨《抱經堂文集》（北京市：中華書局，1990年）卷2，頁20。

但又因為：

> 蓋其文辭微與西京不類，與安國《尚書傳》體裁亦別，又不為漢惠帝諱「盈」字，唯此為可疑耳。[15]

文弨又以為即使這書是偽作，因古書能傳於今者已相當少，所以也不可廢。

5 《周易新講義》十卷　龔原著

南宋紹興年間（1131-1162）刊本。現藏日本國立公文書館。

首有龔原〈進周易新講義自序〉。序文每半葉十行，行十七字。正文每半葉十行，行十八至二十二字。

本書於元代時失傳，原刊本則流傳到日本。文化二年（1805）入藏昌平坂學問所。林述齋曾將其編入《佚存叢書》中。[16]

本書已被指定為「日本重要文化財」。

龔氏此書在國內已有五種翻印本：（1）《百部叢書集成》第八十種《佚存叢書》本，臺北縣，藝文印書館，1965年影印本；（2）南京江蘇古籍出版社1998年影印《宛委別藏》本；（3）北京中華書局1991年影印《叢書集成初編》本；（4）上海古籍出版社一九九五年影印《續修四庫全書》本；（5）北京圖書館出版社2003年影印《佚存叢書》本。

15 盧文弨〈新刻古文孝經孔氏傳序〉，收入盧文弨《抱經堂文集》（北京市：中華書局，1990年）卷2，頁20。

16 參考嚴紹璗先生：《漢籍在日本的流布研究》（南京市：江蘇古籍出版社，1992年6月）。

6 《周易傳》　李中正撰

即《泰軒易傳》，日本應安五年（1372）鈔本。

林述齋（1768-1841）將其編入《佚存叢書》中。卷末有林述齋〈跋語〉云：

> 《泰軒易傳》六卷，宋李中正撰，是書原是足利學校所貯。

《宋史》〈藝文志〉和諸家書目皆未著錄。朱彝尊《經義考》也未著錄。徐乾學代納蘭性德刻《通志堂經解》，也未收此書。

李氏此書國內已有數個版本：（1）《粵雅堂叢書三編》第二十七集，書名作《周易上經傳》六卷，清同治元年（1862）伍崇曜刊本；（2）上海商務印書館1924年影印《佚存叢書》本；（3）北京中華書局1985年影印《叢書集成初編》本；（4）臺北市新文豐出版公司1985年《叢書集成新編》本。

在中國境內已亡佚的經籍數量甚多，尤其唐人抄的漢魏晉經書的注和各經的單疏本，利用這些國內已佚的抄本和刻本，不但可以得知經書注疏的原始體制，也可利用這些文本來從事校勘之用，用這些佚存的經學著作，對學術研究的貢獻也就在此。

三　經籍的學術價值

以上簡單介紹了日本所藏漢魏晉經注本四種，單疏本八種，注疏合刊本四種，中國已失傳經籍五種，合計十一種，只不過是日本所藏經籍的千百分之一而已，但因為是古抄本和古刻本，且有多種經籍在中國早已失傳，可見所舉仍有代表性。茲從中舉例說明它們對學術研究的價值。

（一）可供校勘之用

日本所藏中國經籍中古抄本、宋元刊本，大都是較古的版本，大部分都可作為校勘之用。例如：孔穎達的《禮記注疏》是以皇侃的《禮記義疏》為底本編輯而成，而皇侃的書都已亡佚，今典藏於奈良興福寺的《禮記子本疏義殘卷》，是鄭灼抄皇侃《義疏》，加上自己的按語而成〈喪服小記〉「親親以三為五」一節孔穎達《疏》「曾孫服曾祖正三月」、「曾孫……，故正服緦麻」、「拒於期之斷殺，便正五月」。「從伯叔亦正報五月」的「正」字，各本《禮記注疏》也都作「正」字，阮元《禮記注疏校勘記》並無校記。而《禮記子本疏義殘卷》所錄皇侃的《疏》，這幾個「正」字，都作「止」字，可見各本都弄錯，只有《子本疏義》沒有錯。[17]但今人作校勘，皆不知利用《禮記子本疏義》，至為可惜。又唐人抄卷子本《禮記正義》殘本一卷。《禮記正義》殘本八卷，取這兩書與阮元刻本《禮記正義》對校，有出入者多達數百條。

（二）可供輯佚之用

《詩經》的今傳本，在長期流傳過程中，頗有脫誤。像古抄本《神樂歌》紙背抄有〈小雅〉〈韓奕〉末二章，第五章孔穎達《疏》有「此言韓侯」等一九八字，為孔《疏》的遺文。[18]

（三）有助了解經籍體例

《毛詩正義》單疏本，為紹興九年紹興府覆淳化三年監本，是天

---

17 參胡玉縉：〈殘本禮記子本疏義一卷提要〉，《續修四庫全書總目提要》（北京市：中華書局，1993年7月），上冊，頁545。

18 參王曉平：〈詩經日藏古本的文獻學價值〉，《天津師範大學學報》（社會科學版），2006年5期，頁57-63。

壞間孤本。該書本四十卷，缺前七卷，今存三十二卷。在各卷末皆計有該卷字數，如第八卷末記字數云「計二萬四千六百四十七字」，此可見單疏本的原貌。

（四）有助了解學術思想之演變

《講周易疏論家義記殘卷》所引漢魏以來三玄之學和佛家般若空宗義，以至三論教學「竟一智」說，實為研治六朝儒經義疏學發展的重要文獻，尤其將之與孔穎達《周易正義》相關部分作比較，對了解南北朝末年至隋唐初年的經學發展應有相當的幫助。[19]

（五）彌補文獻之不足

在中國已亡佚的書籍，如：佚名的《講周易疏論家義記殘卷》、鄭灼的《禮記喪服小記子本疏義殘卷》、皇侃的《論語義疏》、龔原的《周易新講義》、李中正的《周易傳》等都可彌補經籍文獻之不足。像皇侃的《論語義疏》在清中葉回傳中國，即掀起研究的熱潮，可見國人對新資料期盼之殷切。

四　結語

從以上敘述，有幾點感想提出來：

其一，日本所藏的漢學資料甚多，尤其經學方面的文獻。許多單疏本、注疏合刊本，大部分國內的圖書館和個人學者都未見收藏，要研究中國魏晉南北朝至宋代的經學史和學術思想就有相當程度的困難，要作研究就必須解決當前所遭遇的問題。

---

19 詳見馮錦榮先生〈「格義」與六朝《周易》義疏學〉──以日本奈良興福寺藏《講周易疏論家義記殘卷》為中心〉，刊於《新亞學報》，第21卷（2001年），頁113-116。

其二，不論是經注本、單疏本、注疏合刊本，或是中國已亡佚的典籍，兩岸的出版社大都已有重印本。可惜，國內學者和研究生往往不知哪些經籍在國內是罕見的，哪些是國內已亡佚的。因此，也無法對這些珍貴的文獻作研究，失去開拓新論題的機會。

其三，由於語言的隔閡，許多用日文介紹這些罕見資料的論文，學者和研究生並不知道，即使知道也因看不懂，無法參考利用。國內學術界從日本留學回來的年輕人逐年增多，可以用點心思將相關的論文譯成中文，發表在各種刊物中，引導其他學者和研究生去了解這些文獻資料的價值。

原載於《第一屆東亞漢文文獻整理研究國際學術研討會論文集》（新北市：臺北大學古典文獻學研究所，2011年7月），頁139-174。

評《詩經研究文獻目錄》*

廣義的經學研究，可分為經書研究和經學史研究兩大類。經書有十三種之多，又歷經十多個朝代，兩千餘年的發展；且流布日本、韓國、越南、歐美等地區；加上二十世紀以來出版量暴增，所出版的經學文獻，幾達以前數個世紀的總合。這麼龐大體系的經學文獻，要檢出自己所需的資料，實有如大海撈針。

檢索既有困難，編輯經學文獻目錄的事，也應運而生。在中國方面，以本人主編的《經學研究論著目錄》，收錄於一九一二至一九八七年間，大陸、臺灣、香港等地出版之經學論著條目一萬二千餘條，內容龐大，體例也最完善。日本部分，本人主編的《日本研究經學論著目錄》，收錄論著條目約七千條，將於一九九三年八月，由中國文哲研究所出版。有此兩種目錄，檢查二十世紀以來大陸、臺灣、日本等地研究經學的成果，可說易如反掌。

在日本方面，並沒有為經學專門編輯的目錄，要檢查相關論著，一方面可利用綜合性的目錄，如《東洋學文獻類目》（京都大學人文科學研究所）、《中國思想、宗教、文化關係論文目錄》（中國思想宗教史研究會）、《中國文學研究文獻要覽（1945-1977）》（日外アソシェーツ株式會社）和《日本中國學報》所附的「學界展望」。至於為某一專經所編的目錄也有數種，《詩經》方面有：

---

* 《詩經研究文獻目錄》，編者：村山吉廣、江口尚純，出版者：東京：汲古書院，出版時間：平成四年（1992）十月，頁數：278頁。

1.《詩經關係文獻目錄》：發表於《詩經研究》一、二、四、六號。第十六號有江口尚純的《詩經學關係文獻目錄稿（明治初年——平成元年）》。
2.《詩經關係書目解題》：發表於《詩經研究》五至七、十至十二號。
3.《詩經研究文獻提要》：發表於《詩經研究》五至十五號。

這三類的目錄性質各不相同，皆有其作用。可惜《詩經研究》流傳不廣，且目錄刊在雜誌中，自有其侷限性，所以並未引起太大的迴響。去年十月，村山吉廣和江口尚純兩先生，根據以前在《詩經研究》發表的資料，再加以增補，終於編成《詩經研究文獻目錄》。

除《詩經》外，《三禮》部分有齋木哲郎的《禮學關係文獻目錄》（東京：東方書店，1985年10月），收相關論文條目兩千餘條。《左傳》方面有上野賢知所編《日本左傳研究著述年表並分類目錄》（東京：財團法人無窮會東洋文化研究所，1957年）。《論》、《孟》方面有林泰輔編、麓保孝修訂的《論語年譜》（東京：國書刊行會，1976年）和瀨尾邦雄的《孔子、孟子に關する文獻目錄》（東京：白帝社，1992年4月）。《孝經》方面有林秀一的《日本孝經年譜》（《漢學會雜誌》2卷1、2號，3卷1、2號）。

這些專經目錄，或因收錄範圍狹窄；或因出版已久，時效不足；或因編輯體例不佳，不便檢索。編輯體例較完善，收錄範圍較廣者，僅村山吉廣、江口尚純合編的《詩經研究文獻目錄》而已。

《詩經研究文獻目錄》（以下簡稱《本目錄》）將所錄的文獻條目分為邦文篇（日文篇）和中文篇。邦文篇收錄明治元年（1868）至平成二年（1990）的文獻；中文篇收一九〇〇至一九九〇年的文獻。根據《本目錄》的「凡例」和所收條目加以觀察，各條資料大概根據下列數個原則編排：

1. 邦文篇和中文篇分開排，各篇中又分單行本、論文兩部分。

2. 單行本部分，每一條目著錄書名、作者、出版者、（所在叢書名）、出版年月等。

3. 論文部分，每一條目著錄篇名、作者、期刊名、卷期、出版年月。如後來收入論文集或全集的，也一一註明。

4. 各單行本或論文之書評，排在原書或原論文條目之下，為示分別，皆退縮三格編排。

了解《本目錄》的編排體例，才能進一步討論它的優缺點。在討論它的優缺點前，必須提出說明的是，《本目錄》中文篇的資料，大抵沿襲本人主編《經學研究論著目錄》中的《詩經》部分，再增補一九〇〇至一九一一、一九八八至一九九〇年的部分資料。由於《經學研究論著目錄》的體例較完善，缺點較少，邦文篇部分，根據這種體例來編輯，也有較高的水平。可惜，《本目錄》編者，對此種體例和資料的沿襲，一字不提，僅在參考書目列出《經學研究論著目錄》一條而已。

當然，《本目錄》能吸收《經學研究論著目錄》之優點，仍可見編者的識見高明。姑不論其體例、資料是否沿襲，就事論事，《本目錄》至少有下列數點值得注意：

1. 收錄資料廣：編輯目錄有時體例訂得太嚴格，收錄資料太窄，很多從篇名上看來無關的資料，往往就失收。《本目錄》邦文篇部分，收錄不少從篇名上看來與《詩經》無關的條目，如四七六條，水上靜夫的〈中日兩國の古代信仰植物の連關について〉；四七八條，水上靜夫的〈楊柳信仰の起源について〉；四八一條，水上靜夫的〈桑樹信仰論〉；四九二條，白川靜的〈神話と經典〉……等等。如果對資料內容了解不足，將會誤以為與《詩經》無關，而把它們捨棄。

2. 注明多種出處：一本專著（單行本）出版後，經過多年，可能再版，也可能改換出版者重新出版；也可能收入該作者的全集中。一篇論文發表後，可能收入該作者的論文集中，也可能收入類似大陸

《複印報刊資料》的《中國關係論說資料》中。該作者的論文集，又收入後來的全集中。由此可見一本專著或一篇論文，被出版和收錄的次數是隨時在增加的，每多一次，就表示多一個出處。編輯目錄時，如果能將每一種出處，按時間先後編排，不但反映了該論文的重要性，也可指示讀者從不同的出處找到所需的資料。這種編排體例，是從本人所編的《經學研究論著目錄》開始。《本目錄》能承繼此一優點，也值得肯定。

3. 臚列論文集篇目：前人編目錄往往忽略專門論文集的特殊性質，當作專書處理，僅立一條目而已。其實論文集顧名思義，是收錄多篇論文的，如果僅立一條目便無法知道該論文集之內容。由於有此一缺失，論文集的資料往往未能充分的利用。京都大學人文科學研究所的《東洋學文獻類目》很早就注意到論文集的重要性，所收各種論文集，皆臚列篇目。本人所編《詩經研究文獻目錄》，頗受其影響。慢慢地，此種編排法，也成了一優良目錄的必備條之一。《本目錄》所收論文集，大抵皆有列出篇目，能承繼此一傳統，也應稱許。

以上為《本目錄》編輯體例上值得注意的優點，以下談談待改進的地方：

1. 未註明頁數：單行本註明總頁數，可確知該書分量；期刊論文註明頁數，不但可確知該論文之分量，更可協助檢索。《本目錄》不論邦文篇或中文篇，皆未加註頁數，實為美中不足。本來，《經學研究論著目錄》各條目，大多有註明頁數，《本目錄》中文篇沿襲該書體例，自應將頁數這一項保留。但可能為遷就邦文篇，所以把頁數刪去了，相當可惜。

2. 未編作者索引：作者索引不但可協助檢索，更可反映某一《詩經》研究者的研究成果。《本目錄》未能正視此一輔助工具的重要性，在編輯「凡例」中表示將來再補編。即使將來再補編，對現在擁有《本目錄》的人，還是相當不方便。至於為何要將來再補編，恐很難說出充足的理由。

3. 缺收錄期刊、論文集一覽表：有收錄期刊一覽表，讀者可根據該一覽表，得知某期刊為哪一地區，或哪一國的出版品，到圖書館查詢時，也可節省不少時間。論文集一覽表除了此一功能外，如有讀者想購買該論文集，也可從中得到更多的線索。《本目錄》編輯「凡例」也說此兩種一覽表待補，不知何故？

4. 少數類目欠妥當：《本目錄》邦文篇和中文篇，都有「その他」一類。照道理，無法歸入某一類的，才入「その他」這一類。可是邦文篇「その他」一類所收的三十餘條，除「采詩」、「圖版」十餘條外，大多可歸入其他各類中。中文篇「その他」一類，所收討論敦煌詩經卷子的條目，大都可歸入「解釋學史研究」的六朝隋唐這一斷代中。

5. 失收論文不少：《本目錄》邦文篇部分，失收的資料較少，但仍有遺漏，如「解釋學史研究」部分，就未見鈴木修次的〈朱子の詩經集傳〉、富平美波的〈陳第の上古音研究〉等論文。至於中文篇部分，近數年臺灣的研究成果失收最多，如以「解釋學史研究」來說，從先秦至民國，失收的論文就有：林葉連〈中國歷代詩經學〉、張素卿〈左傳稱詩研究〉、陳文采〈兩宋詩經學著述考〉、趙明媛〈歐陽修詩本義研究〉、程元敏〈評介邱著詩義鉤沈〉、李光筠〈朱鶴齡詩經通義研究〉、劉邦治〈馬瑞辰毛詩傳箋通釋研究〉、吳鳴〈五四時期的民歌採集與詩經研究〉……等。這些論文，皆發表於一九八八至一九九〇年間，所以失收，是因為本人主編的《經學研究論著目錄》，資料僅收到一九八七年，一九八七年以後的《本目錄》無法沿襲；又未能到臺灣親自抄錄條目，資料當然無法完備。

6. 失載出處者不少：《本目錄》所收之論文條目，有多種出處者，皆盡量著錄。如以邦文篇來說，仍有不少未及註記者，如《中國關係論說資料》有收入的，《本目錄》皆已註明，但四五一條，谷口義介的〈大克鼎の時代〉，收入《中國關係論說資料》第二十九號第三分冊（上）；四九〇條，御手洗勝的〈后稷の傳說〉，收入第十七號第一分冊（上）；第六〇五條，福島吉彥的〈唐五經正義撰定考〉，收入第十六號第二分冊（下），……等，《本目錄》皆未著錄。

7. 誤收非詩經之條目：《本目錄》第二六二頁104429條，收有：「朱熹觀書詩小考　陳來　中國哲學　七輯　一九八二／三」一條。所謂〈觀書詩〉是指「半畝方塘一鑒開，天光雲影共徘徊。問渠那得清如許？為有源頭活水來。」這首詩。本人主編《經學研究論著目錄》時，因未見大陸《中國哲學》第七輯，誤收該條，《本目錄》竟沿襲此一錯誤。

此外，如邦文篇，頁二十六，〈秦風〉部分，所收金田純一郎的〈綢繆の詩への一考察〉和〈綢繆の詩をめぐって〉兩篇論文，應在〈唐風〉。至於校對疏忽，導致卷期、出版年月有誤者也不少，茲不詳舉。

《本目錄》雖有上述諸多疏失，但仍是日人編輯文獻目錄中較出色者。對中國讀者來讀，邦文篇仍具有相當之參考價值。由於本人主編之《經學研究論著目錄》在日本罕見流傳，《本目錄》對日本學者來說，仍是檢查《詩經》文獻較容易得手的工具書。

編纂《日本儒學史研究文獻目錄》芻議

一　前言

當一位初學者要了解日本儒學的發展時，至少可從下列兩個方面入手：一是選讀一兩種扼要的儒學史或學派史，作為入門的初階。儒學通史如：安井小太郎的《日本儒學史》（東京：富山房，昭和十四年四月）；學派史，如：井上哲次郎的《日本朱子學派之哲學》（東京：富山房，明治三十八年十二月）、《日本古學派之哲學》（東京：富山房，明治三十五年九月）、《新訂日本陽明學派の哲學》（東京：富山房，昭和十三年八月）等都是。二是充分掌握儒學史方面的文獻資料，要了解文獻資料，得先從掌握工具書入手。在這個研究領域，相關的工具書也不少，如：小川貫道編《漢學者傳記及著述集覽》（東京：名著刊行會，昭和四十五年）、竹林貫一編《漢學者傳記集成》（東京：名著刊行會，昭和五十三年九月）、關儀一郎編《近世漢學者傳記著作大事典》（東京：琳瑯閣書店，昭和五十六年）、森銑三等編《近世文藝家資料綜覽》（東京：東京堂，昭和四十八年三月）、近藤春雄編《日本漢文學大事典》（東京：明治書院，昭和六十年三月）、大倉精神文化研究所編《日本思想史文獻解題》（東京：角川書店，平成四年）等都是。

本文試圖從文獻的角度來了解現有工具書是否足以呈現儒學史資

料的全貌，並提出編纂「儒學史研究文獻目錄」的方法。由於是不成熟的芻蕘之見，所以稱為「芻議」。

二 日本儒學史研究文獻的類別

要董理日本儒學史的文獻，第一步就要先了解文獻的類別。自儒學傳入日本到現在，所累積下來的儒學研究文獻，可能有數萬筆以上。這數萬筆的資料，至少可分為下列數個類別：

(一) 儒學家的傳記資料

有儒學家的自傳、年譜，也有後人撰寫的傳記、年譜，也有儒學者逝世後，紀念會或彰顯會所編的小冊子。這一部分的資料，分散在各種專著、期刊中，必須有人作成索引，才方便檢索。森銑三等人所編的《近世文藝家資料綜覽》，已收集不少。另外，也有傳記辭典所收的傳記材料。這一部分的材料，主要是提供簡單的生平事蹟，學術價值比較不高。前述幾種傳記辭典都屬於這一類的工具書。

(二) 儒學家的著作資料

這是研究日本儒學史最基礎的文獻資料。一部儒學家的著作，流傳到現在，很可能有下列各種版本：(1) 原刻本；(2) 全集本；(3) 某叢書本；(4) 現代語譯、註釋本。這一部分的資料，能檢索的工具書，有：《國書總目錄》(東京：岩波書店，昭和四十七年)、《古典籍總目錄》(東京：岩波書店，平成二年)、《全集、叢書細目總覽第一卷古典編》(東京：紀伊國屋書店，昭和四十八年)。但是，這些目錄都非常繁複，檢索起來相當不方便，且編輯時間比較早，近數十年出版的叢書、全集，並未收入。

（三）後人之研究論著資料

這一部分資料的分量要比儒學家本身的著作還來得多。類別也更豐富，諸如：交游、學術、思想、影響，甚至為儒學家所編的關係文獻目錄等都是。這些資料，有專書，也有論文。論文可能發表於期刊、報紙、論文集，也可能是學生的學位論文，或一種專題研究報告。資料的種類非常多，也非少數幾個圖書館可收集齊備。這些類別的資料中，最值得注意的是研究者為儒學家所編輯的文獻目錄。這種文獻目錄往往是研究者經多年的蒐集所得，資料既正確，又豐富，如：

1. 阿部隆一編《大倉精神文化研究所所藏崎門學派著作文獻解題》，《大倉山論集》第六輯，昭和三十二年五月。
2. 宮崎道生編《蕃山關係文獻目錄》，《熊澤蕃山研究》內（京都市：思文閣出版，平成二年二月）。
3. 清水徹編《仁齋、東涯、古義堂關係文獻目錄》，《季刊日本思想史》第二十七號，昭和六十一年九月。
4. 梅谷文夫、水田紀久編《富永仲基關係文獻目錄》，《富永仲基研究》內（東京：和泉書院，昭和五十九年）
5. 內山精也、鳩崎一郎編《龜田鵬齋關係研究文獻目錄》，《中國古典研究》第二十八號，昭和五十八年十二月。
6. 中島智枝子編《吉田松陰關係文獻目錄》，《吉田松陰のすべて》內（東京：新人物往來社，昭和五十九年三月）。

可惜，編有這種文獻目錄的大多是影響較大的儒學家，大部分的儒者的資料，仍舊未有系統的整理。

（四）儒學家時代背景的資料

每一個儒學家都有其時代背景。江戶時代的儒者，有江戶時代的背景；明治時代的儒者，也有明治時代的背景。因此，要研究每階段儒學的發展，相關的背景資料，也是不可忽略的。這類背景資料，依學科分類有：文化史、教育史、社會史、經濟史……等方面。這方面的專門著作看似與儒學史無關，其實跟儒學的發展都密不可分。

日本儒學史的資料，分布既這麼廣，資料的內容又那麼豐富，非得有一部較完整的工具書來加以統合不可。現有與儒學有關的工具書，如前文所述已有不少，是否已將這些資料作較完整的統合，實有待下文的檢討。

三　現有日本儒學史參考工具書的檢討

可以檢查日本儒學史資料的工具書很多，但我們並不把它全部列為儒學史的參考工具。主要是這些工具書大多不為儒學史的目的而編。除了前述數本工具書外，真正為檢索儒學史資料而編的，可能只有森銑三等人所編的《近世文藝家資料綜覽》和近藤春雄編《日本漢文學大事典》二書而已。

在正式檢討森銑三和近藤春雄兩人的著作之前，筆者以為一部理想的儒學史研究文獻工具，至少要能滿足下列數點需求：

1. 儒者有哪些傳記資料？收在哪些書裡？
2. 儒者有哪些著作？卷數、版本如何？是否有現代人的譯註？
3. 後人的研究成果如何？
4. 相關背景資料著錄多少？

這樣的工具書才能真正呈現儒學史發展的全部面貌。以下將以這個標準來檢討森銑三和近藤春雄兩人的著作。

森銑三、丸山季夫、稻村徹元、北村博邦等人所編的《近世文藝家資料綜纜》，可說是研究日本儒學史相當重要的工具書。該書所謂文藝家，包括範圍很廣，國學家、著述家、漢學家、……等都是。每一條目，先略述生平事蹟，篇幅約百字以內。其次是提示文藝家資料之所在。先錄出該文藝家的著作資料，次為傳記資料，再次為有關之論著。著作僅錄詩文裡。傳記資料大多採自筆記、傳記等書。如伊藤東涯條，所舉的傳記資料是原念齋的《史氏備考》、五弓久文的《事實文編》、原念齋的《先哲叢談》、《先哲像傳》、角田九華的《近世叢語》、《續近世叢語》，飯田忠彥的《野史》等。這些筆記、傳記中資料，可能要專門研究多年的學者才知其所在，初學者就不用說了。因此，森銑三等人的這部工具書，可說為研究日本儒學史的學者，提供了相當豐富的筆記和傳記書中的資料。

至於後人研究論著，受全書篇幅所限，收錄相當少。這方面的功能可能要靠近藤春雄的《日本漢文學大事典》來補足。

近藤氏的書，是目前檢查日本儒學史文獻最常用的工具書。全書為條目式，按五十音順來編排。條目包括人名、書名和事項。人名條，大抵有簡單的傳記資料，並列出其重要著作。傳記和著述資料之後，注明所列資料取材於何書。著述僅著錄書名和卷數，不注版本。如有全集，大多另立一條，以書名處理。著述之後，立「參考」一項，著錄後人的研究成果。這些研究成果，包括專著和論文。少者數條，多者百條。此一部分，可視為漢學者的研究論著目錄。此書的重要性也可從這裡看出一二。文獻資料收錄的最後時限在「凡例」中並沒有說明，如果根據卷末所附的《日本漢文學年表》，最後一年是昭和五十九年（1984），則近十年間的資料，已不及收入。

每一筆研究資料，如果是專著，則注明書名、作者、出版者、出版年月。其中最值得注意的是，有不少資料，是從通論性的專著中裁篇而出的，如：木下順庵條「參考」項有資料十條，其中如：

1. 木下順庵の學風　岩橋遵成（近世日本儒學史，三十一頁，東京寶文館，昭和二年）
2. 木下順庵　松下忠（朱子學大系一三、日本の朱子學）
3. 木下順庵とえの門下　中野三敏（中國文化叢書九，日本漢學，

三十頁，日本漢學の諸問題，大修館書店，昭和四十三年）

4. 木下順庵　井上哲次郎（日本朱子學派之哲學，富山房，明治三十八年）

5. 木下順庵　安井小太郎（日本儒學史，一六〇頁）

以上五條，都是從日本儒學專著中裁篇而出的。一般的研究文獻目錄，往往僅收專著、期刊論文和論文集論文，很少從通論性的專著中裁篇而出。近藤氏是有家學淵源的文獻專家，能夠裁篇編排，自為其他文獻目錄所不及。

近藤氏的書，雖有如此許多的優點，但並非沒有缺失，茲就知見所及，討論如下：

（一）遺漏重要專著

近藤氏的書各條人名「參考」項所收的文獻雖已不少，但仍有不少遺漏。如「吉田松陰」條，所收專著有二十餘種，而中島智枝子所編《吉田松陰關係文獻目錄》，所錄的專著則近兩百種，近藤氏書失收者達一百餘種。其他各條，當然也有不少遺漏，如「中江藤樹」條，亦遺漏多種。

（二）遺漏重要全集、叢書

近藤的書，如果是漢學者的全集都另外立一條目，有一部分全集未另立條目，則附於人名條下。有部分儒學者早已有全集，但並未收入，如：《山田方谷全集》、《海保青陵全集》等，都未收入。又部分叢書，如：《近代先哲碑文集》、《日本思想鬥爭史料》、《大日本思想全集》、《日本の思想》、《日本の思想家》等，對研究日本儒學史都相當重要，但都失收了。

（三）失收期刊中的特集資料

近代的期刊，往往為某一特定事項或某一學者編輯「特集」，資料相當豐富，近藤的書並未收錄這些「專號」或「特集」。如《大東文化》第八號有《日本儒教研究號》（昭和十年），收論文十篇。《中國古典研究》第二十八號（昭和五十八年）有《龜田鵬齋特集》，收相關論文十篇等都是。

（四）資料著錄不夠明確

有些資料的出版項著錄不夠明確，可能從其他書轉錄，如：

中江藤樹　加藤盛一　昭和十八

這條資料並未注明加藤氏的書的出版者。根據檢索所得，加藤氏有關中江藤樹的著作有兩本：

1. 中江藤樹　東京：北海出版社　昭和十二年十一月（日本教育家文庫第十八卷）
2. 中江藤樹　東京：文教書院　昭和十七年七月（日本教育先哲叢書第五卷）

近藤氏所著錄之「昭和十八」，與兩書之出版年皆不相合，不知應屬哪一書。

（五）資料重複著錄

如「中江藤樹」條，木村光德的《藤樹學の成立に關する研究》（東京：風間書房，昭和四十六年）一書，即重複著錄兩次。

此外，近藤的書不收外國人研究日本儒學者的著作，使中國、歐美的很多著作資料，未能透過這本目錄，讓讀者充分利用，不免遺憾。部分羈留日本之學者，如：韓國的羌沆，對日本朱子學的發展頗有影響，他的資料全部未加收錄，也不免可惜。

從上文的檢討，可知現有的儒學史研究文獻的工具書，仍有不少缺失。既如此，編纂《日本儒學史研究文獻目錄》就有相當的迫切性。

四　日本儒學史研究文獻目錄的編輯方法

編輯《日本儒學史研究文獻目錄》，可說是一浩大的學術工程，因此，事先必須有相當周全的規畫。個人以為編輯方法，可按下列幾個步驟來進行。

（一）確定全書之體例

編輯一部文獻目錄，體例的規畫最為重要，不能一邊抄錄資料再一邊修訂體例，體例的範圍至少包括：

1. 資料收錄的起訖時間如何？
2. 收錄資料範圍如何？包括專書、期刊論文、論文集論文、……。
3. 論文集、叢書是否要列出子目？
4. 每一筆資料的目錄項應包括哪些項目？
5. 資料將按何種方式編排？編年式、音順式、分類式、……等。

體例的細節可能比這裡所列的要多出很多。擬定每一種體例時，都應以資料完備、檢索方便為最重要的考量因素。

（二）抄錄資料

要抄錄資料最簡便的方法是將圖書館中有關儒學的藏書逐一抄錄。但圖書館分布全國各地，不可能逐一抄錄。因此，編輯目錄往往可先利用前人的編輯成果。其編輯方法如下：

1. 利用前人編輯的儒學資料目錄：如前文檢討過的，森銑三等人所編《近代文藝家資料綜覽》和近藤春雄的《日本漢文學大事典》。

可以此二書的資料為基礎，從中錄出相關的資料。但二書中的資料闕漏太多，且儒學家的著作皆不注版本，都應大量增補。

2. 利用相關的綜合性目錄：此類目錄有很多，如《國書總目錄》、《古典籍總合目錄》、《江戶時代書林出版目錄集成》、《日本文化史展覽目錄》、《哲學、思想に關する十年間の雜誌文獻目錄》等類的工具書，可從中抄出有關儒學的資料。

3. 抄錄叢書、全集中的儒學資料：收入全集和叢書的儒學資料，可利用《全集、叢書細目總覽第一卷古典篇》中的資料。如果是現代的叢書，則應從各全集、叢書中逐條抄錄。

4. 抄錄專著、論文集中的儒學資料：通論性的專著中有關儒學的章節，也應裁篇而出，如田原嗣郎的《德川思想史研究》（東京：未來社，1967年8月），分別討論山鹿素行、荻生徂徠、伊藤仁齋，各章節應分別裁篇而出，以方便讀者。另外，相關的論文集，也應逐冊檢閱，如德川公繼宗七十年祝賀記念會編的《近世日本の儒學》（東京：岩波書店，昭和十六年），就是最典型的論文集。其中所收的論文數十篇，皆與近世儒學有關，自應將篇目謄錄出來。

5. 抄錄各期刊中儒學的資料：可利用前人編輯的部分成果，如：《東洋學文獻類目》、《雜誌記事索引》、日本中國學會的「學界消息」等綜合性文獻目錄。零星的儒學史的文獻目錄，如：東北大學文學部日本思想史學研究室編的《日本思想史關係研究文獻要目》（《日本思想史研究》第十七號，1985年3月），也可轉錄。

（三）編排資料

為避免各筆資料的體例不統一，必須按下列程序來統一體例，並逐項編排：

1. 按期刊名、書名編排，並統一體例：由於抄錄來的各筆資料，來源不一，期刊名、卷數、出版年月，可能都不夠統一。且明治時代的期刊，大都沒有被編入期刊論文目錄中，大正和昭和初年的目錄，如《東洋學文獻類目》，所收資料非常少，像《斯文》、《「支那」學》、《書誌學》、《東洋文化》等刊物中的論文，被收入論文目錄的篇目都相當有限。因此，在統一體例時，應順便補抄資料。論文集的資料，也是從各處抄來，體例必然相當混亂，也必須統一。另外，為方便讀者檢索，在統一體例時，也應分別編製「收錄期刊一覽表」、「收錄論文集一覽表」。

2. 按作者名編排，並統一體例：所以必須把抄錄之資料按作者名編排，一方面可檢查筆誤；另方面，有些譯稿，外國人名的體例相當不統一，有的名在前、姓在後，有的姓在前、名在後，可藉這個機會統一體例。另外，同一篇論文有不同出處的，也可藉這個機會歸併在一起。

3. 按所訂之類目編排，並修訂類目：將上述按作者編排的卡片打散，按事先擬好的大類目作初步的分類。這時，實際歸納所得的類目，可能與先前所預擬的類目有相當大的出入。當然要按實際歸納所得的類目來編排。

在作分類編排時，每一時段都有總論，總論之下也應立很多細目，以免類目太多，資料太多，不易檢索。其次，每一儒學家的資料多寡不一，多者可達千條，如果不再細分成小類，檢索也相當不方便。

4. 編輯作者索引：這是編輯文獻目錄必要的輔助檢索工具。一般來說，在作校對的二校久後，可以將卡片打散，按作者名排列，編成作者索引。為了方便讀者，可編成按筆畫和按音順編排的兩種索引。

五　結語

以上從儒學史文獻的類別、現有儒學史文獻的檢討，進而論到儒學史文獻目錄的編輯方法。整個討論的過程，所要呈現的觀念，就是編輯一部儒學史研究文獻目錄實有其迫切的需要。此一目錄將來如果編輯完成，至少可發揮以下的功能：

（一）呈現日本儒學資料的總面貌

以前有關儒學研究的工具書，如森銑三等人的《近世文藝家資料綜覽》和近藤春雄編的《日本漢文學大事典》，雖已收錄不少資料，但闕漏仍舊甚多。且二書並非純粹的目錄，也未能充分發揮目錄的功能，以致日本儒學者的著作有多少，後人研究的成果如何，都未有較明確的記錄。本文獻目錄編輯完成後，不但可呈現儒學資料的總面貌，也是學者研究日本儒學最簡便的工具書。

（二）了解日中文化互動關係的媒介

日本儒學來自中國，但兩國儒學的關係是互動的。朱子學、陽明學傳入日本，產生日本的朱子學派、陽明學派。可是，像山井鼎的《孟子七經考文》，於乾隆時代傳入中國，對當時的考據學家也頗有影響。荻生徂徠的《論語徵》，於清末傳入中國，對清末經學家俞樾等人也有影響。另外，吉田松陰等人的抗議精神對清末譚嗣同也有激勵的作用。這些互動關係，不論原典資料，或後人論述資料，都相當零散。惟有將這些資料作徹底整理編入目錄中，要了解日中兩國儒學的互動關係，文獻的基礎才會穩固。

編輯儒學史文獻目錄既有其迫切性，該由誰來編輯呢？我們當然希望日本儒學界有人願意編輯，不然日中合作也未嘗不可。

原載於《經學研究論叢》第2輯（1994年10月），頁253-264。

參考書目

日本儒學史　安井小太郎著
東京　富山房　1939年（昭和十四年）4月
日本儒學序說　張鶴琴著
臺北市　明文書局　1987年10月
日本哲學史　朱謙之著
北京市　生活・讀書・新知三聯書店　1964年
日本朱子學派之哲學　井上哲次郎著
東京　富山房　1905年（明治三十八年）2月
日本的朱子學　朱謙之著
北京市　生活・讀書・新知三聯書店　1958年8月
新訂日本陽明學派の哲學　井上哲次郎著
東京　富山房　1937年（昭和十二年）8月
日本的古學及陽明學　朱謙之著
上海市　上海人民出版社　1962年12月
漢學者傳記集成　竹林貫一編
東京　名著刊行會　1978年（昭和五十三年）10月
近世文藝家資料綜纜　森銑三等編
東京　東京堂　1973年（昭和48年）3月
日本漢文學大事典　近藤春雄編
東京　明治書院　1985年（昭和六十年）4月
日本思想史文獻解題　大倉精神文化研究所編
東京　角川書店　1965年（昭和四十年）5月
日本文化總合年表　市古貞次等編
東京　岩波書店　1990年3月
日本儒學年表　斯文會編
東京　飯塚書房　1976年（昭和五十一年）4月

評《中國文學研究文獻要覽》（1978-2007）

一　前言

大約三十年前，一個偶然的機會，在某圖書館見到石川梅次郎監修、吉田誠夫等所編的《中國文學研究文獻要覽（1945-1977，戰後編）》（東京：日外アソシェーッ，1979年10月），發覺有許多編輯上的特色，就請人影印一份裝訂起來，以後這本《要覽》也成了案頭常用書。近十餘年間，我編輯過兩套日本漢學的書目，一是《日本研究經學論著目錄》（1900-1992）（臺北市：中國文哲研究所，1993年10月），二是《日本儒學研究書目》（臺北市：臺灣學生書局，1998年7月），都曾利用過這本《要覽》所收的資料。感到遺憾的是，時間已過了三十餘年，卻未見有續編問世。

二○○九年九月中旬，陳亦伶學弟告訴我有川合康三監修的《中國文學研究文獻要覽（1978-2007）》（東京：日外アソシェーッ，2008年7月）已出版，我喜出望外，請她盡快印一份給我，也請她寫一篇評介性的文章。不久，她的書介在《漢學研究通訊》二十八卷四期（2009年11月）刊出來，但受字數限制，只有一千字，我覺得有很多編輯的特色，應該說出來，卻沒有說；有不少建議也希望能提出，可供川合教授的編輯團隊做參考。二○一○年春節，《國文天地》的「天地書肆」缺一篇文稿，就利用二月十三日這天完成這篇簡單的評介文章。

二　《要覽》的體例

從《要覽》的「凡例」可以得知，《要覽》收一九七八至二〇〇七年間日本國內發表有關中國古典文學的研究文獻目錄。計收單行圖書4236條、專書論文2129條，期刊記事（論文）14765條，合計21130條。書前有川合康三教授所寫的〈中國文學研究案內〉、書後有〈事項名索引〉，〈著書名索引〉、〈收錄誌名一覽〉。

（一）文獻收錄

1. 中國古典文學的專門著作、研究文獻。
2. 收錄範圍是先秦至清末。
3. 圖書部分，收錄專門書、研究書、概說書、事典、索引、書誌等圖書。
4. 雜誌收錄中國文學專門誌、學會誌、大學紀要、文藝誌。
5. 連載的論文後來出單行本的，不再收錄連載的出處。

（二）文獻的分類

1. 先「中國古典文學一般」，接著為「先秦文學」、「秦漢文學」、「六朝文學（三國魏晉南北朝文學）」、「隋、唐、五代文學」、「宋代文學」、「金元文學」、「明代文學」、「清代文學」。
2. 各條目分一般研究文獻、書評、書誌；一般研究文獻區分為圖書、雜誌兩類。

（三）文獻的排列

1. 各類下之條目按出版年月的順序排列。
2. 出版年月、題名相同的文獻，按著編者的五十音順排列。
3. 沒有著編者的文獻排在最後。

(四) 文獻的著錄

1. 單行本圖書

著編者名／書名、副題、卷次，各卷書名／版次／出版者／刊行年月／頁數／大小／（叢書名、號碼）

（例）川合康三　中國のアルバ—系譜の詩學　汲古書院　2003年4月　288頁　20cm（汲古選書　33）

2. 論文集論文

著編者名／論題（論文集編者／書名、副題、卷次、各卷書名／出版者／出版年月）起迄頁數

（例）上田望　『三國志演義』の毛綸、毛宗崗評點をめぐって（日本中國學會創立五十週年紀念論文集編輯小委員會編日本中國學會創立五十週年紀念論文集　汲古書院　1998年10月　頁197-212）

3. 期刊論文

著編者名／論題／雜誌名／卷號／刊行年月／頁數

（例）內山精也　宋代士大夫の詩歌觀——「蘇黃」から江湖派へ　橄欖　13　2005年12月　頁5-32

(五) 索引

1. 事項名索引
2. 著者名索引

三　幾種特色

《要覽（1978-2007）》的編輯特色幾乎都是沿襲《要覽（1945-1977）》而來。這可以說是對優良傳統的繼承。所以，這裡所說幾種的特色，可說是兩書的共同特色。

（一）多收文學相關研究成果

一般的文學論著目錄，往往只收純文學著作的研究成果，但《要覽》自從石川梅次郎監修以來，即採用一種比較廣泛的文學定義，把文學相關典籍的研究成果一併收入，如在先秦文學的部分，收入《易》、《尚書》、《春秋》、《國語》、《論語》、《孟子》等所謂經學著作的研究成果；秦漢文學的部分，收入《史記》、《戰國策》、《漢書》、《尚書大傳》、《韓詩大傳》、《淮南子》、《鹽鐵論》、《新序》、《說苑》、《列女傳》、《續列女傳》、《尚書中候》、《潛夫論》、《風俗通義》等典籍的研究成果。六朝文學部分，收入《後漢書》、《三國志》、《華陽國志》、《水經注》、《荊楚歲時記》、《洛陽伽藍記》、《孔子家語》等典籍的研究成果。這些如果沒有較開放的文學觀，不可能有這麼開闊的作法。《要覽（1978-2007）》根據書名，雖只是收文學文獻的目錄，但研究經學、史學和子學的學者，仍可從中找到所需的資料。這是研究文學之外的學者，所應特別注意的。

（二）論文集篇目散入各類中

編輯目錄，著錄論文集時，大抵有四種作法：（1）單一條目，就是和專書一樣，只著錄作者、論文集名、出版者、出版年月、頁數等基本資料；（2）基本著錄條目之下，列有該論文集所收篇目，如《東洋學文獻類目》；（3）基本著錄條目之下，不列該論文集所收篇目，而將各篇目按類別分入各類中，如《中國文學研究文獻要覽》；（4）基本著錄脩山之下，有所收篇目，又將篇目分入各類中，如《經學研究論著目錄》。以第四種作法最方便讀者。《要覽（1979-2007）》把論文集之條目統一收入頁131-134〈論集〉中，各論文集中的篇目，也依論文的類別分入各類中。採用第三種作法。雖不是最理想的作法，但能繼承優良傳統，也值得表彰。

(三) 索引完備

一部完善的文獻目錄，要有較詳盡的索引作為輔助工具，才能發揮最大的功能。大體來說，大陸編輯的目錄（或稱索引），大多沒有索引。臺灣所編的，幾乎都編有著者索引，《要覽（1978-2007）》除了編有〈著者名索引〉之外，則另有〈事項名索引〉，即所謂重要名詞索引。兩種索引交叉使用，節省不少檢索的時間。

四　幾點建議

(一) 各朝作家的編排順序問題

《要覽（1978-2007）》各朝代作家的編排順序，是按作家的卒年來編排，生年雖在很前面，但因很長壽，所以要排在後面。不仔細看，很容易誤認時代先後。因誤認時代先後，對該作家的了解也會變得不正確，如以明代作家來說，湛若水的生年是一四六六年，唐順之的生年是一五〇七年，兩人相差四十一年，由於他們的卒年都是一五六〇年，按《要覽》的體例，兩人應排在一起，讀者將會誤以為湛若水和唐順之時代相近。又明代作家湛若水生於一四六六年，卒於一五六〇年，王陽明生於一四七二年，比湛若水的一四六〇年要晚六年，如果按生年排列，王陽明必排在湛若水之後，但《要覽》是按卒年排，陽明卒於一五二八，比湛若水的一五六〇年要早很多，所以陽明排在湛若水之前。讀者將誤以為陽明的年輩比湛若水要早。可見，按卒年編排並不是最理想的編排方法。

(二) 可多收日本學者在海外的研究成果

《要覽（1945-1977，戰後編）》與《要覽（1978-2007）》，收錄文獻的範圍是日本國內發表有關中國古典文學的研究文獻。由於主其事者一直保持這一原則，這部《中國文學研究文獻要覽》只能說是日本學者在日本國內研究中國古典文學的文獻目錄。事實上，由於國際漢學交流日益方便，許多日本學者到大陸、臺灣、香港、韓國等地講學或參加各種研討會、座談會，成果有大部分在大陸，臺灣等地發表。由於是在日本國外發表，許多日本國內讀者並不知某位學者有這些文章可利用。如果將這些文章或譯本的條目，列入《要覽（1978-2007）》中，讀者很容易就可查到他們所需的資料。

如果仔細分析，近三十年間，日本學者的專著和論文經翻譯出版者數量相當多，大抵可分為幾種類型：

1 翻譯專書

中國文學史　前野直彬主編　何寄澎、蓮秀華譯
　　臺北市　長安出版社　一九七九年九月
中國文章論　佐藤一郎著　趙善嘉譯
　　上海市　上海古籍出版社　一九九六年六月
中國詩論史　鈴木虎雄著　許總譯
　　南寧市　廣西人民出版社　一九八九年九月
文心雕龍研究　戶田浩曉著　曹旭譯
　　上海市　上海古籍出版社　一九九二年六月
李白詩歌抒情藝術研究　松浦友久著　劉維治譯
　　上海市　上海古籍出版社　一九九六年十二月
宋詩概說　吉川幸次郎著　鄭清茂譯
　　臺北市　聯經出版事業公司　一九七七年四月
元明詩概說　吉川幸次郎著　鄭清茂譯
　　臺北市　幼獅文化事業公司　一九八四年四月
柳永論稿　與野直人著　張海鷗、羊昭紅譯
　　上海市　上海古籍出版社　一九九八年十二月

中國的宗族與戲劇　田仲一成著　錢杭、任餘白譯
　上海市　上海古籍出版社　一九九二年八月

2 翻譯論文，編成論文集

日本學者中國文學研究譯叢（1-5輯）　劉柏青等主編
　長春市　吉林文史出版社　一九九〇年三月
日本學者中國詞學論文集　王水照、保一佳昭編選
　上海市　上海古籍出版社　一九九一年五月
日本研究金瓶梅論文集　王國安、黃霖編譯
　濟南市　齊魯書社　一九八九年十月

3 翻譯論文，發表於期刊中

數量相當多，只要打開「央圖」建置的「臺灣期刊論文索引」和中國知網「中國期刊全文數據庫」，打入日本學者的名字，就可以找到不少中文的論文條目。

筆者將日本學者中與國外交流比較密切者利用「臺灣期刊論文索引」來檢索，就可以得知日本學者的論文經譯為中文的數量不少，如小川環樹有四篇，村山吉廣有五篇，池田知久有三篇。這也可以作為日本學者受重視程度的參考標準之一。

五　結語

編輯目錄是件吃力不討好的工作，編得好，方便找資料，大家認為理所當然，編不好，大家群起而攻，幾乎要痛不欲生。所以，王德毅先生曾說過利用目錄，好像呼吸空氣，呼吸空氣的人多，感謝空氣的人少。對編輯目錄的人來說，這是很無奈的事。川合教授在繁忙的教學和研究工作中，能抽空完成此一本巨著，所費的心思不言可喻。

這種為學術而犧牲小我的精神，在當今學術界，就顯得特別可貴。

日本漢學的一大特色，就是整理文獻。三十年前，石川梅次郎監修的《中國文學研究文獻要覽（1945-1977）》，有相當完善的體例，為目錄的編纂訂下了許多規範，所以，川合康三教授樂意去繼承這種優良的傳統。二書的編輯體例，幾乎完全相同，這可以說是日本漢學界的一段佳話。我們深深的期許，這本《要覽》能成為研究中國文學最權威的工具書。而且，也期待這本《要覽》不僅僅是日本出版品中研究中國古典文學的總帳冊，也是日本學者研究中國古典文學的總帳冊。能做到這一點，嘉惠國際漢學界的將更多。

原載於《國文天地》第25卷10期（2010年3月），頁88-91。

安井小太郎編纂經學入門書目的學術意義

一　前言

中國傳統學問分經、史、子、集四大類，各個類留下多少成果？文淵閣《四庫全書》已收了3457種，這些學問在清末民初時，統稱為「國學」。國學的內涵既是這麼豐富，要入門應當如何？最佳的指南，是開一份國學入門書的書目，以解決讀者內心的疑惑，這種工作在一九二三年時，胡適、梁啟超都做了。當時，胡適為清華學生擬定了一份〈一個最低限度的國學書目〉，分工具書、思想史、文學史三部分，收書190種。同年，梁啟超也應《清華周刊》記者之邀，撰寫《國學入門書要目及其讀法》，收書160種，梁氏並擬定一份〈最低限度的必讀書目〉，附於該書之後，這是為國學開立的入門書目。至於有沒有學者為經、史、子、集四部開立入門書？經過仔細的檢索，在中國顯然沒有。在日本，安井小太郎在一九三三年由大東文化學院研究部印行《經學門徑》，這是中、日、韓研究經學的大事情，對於這本東亞唯一的經學入門書目，我們怎麼來看待它，並發掘其中的意義。

由於這本書目在國內很少學者提到，前人也沒有留下什麼研究成果，所以本文所作的敘述和論析，大抵是個人的意見，如有不妥當的地方，敬請諒解。

二　安井氏生平的三個時期

安井小太郎，日本安政五年（1859）生，名小太郎，字朝康，號朴堂。日向（宮崎縣）人。是江戶末年昌平黌教授安井息軒（1799-1876）的外孫。安井氏一生可分為三個階段：

（一）第一階段：求學時期

從安政五年（1858）到明十七年（1894），二十七歲之前。

安政五年（1858），一歲，六月十九日生於麴町三番町安井息軒家。
慶應元年（1865），八歲，移居宮崎郡武村息軒的故里。開始讀《孝經》。
明治二年（1869），十二歲，讀完《孝經》。接著在城下學校就學，讀完《論語》、《孟子》。
明治四年（1871），十四歲，至東京，入安井息軒的三計塾，專研《左傳》、《史記》、《戰國策》、《貞觀政要》、《周禮》、《管子》等經傳子史的書籍。
明治九年（1876），十九歲時入島田篁村之門。
明治十一年（1878），赴京都跟草場船山學習。
明治十五年（1892），東京帝國大學古典科入學。卒業後，任學習院助教授、教授。

從此一階段的記事，可知安井氏求學時期曾師事安井息軒、島田篁村、草場船山三大儒，已讀完《孝經》、《論語》、《孟子》、《左傳》、《周禮》等經學的典籍，也奠定後來成為經學大家的基礎。

（二）第二階段：撰述經學著作時期

從明治十八年（1885）到大正十年（1921），安井氏二十八歲到六十四歲之前。

明治二十七年（1894），三十七歲，出版《大學講義》、《中庸講義》、《論語講義》（哲學館）。
明治二十八年（1895），三十八歲，出版《本邦儒學史》。
明治三十五年（1902），四十五歲，應聘京師大學堂當教習。
明治四十年（1907），五十歲，回國，任第一高等學校教授。
大正十年（1921），六十四歲，撰述《禮記譯注》。

此一時期完成的經學專著有：《本邦儒學史》、《大學講義》、《中庸講義》、《論語講義》、《禮記譯注》。單篇論文有：〈古文尚書考〉、〈周禮考〉、〈孟子論〉、〈鄭王異同辨〉、〈王陽明與論語〉、〈關於慊堂翻刻漢籍意見〉。

（三）第三階段：撰述經書解題時期

從大正十一年（1922）到昭和十三年（1938）過世。安井氏六十五歲至八十一歲時期。

大正十四年（1925），六十八歲，退官，轉任大東文化學院教授。又擔任二松學舍專門學校、駒澤大學講師。
昭和三年（1928），七十一歲，任斯文會顧問。
昭和八年（1933），七十六歲，出版《經學門徑》。
昭和十年（1935），七十八歲，出版《論語講義》（大東文化協會）。
昭和十二年（1937），八十歲，出版《曳尾集》。
昭和十三年（1938），八十一歲，四月二日過世。

此一時段約有十五年，完成的專著有《經學門徑》、《論語講義》、《曳尾集》等。單篇論文有〈正平板論語解〉、〈讀南淵書〉、〈讀揚雄傳〉、〈論偽古文孔傳〉、〈宋代異學禁〉、〈論語孔注辨疑〉、〈車乘考並序〉、〈朱子之經學〉、〈春秋正義解說並缺佚考〉、〈先秦至南北朝之經學史〉、〈毛詩詁訓傳撰者考〉、〈經學研究之方針〉、〈清代於學術上之功績〉、〈續詩疑〉、〈周代井田無公田辨〉、〈讀伯夷傳〉等。然最重要的是他在此一階段為日本學者之經學著作所撰寫的解題，如果以學派來分，這些著作解題分屬江戶時期的各個學派：

1. 古學派

伊藤仁齋：〈大學定本解題〉、〈中庸發揮解題〉、〈論語古義解題〉、〈孟子古義解題〉

龜井南冥：〈論語語由解題〉

廣瀨淡窗：〈讀孟子解題〉

2. 折衷學派

冢田大峰：〈孟子斷解題〉

豬飼敬所：〈孟子考文解題〉

豐島豐洲：〈論語新注解題〉

3. 陽明學派

佐藤一齋：〈大學欄外書解題〉、〈中庸欄外書解題〉、〈孟子欄外書解題〉

4. 懷德堂學派

中井履軒：〈大學雜義解題〉、〈中庸逢原解題〉、〈孟子逢原解題〉

5. 考證學派

皆川淇園：〈論語繹解解題〉

吉田篁敦：〈論語集解考異解題〉

市野迷庵：〈正平本論語札記解題〉

東條一堂：〈論語知言解題〉

撰述經籍解題的工作大概在昭和元年（1926）結束。這工作從大正十一年（1922）開始，安井氏整整作了四年。這些解題包括江戶時代各個學派的著作，後來大部分收入關儀一郎所編《日本名家四書注釋全書》中，這可能是關儀一郎請求安井氏為他所編的叢書所作的解題。

另外，在安井氏過世的第二年，即昭和十四年（1939）東京富山房出版他的《日本儒學史》和《日本漢文學史》。

《經學門徑》出版的昭和八年（1933），安井氏的解題工作已結束七年，將一生所讀的經學著作選出適合初學者入門的，加上解題，編成這本《經學門徑》書目，對七十多歲的安井來說，因為做的是自己熟悉的事，應該不會太過勉強。

三　《經學門徑》的結構

根據〈朴堂先生著述論文目錄〉，安井小太郎這本《經學門徑》刊行於昭和八年（1933），由松雲堂發行[1]，這年安井氏七十六歲，可以說是晚年的著作。昭和四十六年（1971）四月有松雲書院重印本。這部書沒有序文，因此安井氏編纂這書的動機、目的、內容編排，都不得而知。現在，我們先討論以下幾個問題：

（一）分類

基本上這本《經學門徑》的分類，大抵採用《四庫全書》的分類體例，再略作修正。我們先看《四庫全書總目》經部的分類：

> 易類、書類、詩類、禮類（周禮、儀禮、禮記、三禮總義、通禮）春秋類、孝經類、五經總義類、四書類、樂類、小學類

1　〈朴堂先生著述論文目錄〉，見《斯文》第22編第7號（1938年7月），頁23-25。該《目錄》將「經學門徑」誤排作「經學問徑」。

而安井氏《經學門徑》的分類是：

> 周易部、尚書部、詩部、周禮部、儀禮部、禮記部、春秋部、論語部、孝經部、爾雅部、孟子部、四書部、群經部

把《經學門徑》的分類與《四庫全書總目》作比較的話，有數點值得注意：

其一，《四庫全書總目》的禮類又分周禮、儀禮、禮記、三禮總義、通禮、雜禮等小類，安井氏的書目只分周禮、儀禮、禮記三類，另有聶崇義《三禮圖》、豬飼敬所《讀禮肆考》、秦蕙田《五禮通考》、徐乾學《讀禮通考》、江永《禮書綱目》、凌廷堪《禮經釋例》五本書附在禮記之後。朱子《儀禮經傳通解》，《四庫全書總目》入通禮類，安井氏將其改入禮記類，這樣的安排並非完全妥當。

其二，《四庫全書總目》把《論語》、《孟子》都納入四書類。安井氏不採《四庫全書總目》的分類法，改採朱彝尊《經義考》，於《四書》之前仍立論語部、孟子部，只不過安井氏在論語部之後、孟子部之前插入孝經部、爾雅部。

其三，《四庫全書總目》有小學類，安井氏的時代小學已逐漸獨立成所謂「語言文字學類」，但《爾雅》仍是經書，所以把它獨立成爾雅部。

其四，《四庫全書總目》在四書類之前有「五經總義類」，安井氏的《經學門徑》則改在「四書部」之後，這樣的改動也比較合理。

(二) 各類收書數目

1. 周易部：

收書二十七種，中國學者著作二十二種，日本學者著作五種。

2. 尚書部：

收書二十五種，中國學者著作二十三種，日本學者著作二種。

3. 詩部：

收書二十七種，中國學者著作二十二種，日本學者著作五種。

4. 周禮部：

收書十三種，中國學者著作十二種，日本學者著作一種。

5. 儀禮部：

收書十二種，中國學者著作十一種，日本學者著作一種。

6. 禮記部：

收書十五種，中國學者著作十四種，日本學者著作一種。

7. 春秋部：

收書三十七種，中國學者著作三十三種，日本學者著作四種。

8. 論語部：

收書四十三種，中國學者著作二十五種，日本學者著作十八種。中國學者著作中有兩種《論語義疏》，是日本的版本。

9. 孝經部：

收書十六種，中國學者著作九種，日本學者著作七種。

10.爾雅部：

收書八種，中國學者著作六種，日本學者著作二種。

11.孟子部：

收書二十一種，中國學者著作十三種，日本學者著作八種。

12.四書部：

收書二十二種，中國學者著作九種，日本學者著作十三種。

13.群經部：

收書二十八種，中國學者著作二十三種，日本學者著作五種。

所收中國學者著作二二二種，日本學者著作七十二種，合計收書二九四種。每一種書之下，都有或長或短的提要，篇幅短的，如周易部所收明何楷的《古周易訂詁》（乾隆十六年郭氏再刻本）十六卷，該書的提要是：

> 明何楷著。此書雜采漢晉以來之舊說，不株守一家。其取捨多徵實之言，是明人著書中的白眉。傳本絕少，不足供應好學之士，可惜。（頁4）

篇幅長的，如陳啟源的《毛詩稽古編》，提要說：

> 清陳啟源著。舉篇名，解釋篇中字句。敘例曰：參酌舊詁，不創立新解。《集傳》、《大全》，今日經生尚之、而注疏亦立於國學，故所辨證，此二書為多。又引據之書以經傳為主，而兩漢諸儒文語次之，以漢世近古也，魏晉六朝及唐又次之，以去古稍遠也，宋元迄今去古益遠，又多鑿空之論。此書體例大約如此，釋義親切詳到，譯著有據者多，是清儒詩注的翹楚，卷末附經詁、舉要、考異、正字、辨物、稽疑六門，附錄尤佳。

引陳啟源《毛詩稽古編》之〈敘例〉以說明該書之體例，並略作評價。

四　編纂《經學門徑》的學術意義

《經學門徑》既收有二九四種中日學者的著作，其中中國學者的著作二二二種、日本學者著作七十二種，我們可以從安井氏為這些著作所作的提要，來檢視他的學術立場。

（一）中日學者著作並重

從《經學門徑》所收的中日學者著作，也可以看出安井氏是否有國家主義的立場，把日本學者的著作收錄特別多。周易部收書二十七種，日本學者的著作僅收伊藤東涯《周易經翼通解》、伊藤仁齋《易經古義》、榊原篁洲《易學啟蒙諺解大成》、東條一堂《繫辭答問》、真勢中洲創、松井羅洲修飾《周易釋古義》等五種而已。尚書部收書二十五種，日本學者的著作僅收二種。

收錄日本學者著作較多的是論語部、孟子部和四書部。論語部收書四十三種，收入日本學者著作十五種，所收之書有：伊藤仁齋《論語古義》、荻生徂徠《論語徵》、片山兼山《論語徵廢疾》、松平賴寬《論語徵集覽》、龜井南溟《論語語由》、龜井昭陽《論語語由述志》、大田錦城《論語大疏》、安井息軒《論語集說》、竹添井井《論語會箋》、伊藤仁齋《語孟字義》、並河天民《天民遺言》、木山楓谿《語孟字義辨》、冢田大峰《論語群疑考》、吉田篁墩《論語集解考異》、林泰輔《論語年譜》等十五種，另有正平本[2]《論語集解》、藤堂本《論語集解》[3]、天文本《魯論》[4]等三本《論語》古本。

孟子部，收書二十一種，日本學者著作八種。四書部，收書二十二種，日本學者著作十三種，這已超過半數。安井氏所以在這幾部收錄較多日本人著作，蓋《論語》和《四書》在日本流傳一千多年，累積相當豐富的著作，足供研究者參考之用。

（二）無今古文的成見

編輯入門書最忌有作者的成見，但是每一位作者都有他的學術立場，難免有成見。像皮錫瑞作《經學歷史》一書，很多地方都顯示了

---

2 指後村上天皇正平十九年（1364）九月，堺浦的道祐居士刊刻的何晏《論語集解》。這是日本最早翻刻的中國經籍。

3 是舊鈔卷子本，抄寫年代不能確定。江戶時期為津藩（今三重縣）藤堂氏所藏，故稱「藤堂本」。有各種傳刻本，嚴靈峰所編《無求備齋論語集成》有收錄。

4 日本天文年間（1532-1555）刊刻的《論語》，《論語》單經本（無注）最古的本子。刻板藏泉州堺南宗寺，有清原宣賢的跋。

他的今文學的立場[5]。安井氏不是中國學者，比較沒有今古文的包袱，所以他沒有陷入今古文的漩渦中，這點我們可以從《經學門徑》書目所收書得到證明。

今古文問題比較嚴重的是《詩經》和《春秋》兩經。《詩經》有齊、魯、韓三家詩，是為今文。毛詩一家為古文。三家詩在魏、晉間都已亡佚，歷來一直是《毛詩》獨盛，從晚清開始，今文三家詩崛起，以前亡佚的齊、魯、韓三家佚文也陸續被輯出來，有取代《毛詩》的氣勢。安井氏所處的晚清時期，正好是今文學最興盛的時代，他的《書目》所收錄的書，從《毛詩正義》到段玉裁《詩經小學》，其中除魏源《詩古微》是今文系統外，大抵都是《毛詩》系統。接著收錄的是陳壽祺的《三家詩遺說考》、范家相的《三家詩拾遺》、馮登府《三家詩異文疏證六卷．補遺三卷》三種，和前面提到的《詩古微》，就有四種，這是合乎當時《詩經》發展的歷史事實。

再看看今古文之爭比較激烈的《左傳》與《公羊傳》問題，安井氏的書目，從《春秋左傳注疏》到《左氏會箋》，共收錄九種《左傳》的著作，接著著錄《春秋公羊傳注疏》、孔廣森《春秋公羊通義》、劉逢祿《公羊何氏釋例》、陳立《公羊義疏》等四種《公羊》學的著作，兩傳的重要著作都收錄了，可見安井氏並沒有偏今文或古文，態度非常客觀，

（三）兼收漢宋學著作

經學史上有所謂漢、宋之爭，「漢」是指漢學傳統，宋人一出現，都要面對漢人所遺留下來的學術傳統，宋人對漢人的傳經，往往持否定的態度，所以鄭樵有「秦人焚書而書存，諸儒窮經而經絕」[6]

---

5 詳細情形可參考吳仰湘：〈皮錫瑞《經學歷史》研究〉，《經學研究論叢》第14輯（臺北市：臺灣學生書局，2006年12月），頁1-52。

6 見鄭樵：《通志》（臺北市：新興書局，1959年），卷71，《校讎略》。

的說法。這漢、宋之爭到清中葉變得更厲害，幾已達到水火不容的地步。許多學者本來考察今文學發展，以作為編輯各種教材的補充之用。安井氏的書目對漢宋學問題，沒有較深入的研究，但我們從他所收的著作，仍可看出安井氏的態度。例如：詩部收錄《毛詩正義》，代表的是漢學的知識傳統，接著著錄歐陽修的《毛詩本義》、呂祖謙的《呂氏家塾讀詩記》、朱熹的《詩集傳》、嚴粲的《詩緝》四種，可見安井氏也是很重視宋人注經的成就。

（四）學術研究的步調問題

日本江戶時代中期起，經學著作的步調，往往比中國還要快，譬如：山井鼎的《七經孟子考文》傳入中國後，阮元用來作為校勘《十三經注疏》的主要材料，對阮元作《十三經注疏校勘記》是頗有幫助的。另外，經學家太宰春台作《詩書古傳》、《論語古訓》、《論語古訓外傳》，都比中國阮元、陳鱣同類型的著作要早六、七十年。即至明治時代，日本的井上哲次郎有《日本朱子學派之哲學》、《日本陽明學派之哲學》、《日本古學派之哲學》，這種符合現代學術規範的著作都已出版。在中國還停留在編學案的學術格局中，這樣來看待中、日、韓的經學才會有較實質的意義。

五　《經學門徑》對所收書之評價

《經學門徑》因為有提要，對所收的書往往有或長或短的批評，把這些批評彙集起來觀察，就可以看出安井氏對某一經學問題的看法。由於提要有將近三百篇，要從這麼多提要中看出安井氏的經學觀點，的確要費一番功夫。本小節擬將同一類型的著作歸納，然後按時間先後排列。

（一）對清初考辨易圖著作的評價

首先，看安井氏對考辨易圖的幾本著作的評價。《經學門徑》周易部收錄，胡渭的《易圖明辨》十卷、黃宗羲《易學象數論》六卷、張惠言《易圖條辨》一卷三種。安井氏所撰《易圖明辨》的提要說：

> 河圖、洛書、五行、九宮、參周契、先天易、太極圖、龍圖、易數鈎隱圖、啟蒙、先天古易、後天之學、卦變等，多出於道士之說，力論其非根據易學而來，考證學給易學的功用，尤為顯著。（頁10）

胡渭的《易圖明辨》是用考據的方法，明白的舉出證據來證明坊間流傳之易圖，並非本於《周易》，而是出於道士之說。黃宗羲《易學象數論》的提要說：

> 漢易以京房、焦延壽為首，一直到鄭玄，重視卦象、方術者之易，至宋陳摶、劉牧，是道士之易。此書先論河洛、先天、方位、納甲、納音、月建、卦氣、卦變、互卦、筮法、佔法，皆屬於象。共次，論太玄、乾鑿度、玄包、乾虛、洞極、洪範數、皇極數、六壬、太乙、遁甲，是屬於數，在此書之後，出版的有毛奇齡的《圖書原舛編》、胡渭《易圖明辨》，皆袪除易學迷妄大有功的著作。（頁11-12）

對胡渭的著作，安井氏特別強調考證學方法在該書中的應用，在《易學象數論》中則強調黃宗羲此書，與毛奇齡、胡渭之作，掃除易學迷障，大有功於易學。

至於，張惠言的《易圖條辨》，安井氏的提要說：「辨河圖、洛書、太乙、九宮、太極圖、納甲圖、皇極經世、卦變圖、朱子卦變、程蘇卦變，與《易圖明辨》等相同，是破圖易家之說的書。」（頁12）

（二）對宋代詩經學著作的評價

宋代《詩經》學著作，安井氏的書目收錄了呂祖謙的《呂氏家塾讀詩記》、朱熹的《詩集傳》、嚴粲的《詩緝》，稱為「宋代詩學三大著作」（頁29），《呂氏家塾讀詩記》的提要說：

> 呂祖謙是朱熹的好友，對詩學的觀點完全相反，祖謙固守毛鄭，相信《詩序》，作為宋代古義學家的解釋，有一讀的價值。（頁28）

強調呂祖謙與朱熹相反的解詩立場，但要了解古義，仍有一讀的價值。朱熹《詩集傳》的提要說：

> 朱熹廢《詩序》不用，不拘泥於《詩序》，因詩中文句，定作詩的時代，和作詩的緣由，又因其文句，定是否是淫詩，這與毛鄭的古義大不相同，然屬訓詁者多從毛鄭。又《毛詩》於一篇詩，注興也，不注比、賦。朱熹於各篇每章，皆注比、興也，或注比而興也。這也是和古義不同的地方。（頁28-29）

這裡特別強調朱子廢《詩序》不用，其實朱子的說法遵循《詩序》者多達百分之七十五，並不如一般人所說「廢詩序」。近人有關此一問題的研究不少[7]，安井氏都無法見到這些著作，所以仍然依照傳統的

---

7 相關的研究成果有：（1）李家樹：《國風詩序與詩集傳之比較研究》（香港大學中文系碩士論文，1976年），後來改寫書名作《國風毛序朱傳異同考析》（香港：學津出版社，1979年1月）。（2）王清信：《詩經二雅毛序與朱傳所定篇旨異同之比較研究》

說法來立論，至於提要中點明「訓詁多從毛鄭」，倒是合乎事實的說法。前人往往以為漢宋學是對立的，宋學就是揚棄漢學，所以才能稱為「新經學」。這個觀點不太能適用於宋代的朱子學派，除了朱子的《詩集傳》，訓詁多從毛、鄭之外，蔡沈的《書集傳》，訓詁也多從《古文尚書》孔傳，所以漢、宋學的關係不是對立的，應是一種批判繼承的關係。嚴粲《詩緝》的提要說：

> 以呂氏《讀詩記》為主，雜採諸說，發明呂氏之意，論大小雅之別，不從〈大序〉來解詩體，後儒多從之。朱熹《集傳》、呂祖謙《讀詩記》、嚴粲《詩緝》，宋代詩學三大著作。（頁29）

（三）對宋元禮記著作的批評

安井氏的《書目》收錄宋衛湜《禮記集說》、元陳澔《禮記集說》和元吳澄的《禮記纂言》三本著作，安井氏對這三書有比較詳盡的提要。衛湜書的提要說：

> 取鄭玄以下一百四十四家之說，作為參稽之資，而其書多亡佚，為此書僅存。且取捨采擇之書者多，陳澔之注立於學官風行天下，此書讀者少，《禮記義疏》中多取自此。與澔書相比，不可同日談。（頁52）

安井氏以為衛湜之書不立於學官，讀者少，清人修《禮記義疏》，多從此書取材。陳澔書與其相比，不可同日而語。陳澔之書的提要說：

（臺北市：東吳大學中國文學系碩士論文1998年）。（3）林慶彰：〈朱子詩集傳二南的教化觀〉，收入《朱子學的開展——學術編》（鍾彩鈞主編）（臺北市：漢學研究中心，2002年6月），頁53-68。

此書頗便初學，澔之學淵源於朱熹之壻黃榦，為朱學派所尊，得立於學官，其徵引多誤筆，《四庫全書提要》曾舉數條加以討論。得《禮記》大要是好事、禮制之精細方面，比孔穎達的《疏》稍差一點。（頁52）

指出陳澔之書有不少錯誤，整體來說，不如孔穎達的《禮記注疏》，元吳澄書的提要說：

割裂經文以類相從，各篇亦類聚，通禮九篇，喪禮十一篇，祭禮四篇，通論十篇，把《曲》、《少儀》、《玉藻》作一篇，《大學》、《中庸》別為一書。考禮制之人便利，猶冠《禮記》之名則不可，朱熹《儀禮經傳通解》以《儀禮》為經，稍可免受批評。（頁53）

指出吳澄割裂《禮記》一書，其書不可冠以《禮記》之名。這是對疑經改經者較嚴厲的批判。

（四）對安井息軒著作的評價

安井息軒是安井小太郎的外祖父，安井小時候一直住在外祖父家，受外祖父的調教，是形塑安井氏學術性格的重要人物。安井息軒的著作甚多，有《論語集說》、《孟子定本》、《大學說》、《中庸說》、《毛詩輯疏》、《左傳輯釋》等經學著作，可說是江戶時代很具代表性的經學大家。安井氏之《書目》收錄其祖父之著作有《毛詩輯疏》、《左傳輯疏》、《論語集說》、《孟子定本》等四種。安井氏為這四部書所作的提要並不長，且並未特別論揚安井息軒、《毛詩輯疏》的提要說：

雖本毛傳鄭箋，解釋多從傳意，多前人未發之見，引清儒陳啟源等人之說通暢詩義。（頁33）

安井氏強調他祖父的著作解釋雖多從傳意，但時有前人未發之見，且常引清儒陳啟源等人之說來通暢詩意。《左傳輯疏》的提要說：

> 舉清人和國人之說並加以批判，往往有所見，應一讀。（頁60）

強調該書對清儒和日本學者之著作採批判的態度，而時有所見，有一讀的必要。《論語集說》的提要說：

> 以《集解》為底本，引《集注》、《古義》、《徵》及清朝考據家之說，斷以己意，整理複雜的論語各家之說，井然有序。（頁77）

他強調安井息軒的書是引朱子《論語集注》，伊藤仁齋《論語古義》、荻生徂徠《論語徵》等人之說法和清代考據家之說，然後斷以己意，且強調安井息軒善於整理前人複雜的說法，使之條理井然。《孟子定本》的提要說：

> 以趙注本為底本，參酌朱熹《集注》、焦循《孟子正義》、伊藤仁齋《孟子古義》，以及自家之見。（頁98）

指出安井息軒的書是以趙岐《孟子章句》為底本，參取朱子、焦循、伊藤仁齋等人之作而成。

（五）對竹添井井著作的評價

竹添井井（1842-1917），名光鴻，通稱進一郎，號井井。是安井息軒的學生。有《毛詩會箋》、《左傳會箋》、《論語會箋》三部大著作，前人稱為「三會箋」，安井氏的書目三本書都收錄了。《毛詩會箋》的提要說：

> 多取馬瑞辰、胡承珙等考據家之說，也有自家獨得之說。雜以邦儒之說，有稍失氾濫之憾，近代優良的著作。（頁33）

指出《毛詩會箋》取材的來源，惋惜該書稍流於氾濫，但還是肯定該書是優良著作。《左傳會箋》的提要說：

> 據秘府藏卷、古抄本訂正經注文字，引國內外先儒之說，作為參稽之資，唯舉先儒之說皆沒其名，不能知何人之說者甚多，可惜。（頁60）

指出《左傳會箋》引前人之說皆沒其名，這是竹添氏三會箋中最受人詬病的地方，近數十年來，探討此一問題的論文甚多[8]，但早在八十年前安井氏已先指出。《論語會箋》的提要說：

> 體例與《左傳（會箋）》、《毛詩（會箋）》相同，《論語（會箋）》多引清朝近代人之說，又引國人之說，和《毛詩會箋》相比，是更能得要領的好著作。（頁77）

指出《論語會箋》多引清人、近代人之著作，如和《毛詩會箋》相比，更能得要領。安井氏指出三會箋的優缺點，《毛詩會箋》稍流於氾濫，《左傳會箋》「舉先儒之說皆沒其名」，只有《論語會箋》比較沒爭議，但安井氏仍以為三部書都是優良著作。

---

8 孫赫男：〈竹添光鴻《左傳會箋》研究述要〉對此事有詳細的討論，見《北京大學學報》，2006年3期（2006年5月），頁147-150。

六　結論

民國以來為國學開入門書目，最有影響的應該是胡適所編的〈一個最限度的國學書目〉和梁啟超的《國學入門書要目及其讀法》，至於為經學開立入門書目的，古今中外僅有安井小太郎的《經學門徑》書目。此書的出版，個人覺得有數點學術意義：

其一，經學自中國傳到日本，從江戶時代起就逐漸有周邊顛覆中央之舉。自明治時代起日本因受西學的影響，經學研究也有獨立發展的空間，在中國流行編輯國學入門書目之際，安井氏發揮他的經學素養，編輯一份經學入門書目，也是理所當然的事。這證明了中國沒有的，日本也可以有，這也是日本經學獨立發展的重要例證。

其二，安井氏所以能在經學上有較大的成就，得力於外祖父安井息軒和島田篁村、草場船山等老師的細心教導，再加上為江戶時代經學家撰寫經學著作解題，有整整四年的歷練，於七十六歲時完成《經學門徑》，這可說是水到渠成的事。

其三，安井氏編纂《經學門徑》的態度是相當客觀的，這書目的特色是中日著作並重，無今古文學的偏見，也無漢宋問題。各書之解題文字盡量簡潔，但都能抓住重點來批評。這本《經學門徑》代表安井氏研究經學七十年的心血結晶。這書雖已出版近八十年，用來作為當代的經學入門書目，仍舊不會過時。這就是安井氏識見高明的地方。

原載於《經學研究論叢》第19輯（2011年11月），頁251-266。

作者簡介

林慶彰

一九四八年生，臺灣臺南縣人。東吳大學中國文學研究所博士班畢業，文學博士。專研經學、圖書文獻學、國際漢學。對研究明清經學史尤有心得，曾提出經學史發展過程中，每隔數百年就會出現「回歸原典」的現象，享譽國際漢學界。著有《明代考據學研究》、《明代經學研究論集》、《清代經學研究論集》、《清初的群經辨偽學》、《中國經學研究的新視野》、《顧頡剛的學術淵源》等十餘種，編有《經學研究論著目錄》、《日本研究經學論著目錄》、《日本儒學研究書目》、《民國時期經學圖書總目》、《民國時期經學叢書》、《晚清四部叢刊》等五十餘種。主編《經學研究論叢》、《國際漢學論叢》。翻譯有《經學史》、《論語思想史》、《日本近代漢學家》等五種。現任福建師範大學文學院特聘研究員，東吳大學端木愷講座教授、中研院中國文哲研究所兼任研究員、中國經學研究會常務監事。

本書簡介

本書分為上、下兩編。上編圖書考辨，是作者二十多年來考辨戒嚴時期偽書的成果。作者考辨偽書，多年來累積的一些成果，可以參看作者所著的《圖書文獻學研究論集》和《偽書與禁書》。現在把考訂當代偽書的資料，按經學、史學、哲學、文學、語言文字學、文獻學六大類別來編排。其中，語言文字學和文獻學部分尚未完稿，未收入書中。已收入的，經學類曾發表於四川省社會科學院出版的《國學》第三集（二〇一六年六月），其他三類的文獻，皆未曾發表。這一部分算是以新面目跟讀者見面。

下編文獻整理，收入作者多年來在文獻學方面的研究及著作成果；單看篇名好像是書評，但各個篇章的呈現，其實是要讀者更深一層瞭解資料的內涵。包括強調蒐集文獻的方法：必須要上窮碧落下黃泉，然後以謹慎的態度和鍥而不捨的精神來搜尋這些資料；也於書評中提醒學者們，在蒐集資料時，態度應更為客觀。因為學術是一種公器，不容許有人綁架它。

綜合上下編，本書將作者多年的圖書考辨成果及文獻學著作進行了一番整理，其綱舉目張、析論詳明，為文獻學方面的重要成果。

福建師範大學文學院百年學術論叢·第六輯 1702F05

圖書考辨與文獻整理

作　者　林慶彰
總策畫　鄭家建　李建華

發行人　林慶彰
總經理　梁錦興
總編輯　張晏瑞
編輯所　萬卷樓圖書股份有限公司
臺北市羅斯福路二段 41 號 6 樓之 3
電話　(02)23216565
傳真　(02)23218698

發　行　萬卷樓圖書股份有限公司
臺北市羅斯福路二段 41 號 6 樓之 3
電話　(02)23216565
傳真　(02)23218698
電郵　SERVICE@WANJUAN.COM.TW
香港經銷　香港聯合書刊物流有限公司
電話　(852)21502100
傳真　(852)23560735

ISBN 978-986-478-394-6
2020 年 6 月初版
定價：新臺幣 460 元

如何購買本書：
1. 劃撥購書，請透過以下郵政劃撥帳號：
帳號：15624015
戶名：萬卷樓圖書股份有限公司
2. 轉帳購書，請透過以下帳戶
合作金庫銀行　古亭分行
戶名：萬卷樓圖書股份有限公司
帳號：0877717092596
3. 網路購書，請透過萬卷樓網站
網址　WWW.WANJUAN.COM.TW
大量購書，請直接聯繫我們，將有專人為您服務。客服：(02)23216565　分機 610

國家圖書館出版品預行編目資料

圖書考辨與文獻整理 / 林慶彰著. -- 初版. --
臺北市 : 萬卷樓, 2020.06
　面 ;　公分. -- (福建師範大學文學院百年學術論叢. 第六輯 ; 1702F05)
ISBN 978-986-478-394-6(平裝). --
1.文獻學 2.研究考訂

011　109015580